LES JUMEAUX DE LA NUIT

ERNEST LEHMAN

LES JUMEAUX DE LA NUIT

TRADUIT DE L'AMÉRICAIN PAR
ROBERT ABRAMOVICZ

CARRERE/PARAITRE

CET OUVRAGE A ÉTÉ PUBLIÉ EN LANGUE ANGLAISE
SOUS LE TITRE :
FAREWELL PERFORMANCE
First published by Mc Graw Hill & Co. New York

Éditions CARRERE/PARAÎTRE
27, rue de Surène. 75008 Paris. Tél. (1) 42.68.13.00
26, rue d'Aboukir. 75002 Paris. Tél. (1) 42.36.98.80

MAI 1987

ISBN 2-86804-385-2
(Édition originale : 0-07-037074-5)
Pour tous droits dérivés, s'adresser aux Éditions PARAÎTRE
26, rue d'Aboukir. 75002 Paris. Tél. (1) 42.36.98.80

Pour ARNIE ROSEN,
qui illuminait le monde de ses éclats de rire.

1.

Étendu sur le sable, avec pour seul écran entre le soleil de septembre et sa peau harmonieusement bronzée une fine pellicule de crème solaire et un mini-slip blanc, il émergea lentement des brumes du sommeil. Il crut d'abord, que c'était le bruit des vagues sur les rochers qui produisait ce mugissement qu'il avait entendu en rêve; puis comprenant qu'il avait dû s'endormir et sombrer dans un rêve vaguement érotique, il reprit ses esprits et s'aperçut que l'autre bruit, la sonnerie du téléphone, provenait de la maison...

Il ressentit une pointe d'agacement à l'égard de Diane qui ne décrochait pas, puis se rappela qu'elle l'avait laissé tomber la nuit précédente, cette petite salope, à moins que ce ne soit lui qui l'ait fichue dehors. Détail insignifiant qui, de toute façon, ne changeait rien à l'affaire, l'important étant que le téléphone continuerait de sonner tant qu'il ne s'arracherait pas au sable chaud pour aller répondre, et c'était bien le dernier truc qu'il avait envie de faire, pas plus maintenant qu'à n'importe quel autre moment...

Le téléphone, il le détestait autant que de faire l'acteur. Or il savait qu'au bout du fil il y aurait forcément Kramer pour lui proposer deux jours de boulot à se farcir, une panne débile dans le Film de la Semaine, ou peut-être, une pub pour un foutu super-marché ou un vague revendeur de bagnoles d'occasion, mais jamais pour des boîtes de haut standing comme *Xerox* ou *la Prudential*, ça jamais !...

Alors forcément, adieu la maison sur la plage et en voiture pour l'interminable trajet depuis Malibu jusqu'à un studio quelconque, où il se planterait devant la caméra en feignant de ne pas prêter l'oreille aux murmures de la script-girl, du deuxième assistant ou du technicien du son : « Mon Dieu, ce qu'il lui ressemble, c'en est effrayant. » Marre d'entendre ça, franchement ras le bol, parce que, après tout, il n'y avait aucune raison pour qu'il ne lui ressemble pas; ils étaient même copie conforme...

Ah, bon Dieu, il y avait de quoi dégoûter n'importe qui du métier d'acteur; et de quoi ne plus supporter la sonnerie d'un téléphone. Et ça expliquait probablement pourquoi il venait de décider de ne pas aller décrocher; ou alors c'était pour cause de flemme voluptueuse sous le soleil, et de bien-être total : autant d'incitations à reglisser dans le sommeil où, avec un peu de veine, il retrouverait son rêve de tout à l'heure...

Comme ça, pas besoin de chercher à savoir si c'était Diane qui l'avait quitté ou si, au contraire, c'était lui; ils en tenaient une si sévère, la nuit dernière, que ni l'un ni l'autre ne serait jamais capable de dire ce qui s'était passé, sauf que c'était arrivé en plein milieu d'une partie de jambes en l'air particulièrement obscène, brutale et dénuée de tout sentiment amoureux. Ce qui, d'ailleurs résumait parfaitement l'histoire de sa vie, pas vrai? Maintenant que le lit était vide, il allait falloir réfléchir pour se choisir une remplaçante parmi le troupeau des nanas de sa connaissance...

A moins qu'il ne se rendorme tout de suite, enfin, dès que le téléphone aurait cessé de sonner, ce qui devrait d'ailleurs déjà être le cas, sauf que ça ne l'était pas et que ça n'en prenait manifestement pas le chemin, donc ça allait continuer de carilloner sans trêve jusqu'à ce qu'enfin il se décide à aller décrocher et il entendrait Kramer lui dire de foncer aux studios *Universal* pour y interpréter le rôle du brocanteur toxicomane qui connaissait bien la victime, ou encore de filer à la *Twentieth Century Fox* pour y jouer le pompiste dont la station-service vient de se faire cambrioler et qui raconte aux flics qu'il y en avait un qui boitait et que l'autre avait une cicatrice longue comme ça sur la joue gauche, modèle croissant de lune...

Oh, bon Dieu, ce dialogue, ces rôles, cette merde! Et le plus fort, c'était de se dire qu'il n'aurait même pas eu ça, qu'il serait encore en train de suer sang et eau autour des tables de poker de Gardena, ou de faire le gigolo, si son frère n'avait pas un peu fait pression à droite et à gauche; oh, pas très fort, en tout cas pas assez pour le transformer en Pacino, en Nicholson ou en Redford, mais juste ce qu'il fallait pour lui assurer de quoi se rincer la dalle et se rouler un joint sans avoir à s'expatrier de Malibu, avec le bifteck quotidien bien au frais dans le frigo...

Dieu merci, c'était déjà quelque chose de ne pas ressembler à un fauché, à un nécessiteux, ni de faire figure de cadavre enfermé dans le placard de la vedette qui monte : le tout nouveau président du seul studio où il ne trouverait jamais de boulot. Ça sentirait vraiment trop le favoritisme; encore que ce mot résume bien les vraies raisons pour lesquelles on lui proposait n'importe quel rôle, car outre le fait qu'il n'avait pas le moindre talent en tant qu'acteur, il était on ne peut plus doué pour interpréter les adorateurs de la dive bouteille. Mais ça, c'était une autre histoire...

En attendant, ce bon Dieu de téléphone continuait à sonner, et tant qu'il ne s'arrêterait pas, impossible de se rendormir et d'oublier les misères du monde réel. Alors il se remit lentement à la verticale, rectifia la position de son slip pour atténuer les traces encore visibles laissées par son rêve interrompu, gravit les marches de bois qui menaient au patio et franchit la porte coulissante de la maison; il négligea l'odeur de tabac froid émanant des cendriers pleins et la dilution résiduelle barbotant encore dans le fond des verres abandonnés sur la petite table basse devant le canapé, et piqua droit sur le téléphone strident. Il décrocha :

– Allô... qui est à l'appareil?... tiens donc, voyez-vous ça... mon frère...

Bluestern préférait éviter d'appeler personnellement Teddy quand c'était possible. Lorsque ça ne l'était pas – cette fois-ci par exemple – la conversation lui laissait inéluctablement un arrière-goût de culpabilité, comme si sa propre réussite se transformait en acte d'agression contre son frère, comme si, en bonne justice, des jumeaux étaient censés ne progresser qu'au même rythme. En général, il s'arrangeait pour que ce soit une de ses secrétaires qui appelle et même ça, pas très souvent; la plupart du temps, c'est parce qu'il disposait d'entrées pour un match de base-ball, billets qu'il n'avait pas réussi à refiler à quelqu'un du studio. Ou alors, pour une projection de nuit à laquelle il ne pouvait pas assister, ou encore, lorsque la rumeur lui rapportait que, sans une rapide intervention de sa part, Teddy allait être viré et remplacé par un acteur ayant suffisamment besoin de manger pour mémoriser son rôle, au lieu d'apprendre par cœur des étiquettes de bouteilles de vin... Mais cette fois, Bluestern ne croyait pas judicieux de faire appel à une secrétaire, même pour composer le numéro. C'était sa ligne privée qu'il utilisait. Déjà à la lointaine époque où Bluestern n'était encore que producteur indépendant puis, plus tard, lorsqu'il était devenu l'un des quatre gros bonnets, il avait toujours eu la désagréable impression qu'une bonne partie de ses appels était sur écoute, fût-ce par les filles du standard – qui ne faisaient, bien entendu, qu'obéir aux instructions. Aujourd'hui, de son fauteuil de président et du haut de ses fonctions de responsable principal de la maison, il se sentait encore plus vulnérable, tant il est vrai que plus on est puissant, plus il faut savoir dissimuler ses secrets.

Tandis que son frère le saluait à l'autre bout du fil, Bluestern sut qu'il était sur le point d'ajouter un nouveau secret à une liste déjà bien trop longue.

– Je te réveille? demanda-t-il.

La réponse de Teddy fusa, un peu trop spontanée pour être crédible :

– Pas du tout, j'étais en train de travailler un manuscrit sur la plage et je n'ai entendu le téléphone qu'au bout d'un moment.

– Comment sais-tu qu'il sonnait depuis un moment si tu n'as rien entendu?

C'était exactement le genre de commentaire que ne pouvait s'empêcher de faire Bluestern, même lorsqu'il s'adressait à quelqu'un dont il attendait un service. Cela expliquait sans doute pourquoi il se sentait toujours légèrement coupable après avoir parlé à Teddy, sentiment engendré par sa propre agressivité qu'il cherchait à masquer, et non par le comportement de son frère.

– Maintenant que tu le dis, je vais cogiter là-dessus répondit Teddy.

Et Bluestern crut l'entendre ajouter silencieusement « pauvre con » avant qu'il ne reprenne :

– Alors, comment ça marche, Howard?

– Je suis encore plus mal placé que toi pour le savoir, répliqua ce dernier en tripotant des papiers sur sa table de travail. Comparé à mon nouveau bureau, le Colisée passerait pour une maison de poupée; j'y ai trois secrétaires, dont une très séduisante, mais pas du tout ton style.

– Tu parles, elles sont toutes mon...

– J'ai également à ma disposition un assortiment de petits ectoplasmes en costumes trois-pièce gris, déjà recrutés avant mon arrivée, que l'on désigne pompeusement comme mes assistants de direction et qui tous, individuellement, nourrissent une intense aversion à mon endroit...

– Qu'est-ce qu'on rigole!

– Je serai donc incapable de te dire comment marchent les affaires tant que je n'aurai pas expérimenté Miss Kallen – la toute charmante secrétaire que j'évoquais précédemment –, tant que je n'aurai pas balayé mes loustics en costume de chez *Brooks Brothers*, et tant que je ne saurai pas combien des six projets que je viens de retenir vont se faire torpiller par New York. Mais assez parlé de moi, Teddy. Qu'est-ce que tu deviens, toi?

A sa façon de se râcler la gorge, il sentit que son frère cherchait à temporiser et il reprit :

– C'est de Malibu dont je veux parler, pas Hollywood. Diane va bien?

– On a rompu la nuit dernière, Howard.
– Ah! Désolé, mon vieux.
– Pas de quoi.
– Comme tu voudras.

De toute façon, il n'avait aucune envie de s'engager sur ce terrain. Il avait d'autres chats à fouetter.

– Tu me raconteras ça lorsque nous nous verrons.
– Peut-être pas.
– A ton aise. Dis-moi, je ne voudrais pas t'arracher trop longtemps à ton manuscrit...
– Ouais.
– Voilà pourquoi je t'appelle...
– Je t'écoute.
– Tu es seul?
– Oui.
– Tu ne me croiras jamais, Teddy. J'ai encore un problème d'analyse d'urine.
– C'est une blague?
– Veille à ne commettre aucun excès qui pourrait mettre en péril la qualité de ton trésor liquide, car je ne vais pas tarder à avoir besoin de toi.
– Quand?
– Pourquoi pas demain?

La tension qui avait habité Bluestern se relâcha. Il était sûr qu'il n'aurait aucune difficulté avec Teddy... non pas qu'il en eût, d'habitude, mais quand même...

– Le service des affaires juridiques vient de me concocter cette sympathique surprise. Au nom de la sacro-sainte politique de l'entreprise, il paraît que le président doit être assuré pour la durée de son mandat; étant entendu qu'en cas de préjudice, la société reste seule bénéficiaire. Ils veulent faire venir un médecin de la *Mutuelle de l'Oklahoma* dans mon bureau pour les examens classiques : prise de sang, analyse d'urine, pression artérielle et même un électro-cardiogramme sur une machine portative. Pour le reste, ils me croient sur parole. Après tout, il ne s'agit que d'une police d'assurance d'un montant de cinq millions de dollars...

Là encore, il n'avait pas pu s'empêcher.

– Cinq mill...?
– Hé oui. Il ne t'est jamais venu à l'idée que ton frère est un homme d'une grande valeur?
– Et pourquoi tu ne les envoies pas balader? demanda Teddy.
– Simplement parce qu'il apparaît, et cela je ne le savais pas, que mon nouveau contrat tient seulement si l'assurance m'accepte.
Le long silence qui suivit cette déclaration parut quasi palpable à Bluestern. Il décela ensuite une petite modification dans le ton de son frère lorsque celui-ci se décida à répondre; il avait pris un peu d'assurance.
– Dis-moi, Howard, ça fait que moi aussi je deviens un homme d'une certaine valeur, non?
Bluestern laissa fuser un rire contraint :
– Indispensable, mon vieux!
Il ne faut surtout pas qu'il devine à quel point j'ai besoin de lui, se dit Bluestern.
– Mais pourquoi donc crois-tu que je t'invite à déguster du homard au *Palm* après la cérémonie?
– Oh moi, tu sais, le menu complet du fast-food du coin me suffit.
– Il va falloir que tu augmentes tes tarifs, mon petit vieux.
– Ceux que tu pratiques sont déjà bien assez élevés pour nous deux, tu ne crois pas, Howard?
– Bien, écoute, Teddy, je suis vraiment navré de t'avertir si tard, mais moi aussi je ne l'ai su que maintenant. A mon humble avis, le mieux serait que tu prennes ta voiture et que tu viennes ici aussi vite que possible.
– Oh, merde! Quand exactement?
– Pour tout dire, il y a déja cinq minutes que je t'attends.
– Ça urge tellement?
– En effet. Je t'ai déjà dit que la visite médicale était pour demain. Demain matin dans mon bureau, pour être précis; or, tu ne connais pas du tout les studios. Même moi, qui y suis depuis trois inoubliables semaines, je ne prétends pas encore les connaître. Je sais que tu as horreur

des répétitions, mais si tu veux remporter l'oscar du Manneken Pis...

– D'accord, d'accord, j'arrive.

– Tu n'auras qu'à dormir chez moi.

– Pas de raison pour que ta gnôle soit pire que les autres, commenta Teddy.

– ... La tienne non plus. Je veux dire ta maison; je vais m'y installer, quoique je ne me sente pas transporté d'enthousiasme à l'idée de n'y trouver qu'un lit froid et vide...

Il s'en voulut aussitôt d'avoir ajouté ce commentaire.

– Si tu le préfères occupé, tu n'as qu'à le dire, Howard!

Sans beaucoup d'espoir de résister à la tentation, Bluestern lança un S.O.S. à son amour-propre, avant de répondre :

– C'est sérieux?

– A toi de parler.

– Comment s'appelait-elle déjà?

– Qui ça?

– L'année dernière, avant Noël. Tu sais, la blonde avec des mèches. Laurie...?

– Ah, Linda. Pas de problème... Enfin, je ne pense pas. Non, tu peux considérer que c'est dans la poche.

Comme si la chose lui revenait brusquement en mémoire, Bluestern demanda d'un ton anodin :

– A propos, Teddy, comment va la santé?

– T'en fais pas, tu le passeras ton examen.

– Conduis prudemment.

– Va te faire foutre, Howard!

Bluestern raccrocha sur un éclat de rire que son visage ne reflétait pas. Ayant lentement fait pivoter son fauteuil vers la fenêtre du bureau, il s'accorda quelques instants de réflexion sur la façon dont ses relations avec son frère auraient sans doute évolué s'il n'avait pas été, en certaines occasions, contraint de lui demander de se livrer à cette farce urinaire aussi grostesque qu'indispensable.

On aurait dit qu'un mur les séparait depuis le jour de leur naissance, mais il se refusait à en porter seul l'entière responsabilité. Le même miroir, dans lequel apparaissait leur identité physique, semblait les avoir, de tout temps, psychologiquement différenciés, progressivement séparés, comme pour les placer dans une situation de concurrence dont ils ne sortaient jamais ni l'un ni l'autre véritablement vainqueur. Teddy était par nature doué pour séduire son entourage, faculté que Howard avait dû développer par d'incessants efforts. Amour et sexe étaient à son frère aussi normaux que de manger quotidiennement, et autour de lui, les femmes n'avaient jamais manqué. Plutôt timide de caractère, Howard avait en quelque sorte sublimé sa quête vers un pouvoir dont les vertus aphrodisiaques n'étaient pas négligeables. Etait-ce alors sa faute si, socialement, c'était lui qu'on avait désigné comme le vainqueur, tandis que Teddy faisait figure de raté? Une telle situation n'avait engendré que tension, malaise et blocages sans issue prévisible. Toute tentative visant à sortir de l'impasse avait encore aggravé les choses.

Fallait-il en déduire que leurs ultimes liens fraternels ne reposaient plus que sur les déficiences urinaires de Howard? Celui-ci se refusa à creuser plus avant cette hypothèse et, se redressant, brancha l'interphone.

– Oui, monsieur Bluestern?

– Voulez-vous venir un instant, Miss Kallen?

Il aurait fort bien pu lui transmettre ses instructions sans la déranger, mais pourquoi rater une occasion lorsqu'elle se présente?

La tête toujours légèrement tournée vers la fenêtre, ce fut du coin de l'œil qu'il admira ses jambes minces et élancées, tandis qu'elle s'avançait vers son bureau. Pas possible qu'elle ne se rende pas compte de l'effet qu'elle produisait sur les hommes, pas seulement sur lui, sur tous les hommes, malgré ses grosses lunettes d'écaille, sa quasi-absence de maquillage, sa blouse blanche toute simple et sa jupe légèrement trop courte? Cherchant à comprendre pourquoi elle le troublait tant, il la dévisagea ouvertement, mais le regard qu'elle lui rendit était si franc et si provocant qu'il détourna les yeux.

– Mon frère doit venir dans une heure environ. Voudriez-vous veiller à ce qu'on lui prépare un laissez-passer?

– Certainement, monsieur Bluestern.

Elle parlait d'une voix douce, sans rien de très exceptionnel ni de sensuel.

– Il se fait appeler Teddy Stern.

– Je suis au courant, monsieur.

– Pour être plus explicite, je dirai que maintenant, il s'appelle réellement Teddy Stern.

Elle se contenta d'un léger sourire, sans répondre.

– Je vous remercie, Miss Kallen.

Elle fit volte-face pour sortir et, tandis qu'il la regardait s'éloigner, il sentit avec force que, dans un avenir proche, il la possèderait dans tous les sens du terme, que rien ne pourrait l'en empêcher, que c'était une simple question de temps; quel malheur que ce soir, elle ne soit pas à la place de cette Laura, ou Linda, qu'allait lui procurer Teddy!

Impossible qu'il ne s'en soit pas aperçu. Elle avait le feu au visage et les jambes sans force. Elle s'agita sur son siège, composa fébrilement le numéro du poste de garde et transmit ses instructions d'une voix altérée.

Bon, ça suffit maintenant, Jo Anne!

Mais non, cela ne suffisait pas, elle n'avait aucune envie de laisser s'évanouir ce qu'elle ressentait, quels que soient les risques que cela représentait. C'était bouleversant, angoissant, terrifiant même, mais aussi excitant à un point insoutenable...

La façon dont il avait encore affecté de ne pas la regarder. La commotion, lorsque leurs regards s'étaient croisés, ce sentiment qu'il la possédait au-delà de toute expression tandis qu'il tissait aussitôt un voile protocolaire en écran à leurs relations... Avait-il perçé la vérité, au-delà du détachement professionnel qu'elle avait cherché à afficher? Est-ce qu'il savait, comme elle le savait, ce qui allait certainement se passer entre eux deux? Depuis déjà trois semaines, elle se sentait incapable de dissimuler ses sentiments; et pourtant, son comportement habituel excluait radicalement les voies de la passion déchaînée.

Enfant, Jo Anne Kallen avait trop longtemps incarné les petites filles modèles, et ses parents n'avaient jamais eu la moindre raison de douter de l'authenticité de son comportement. L'amour et l'admiration qu'elle éprouvait à leur égard ne pouvaient que la conduire à se conformer à la rigueur de leurs principes assez simplistes concernant le bien et le mal.

Lorsque son père malade avait dû prendre sa retraite anticipée du poste de directeur technique qu'il occupait, Jo Anne n'en avait éprouvé que plus de vénération pour son courage. Cet homme en effet se refusait à laisser entrevoir les effets de l'arthrite qui le paralysait et de la terrible blessure morale qui l'avait frappé dans son orgueil d'homme et de chef de famille. Quant à sa mère, ex-institutrice, Jo Anne l'avait toujours adorée, au point de faire ses études à l'université de Michigan pour l'imiter, alors que, sans le lui avoir jamais avoué, elle aurait préféré ne pas quitter la Californie du Sud où elle avait vu le jour.

Et puis, trois ans auparavant, elle avait entamé sa métamorphose. Ses parents avaient dû vendre la petite maison qu'ils occupaient pour aller s'installer dans un appartement plus petit encore. Jo Anne était donc partie habiter seule à Hollywood Ouest, ce qui, somme toute, n'était pas trop tôt. Avec son vingt-cinquième anniversaire qui venait tout juste de tinter en signal d'alarme, elle sentait confusément qu'elle ne pourrait plus vivre comme elle l'avait fait jusqu'à présent.

Après avoir obtenu son diplôme, elle ne s'était jamais insérée dans le monde du travail. D'un gagne-pain dans une librairie à Beverly Hills à un intérim comme lectrice chez un producteur cinématographique indépendant de *Century City*, en passant par une année au centre de conseil en nutrition de la firme *Sherman Oaks*, elle n'avait pas eu l'impression de faire ses preuves ni de se valoriser sur le plan social. Dans la même lignée, plus pour assurer le loyer de son nouvel appartement que pour répondre à des objectifs de développement de carrière, elle s'était rabattue sur un poste au pool de secrétariat d'un des studios les plus actifs de la région; elle ignorait alors qu'elle venait, sans le vouloir, de s'installer sur un terrain des plus favorables à son évolution. Avec pour seules armes son enthousiasme, l'inaltérable sérénité de son charme, des capacités relatives devant une IBM et un certain style pour répondre au téléphone, elle s'était élevée très rapidement à la situation enviée de secrétaire de direction du grand patron lui-même, Steven Cramm. Et aujourd'hui, de son successeur : Howard Bluestern.

Elle s'était tout de suite mise au diapason de la fièvre permanente qui régnait dans cette usine à spectacle, des drames quotidiens dont le bureau était la scène où s'affrontait une multitude de personnages à la distribution toujours renouvelée, de cette ivresse de la victoire ou de cette détresse de la défaite qui sont le lot quotidien du contact professionnel avec des cadres supérieurs dont la carrière tient à un fil. Elle avait de la sorte découvert en elle-même des forces et des capacités qu'elle ignorait jusque-là.

Mais, plus important encore, Jo Anne avait eu la révélation de sa propre sexualité.

Elle n'avait encore jamais compris à quel point elle avait insensiblement refoulé cet aspect de son existence; en partie sans doute par choix personnel, mais surtout, sans même qu'elle en ait conscience, par l'intensité de son attachement aux deux personnes qui comptaient le plus dans sa vie. La séparation d'avec ses parents avait ranimé les braises qui couvaient en elle. L'intérêt que lui portaient des hommes et des femmes qui traversaient sans cesse son emploi du temps quotidien était tel qu'elle ne pouvait plus méconnaître l'extrême séduction qu'elle exerçait sur les autres. Cette nouvelle vision d'elle-même lui avait, dans un premier temps, posé des problèmes d'adaptation. Progressivement, elle se mit à accepter des invitations et des offres que l'archaïsme de ses manières l'avait jusque-là fait rejeter. Rapidement, elle prit la ferme détermination de rattraper le temps et les plaisirs perdus, sans pour autant que sa conscience lui en fît le moindre reproche. Bien plus vite qu'elle ne l'eût cru possible, de sa chrysalide était sortie une jeune femme pleine de discernement, désireuse de connaître physiquement l'aventure amoureuse avec des partenaires choisis, soigneusement mais sans contrainte, par elle-même.

Jo Anne ne s'était pas contentée de découvrir sa nature profonde. Elle en avait tiré les plus grandes voluptés, sachant qu'un jour ou l'autre, sans qu'il y ait urgence, elle les partagerait avec l'homme de sa vie. Toutefois, elle avait toujours su garder la maîtrise de sa passion et de ses choix. Au moins, jusqu'à ce que Howard Bluestern entre en lice.

Elle avait essayé de s'en défendre. Elle avait même cherché à analyser l'événement pour mieux l'éliminer, tentant de se persuader que ce qui la troublait tant c'était le pouvoir qu'il détenait et le désir qu'elle allumait en lui. Seulement, elle aussi était prise au piège.

Et voilà où elle en était, cherchant encore à lutter contre ce sentiment.

Ça suffit, Jo Anne!

Prenant son sac à main, elle se leva et se dirigea vers la sortie, passant rapidement devant le bureau de Mme Griffin.

– Dorothée, tu peux me remplacer, s'il te plaît?

Aller boire un café, voilà ce qu'il lui fallait. Cela romprait peut-être le charme. A moins qu'un grand verre d'eau froide ne soit plus efficace.

Bien, Jo Anne. Très bien. Mets-toi en boîte! Mets-le en boîte! Le patron du studio et toi ensemble, il y a de quoi rire, non? Allez, ris, Jo Anne! Où est ton sens de l'humour?

Elle prit l'ascenseur mais, au cours de la descente, elle ne réussit même pas à ébaucher un sourire. En fait, il n'y avait rien de drôle là-dedans, rien du tout. La vérité, c'est qu'elle avait monstrueusement envie de faire l'amour avec Howard Bluestern, et que rien au monde ne lui enlèverait cette envie.

Et rien ne l'empêcherait de l'assouvir.

D'avoir clairement compris cela lui arracha, cette fois, un sourire.

2.

Teddy arrêta la Porsche jaune devant l'entrée principale, baissa la glace et attendit que le planton à cheveux gris dans sa cabine vitrée le voie. Le grouillement d'activité auquel il assistait derrière son pare-brise, et dont il était exclu, fit naître en lui un soupçon de tristesse qu'il chassa vite. En fait, il ne tenait pas vraiment à y participer. Il préférait ignorer que tout cela tournait sans lui, ceci expliquant d'ailleurs pourquoi il détestait quitter la plage. Le vieux birbe finit par regarder de son côté et, après la classique mimique de stupéfaction, lui dit :

– Un instant, j'ai cru...

– Ouais, ouais, je sais. Teddy Stern. J'ai rendez-vous avec Howard Bluestern.

Le planton consulta la liste sur son bureau.

– Bien sûr, je vous reconnais, Teddy. C'est vous l'acteur, hein?

– On ne peut rien vous cacher.

Il enclencha nerveusement la première en signe d'impatience.

– Vous connaissez le chemin, Teddy?

– A peu près.

– Bon. Vous prenez à gauche là-bas, Teddy, puis encore une fois à gauche et vous vous garez dès que vous trouvez une place.

– Dites donc, mon brave, comment vous appelez-vous?

Sur un battement de paupières, le vieux répondit :
– Louis H. Carmichaël.
– Parfait, Louis. Dites-moi, Louis, mon frère, vous l'appelez Howie?
– Pardon?
– Allez vous faire cuire un œuf, Louis.
Teddy emballa le moteur et fila comme une fusée, dispersant une volée de jeunes filles en jeans et bottes à hauts talons occupées à jouer les vamps en tortillant de leurs arrière-trains maigrichons au passage de garçons de course, ou de rigolos assistants et acteurs de seconde zone qui traînaient leurs guêtres en lançant des œillades assassines tous azimuts. Qu'ils en aient ou non conscience, ils n'étaient rien de plus que des esclaves. Esclaves et sujets du royaume de Steven Cramm, jusqu'à ce que ce dernier commette l'impardonnable erreur de se faire coincer à jouer les Ali-Baba dans le trésor de la compagnie. Et aujourd'hui, les mille deux cents personnes en activité dans cette usine à fantasmes étaient esclaves et sujets du seul Howard Bluestern, dont la principale qualification était d'avoir su éviter de se faire coincer par qui que ce soit sur quoi que ce soit.
Teddy prit l'ascenseur jusqu'au dernier étage et se lança dans la traversée de l'épaisse moquette qui recouvrait le sol, courbé par l'effort comme s'il bravait une tempête de neige, sous le regard écarquillé de la jeune femme brune de la réception. Qu'il portât des lunettes de soleil, des bottes western et un chapeau de cow-boy ne changeait rien à l'affaire; un parfum de frère Howard émanant toujours de lui, il était fort rare que le sens olfactif de ses interlocuteurs ne le renifle pas.
– M. Bluestern m'attend.
– Vous êtes certainement son frère.
– Quelle perspicacité!
La jeune femme composa un numéro sur le téléphone intérieur et prononça quelques mots clés. Par une porte, derrière la réception, sortit une seconde jeune femme, affublée d'énormes lunettes qui lui mangeaient le visage, au demeurant charmant, et d'une presque mini-jupe mettant en valeur ses jambes superbes. Elle s'avança :

– M. Stern?

Tout en hochant la tête, il la dévora d'un seul regard, tandis que lui traversait l'esprit l'idée que, pour le meilleur ou pour le pire, sa vie venait de prendre un tournant.

– Voulez-vous me suivre, je vous prie?

– Au bout du monde, miss Kallen.

Sa réponse sembla la surprendre.

– Comment connaissez-vous mon nom?

– Je l'ai lu dans vos yeux. Juste sous l'inscription: lentilles optiques de Pittsburgh.

Après l'avoir fixé quelques instants sans autre réaction, elle le conduisit jusqu'au bureau dont elle était sortie.

– Vous avez raison, dit-il en entrant. Ce n'est pas très malin, excusez-moi.

D'un signe de tête, elle lui indiqua une autre porte, fermée celle-là.

– Par là, s'il vous plaît. Il vous attend.

– Je suis pardonné?

Sans répondre, elle reprit place à sa table de travail. Dans un petit bureau attenant, deux femmes plus âgées l'observaient derrière leurs machines à écrire. Admirez donc le minable d'hier et de demain qui va devenir votre roi d'un jour! Sur cette bonne pensée, il entra chez son frère.

D'une pichenette, Howard Bluestern jeta le mémo qu'il lisait sur son bureau.

– Doux Jésus, tu as dû rouler comme un fou!

– Sauf quand je repérais les flics dans le rétroviseur et que ça me forçait à ralentir, répliqua Teddy avec un sourire.

– Assieds-toi. Je te fais servir quelque chose?

– Sans façon.

Teddy s'installa sur le canapé et, après un regard approbateur autour de lui, ajouta :

– Très bien ce bureau. Peut-être un poil chargé; mais je sens que je m'y habituerai.

Bluestern scruta la tenue de son frère avec une certaine réprobation.

– A quoi rime ce déguisement d'homme de l'Ouest?

– C'est pour te simplifier les choses. Il ne viendrait jamais à l'idée de personne que le président Howard Bluestern puisse se fringuer comme ça, même pour un bal masqué. Tiens, pendant qu'on y est, j'ai garé ma voiture derrière ce bâtiment.

Sortant son trousseau de clefs, Teddy le fit tournoyer avant de le ranger ostensiblement dans la poche gauche de sa veste de daim modèle Davy Crockett.

Bluestern acquiesça et s'enquit :

– Tu as toujours la Porsche?

– Les couleurs de chez Rolls, cette année, ne m'emballent pas.

Un ange passa tandis qu'ils se dévisageaient.

– Tu es rudement bronzé, reprit Bluestern, avant d'ajouter : Encore une chance que j'aie assez souvent joué au tennis ces derniers temps, sinon il aurait fallu te maquiller. A propos, est-ce que je risque d'hériter de quelques complications en allant chez toi?

– Non, à moins que tu ne considères Linda Carol comme une complication, ce qui n'est pas le cas, crois-moi! D'ailleurs, tout est réglé pour cette nuit.

Bluestern ne put réprimer un rapide battement de paupières.

– C'est gentil à toi... c'est vrai. Elle et toi, vous êtes dans quels termes, déjà?

– Tout pour la bagatelle dans l'immoralité sans complexe. Elle vient de se trouver un boulot chez *Holdman-Meyer* à Beverly Hills, comme assistante responsable des achats ou quelque chose dans ce goût-là. Elle devrait se pointer vers sept heures et il est prévu qu'elle me concocte... qu'elle te concocte... un plat de spaghettis. Et, si tu lui refiles un billet de cent dollars après pour s'acheter du parfum, je suis prêt à parier qu'elle ne piquera pas la rogne de sa vie.

– Une question stupide : tu as encore un peu d'herbe là-bas? Il se pourrait que j'en aie besoin.

– Tu fouilles sous le bar, derrière les bouteilles. Mais ne t'inquiète pas, elle saura te mettre en forme, cette petite. T'inquiète surtout pas.

– A propos d'inquiétude, Diane ne risque pas de faire des siennes?

Se renfrognant un peu, Teddy répondit :

– A part un psychiatre, je ne vois vraiment pas qui elle pourrait inquiéter. Elle a embarqué toutes ses affaires et je peux te certifier qu'elle est rentrée chez maman qui, entre parenthèses, est aussi raide dingue, mais qui habite à Palm Springs. En fait, on était ensemble depuis à peine un mois quand elle s'est mise à entendre des trucs, comme Jeanne d'Arc... seulement, chez elle, c'était les cloches du mariage, tu vois?

– Je suppose que tu lui avais fait des déclarations d'amour ou Dieu sait quoi. Je te connais bien, mon petit vieux.

Visiblement embarrassé, Teddy se trémoussa sur son siège.

– Et alors?

– Tu ne changeras donc jamais?

– Ah écoute, ne m'emmerde pas avec ça!

– Pourquoi t'énerves-tu?

D'un bond, Teddy se leva.

– Je leur dis juste ce qu'il faut pour qu'elles se mettent à l'horizontale, ni plus ni moins!

– Tu ferais mieux de ne pas tant parler et d'agir de sorte à pouvoir les regarder dans les yeux et à la verticale.

– Eh, Howard, de quel droit tu joues les moralisateurs, toi? Deux divorces pas très nets et les pensions alimentaires qui vont avec...

– Une pension, une seule! Tu as oublié que le sieur Hufnagle a fini par épouser Frances?

– Extraordinaire!

Bluestern se rembrunit un peu au ton sarcastique de son frère.

– Bon! De quoi sommes-nous en train de discuter, tous les deux?

– Je n'en sais rien. C'est toi qui as commencé.

– Et je vais clore les débats sur-le-champ. Veux-tu un café? Moi oui!

– Non.
Par l'interphone, Bluestern demanda un café noir avant de dire à son frère :
– Assieds-toi, veux-tu? Tu me rends nerveux.
A nouveau, Teddy s'affala sur le canapé, enleva ses lunettes de soleil. La porte s'ouvrit sur Jo Anne Kallen portant un café qu'elle posa sur le bureau de son patron.
– Merci, lui dit Bluestern. Vous connaissez mon frère, je crois.
– En effet, acquiesça-t-elle avant de quitter la pièce, tandis que Teddy levait les yeux au ciel en haussant les épaules.
– Alors, qu'en penses-tu?
Howard avait posé la question avec une évidente nervosité.
– De miss Kallen?
– Oui.
– C'est plutôt à toi de me dire ce que tu en penses.
– Rien de spécial, pourquoi?
– Pour que je n'aille pas fourrer mon nez dans un sac de nœuds.
Ces derniers mots irritèrent Bluestern.
– Contente-toi de laisser fermée la porte de communication de son bureau et souviens-toi que je n'ai pas coutume d'agir familièrement avec mes employés. Moins tu les verras, moins il y aura de risque que tes contestables talents d'acteur soient mis en défaut...
– Eh bien, je te remercie, Howard.
– Évidemment, je vais te mettre au courant des quelques problèmes que tu risques de rencontrer durant ton bref séjour ici.
– Ça sera une première. Les rôles de chef que j'ai eu l'occasion de jouer n'ont jamais dépassé le grade de responsable du trafic dans une société de radio-taxis.
Le ton de Howard se fit à nouveau mordant.
– En vertu de quels principes juges-tu qu'un responsable de trafic compte moins qu'un président de compagnie aux urines troubles?

– Mon personnage avait une leucémie et ne le savait pas, rétorqua Teddy avant d'ajouter : Le téléphone ne sonne jamais? Je commence à me sentir un peu isolé du monde.

– J'ai donné pour instruction au secrétariat de ne laisser passer aucun appel. Après tout, tu fais partie des gens très importants...

Conscient de l'hostilité de son frère, Teddy chercha à arrondir les angles.

– C'est vrai, tu as raison, le super VIP!

– Bon, eh bien si l'astre resplendissant que tu es condescend à se lever...

Joignant le geste à la parole, Bluestern quitta son fauteuil avant de poursuivre :

– Commence donc par verrouiller la porte là-bas, tu veux bien?

– Mais certainement, Votre Majesté.

Sitôt dit, sitôt fait.

– Et maintenant...?

– J'aimerais en finir au plus vite, reprit Bluestern. En place pour le quadrille.

– Tout de suite?

Sans un mot, Howard déboutonna sa veste, et son frère s'empressa de l'imiter. Il s'ensuivit une séance de strip-tease, à l'issue de laquelle ils se retrouvèrent tous deux en sous-vêtements, l'air un peu stupide.

– On enlève tout? demanda Teddy.

– Tout. C'est sur un petit détail que cette comédie peut échouer.

Quelques instants après, ils étaient nus comme des vers.

Bien que leurs manières de vivre soient diamétralement opposées, leurs similitudes anatomiques étaient surprenantes; ils étaient pareillement élancés, minces et bien musclés. Si Teddy courait quotidiennement ses dix kilomètres au bord de l'eau, Howard s'adonnait à la manie de la compétition sur les courts de tennis. La marijuana qui, en quelque sorte, freinait les tendances alcooliques de Teddy faisait pendant à l'obsession du travail qui empêchait Bluestern de boire et de manger comme la plupart des suicidaires inconscients qu'il côtoyait. Les deux frères avaient trente-neuf ans et la plupart des hommes s'accordait à penser qu'ils avaient de la classe, tandis que les femmes les trouvaient fort séduisants. Mais lorsqu'on les connaissait mieux, ce qui mettait mal à l'aise c'était la désinvolture frisant le dédain qu'affichait Teddy, et la suffisance de Bluestern. Pour ce dernier, le sens de l'humour n'était rien de plus qu'un canif de boy-scout dans une jungle où seule la hache de guerre se révélait efficace.

Nus, sans rien susceptible d'influencer l'éventuel observateur, on les aurait dits parfaitement identiques, sinon que Bluestern était légèrement moins bronzé et que les cheveux de Teddy étaient un peu plus longs. Par contre, tandis qu'ils commençaient à se vêtir, une subtile modification de leurs personnalités commençait également à percer, que le témoin non averti n'aurait sans doute pas bien discernée, tant il est vrai que l'habit fait quand même le moine.

Il en avait été ainsi depuis qu'ils avaient huit ans, âge où ils avaient commencé à mystifier feus leurs parents, puis leurs professeurs et enfin, bien sûr, toutes les représentantes du beau sexe qui s'étaient laissé prendre par l'un ou l'autre des deux filous. Mais les plaisirs qu'ils tiraient de cette supercherie s'étaient estompés avec le temps; à mesure d'ailleurs que leur antipathie réciproque se développait, que des intérêts divergents les séparaient et que la roue de la fortune refusait de tourner à la même vitesse pour chacun d'eux. Depuis qu'ils s'étaient installés en Californie, ils n'avaient plus pratiqué ce petit jeu qu'en raison de contraintes d'ordre médical, et ce quand Bluestern avait estimé que sa position sociale l'autorisait à souscrire une police d'assurance en rapport avec les risques excessifs qu'il était amené à pendre sur le plan professionnel.

En admettant que Teddy ait éprouvé de la jalousie vis-à-vis de son frère, sa vessie n'en laissait rien paraître, toujours prête à pourvoir un liquide aussi pur qu'abondant. Il n'avait jamais non plus pavoisé sur le fait que le destin, dont les voies sont impénétrables, lui ait épargné les affres de l'infection urinaire. En fait, ces dernières années, ce n'était pas avec un verre de champagne ni une chope de bière que les deux frères célébraient leurs rares réjouissances familiales, mais plutôt avec une éprouvette d'urine passée au nez et à la barbe d'un pauvre crétin d'inspecteur d'assurances sur la vie.

Ils vivaient encore avec leurs parents à Chicago quand Bluestern découvrit qu'il était malade. Un de leurs amis proches, qui ne cessait de perdre rapidement ses emplois les uns après les autres, avait fini par se recaser comme agent d'assurances. C'est lui qui s'était débrouillé pour récupérer le formulaire d'assurance sur la vie que Howard avait rempli auprès de sa compagnie, puis pour détruire le dossier médical dans lequel le médecin officiel attestait avoir décelé d'importantes quantités d'albumine dans ses urines. Enfin, il avait fait disparaître le courrier par lequel ledit médecin avertissait le courtier responsable que son client ne pourrait probablement jamais être assuré.

Sous un faux nom, Bluestern avait consulté un urologue de la région de Galesburg et, pour la première fois de sa vie, il avait entendu parler d'albuminie bénigne. Le praticien lui avait précisé que son mal était chronique, mais pas mortel. Depuis lors, chaque année, au cours d'un quelconque voyage, toujours sous un faux nom, ne payant jamais autrement qu'en liquide, Howard se faisait faire des check-ups pour s'assurer que le processus restait stabilisé.

Désormais, lorsqu'il était question d'assurances, Teddy prenait le relais.

Comme aujourd'hui où, achevant de boutonner la chemise de Howard, il déclara d'un air contrarié :

– Bon, c'est pas tout ça, est-ce que je sais encore faire un nœud de cravate?

– Essaie devant la glace au lieu de te livrer à des pronostics stériles. Il est hors de question que je repasse ici demain matin pour te servir de valet de chambre.

De son côté, Bluestern, ayant enfilé le jean, les bottes et

la chemise western de Teddy, revêtit sa veste de daim, chaussa ses lunettes de soleil et coiffa son chapeau.

– Bon sang, murmura-t-il, voilà qui m'a l'air parfait...

– M'a surtout l'air que tu ferais mieux de la boucler, Teddy, l'apostropha Teddy en s'éloignant du miroir.

Il enfila le veston de son frère avant d'ajouter :

– Une petite seconde, on a oublié d'échanger les montres.

– J'ai toujours admiré ton incomparable perfectionnisme, mon cher Howard, intervint à son tour Bluestern.

Ayant échangé sa montre à aiguilles contre la japonaise digitale de Teddy, il déverrouilla la porte. Puis il fit volte-face, et vit que son frère s'était installé derrière le bureau présidentiel.

– Doux Jésus, si les actionnaires te voyaient, ils seraient morts de trouille!

– Ne peux-tu pas t'empêcher d'être vulgaire? rétorqua Teddy. Cette société n'a jamais été en aussi bonnes mains.

– A propos, le coupa Bluestern, j'ai demandé à David de préparer steak, salade et pamplemousse pour le dîner. J'espère que ce menu vous conviendra, monsieur Bluestern.

– Tu crois que ça l'ennuierait si je mangeais dehors?

– Tu veux dire, au restaurant?

Avec un sourire ironique, Teddy répondit :

– Je m'étais dit que je pourrais peut-être m'entraîner à imiter ta signature sur le compte ouvert que tu as à *Ma Maison.*

Irrité, Bluestern rétorqua d'une voix sèche :

– Tu détestes jouer la comédie, à ce qu'on dit! Eh bien ce soir, tu pourras te conformer à ta réputation. Tu resteras à la maison, bien tranquille, devant la télé, tu laisseras le répondeur enregistrer les appels et tu te coucheras de bonne heure...

Avec un sourire forcé, Teddy remarqua :

– Pas tellement confiance en moi, hein?

– Bon Dieu, Teddy, si tu es incapable d'être sage une malheureuse soirée, si c'est trop te demander que...

– Allons, Howard...
– Alors, ne vaudrait-il pas mieux que nous reportions toute la manœuvre à demain matin tôt, même si nous devons nous lever à six heures...
– Howard, écoute...
– J'essayais seulement de te simplifier les choses. Je sais que tu as horreur de te réveiller de bonne heure. Mais, si tu penses...
– Bon, Howard. Ça suffit, arrête! Je blaguais. Franchement, si tu n'es pas fichu d'être un peu relax, tu n'arriveras jamais à te faire passer pour moi, surtout avec Linda...
– Tu sembles oublier que je ne suis jamais relax, comme tu dis. Et tu ferais bien de t'en souvenir pendant les quelques heures que tu dois passer dans mon bureau.
Redressant le dos et carrant les épaules, Teddy abandonna la posture indolente qu'il avait adoptée sur le siège de son frère.
– Je peux vous assurer, cher monsieur, que cette affaire mobilisera toute mon attention. Ma secrétaire vous appellera à la minute même où le comité directeur aura pris sa décision. Maintenant, si vous voulez bien m'excuser, monsieur Stern, j'ai malheureusement une réunion...
Un sourire approbateur aux lèvres, Bluestern reprenait son calme.
– Pas mal, pas mal.
– Carrément parfait, oui!
Consultant la *Seiko* digitale à son poignet, Howard reprit :
– Je ne vais pas tarder à filer, si cela ne t'ennuie pas. Mais d'abord, je te demande dix minutes pour te mettre au courant et jouer les maîtresses de cette maison.
– Oh, la maîtresse de maison, je l'ai déjà rencontrée.
Bluestern explosa :
– Écoute! Je t'avertis...
Menaçant son frère du doigt avec un petit sourire peiné, Teddy le coupa.
– Allons, allons, Howard, décontracte-toi un peu, mon vieux! Plus cool, moins père-la-vertu!

– Il est possible qu'un jour je puisse agir comme tu le suggères... Quand tu seras capable de te prendre en charge, si tu vois ce que je veux dire...

Teddy détourna le regard.

– Je vois, répondit-il d'une voix lasse.

Le briefing prit environ une demi-heure. Après quoi, Bluestern quitta les lieux.

Dieu, que le ciel et les nuages étaient envoûtants! Quel calme, quelle sérénité lui procuraient les flots scintillants de la mer, si lointaine pourtant, et le moutonnement des collines, les ondulations des routes sur lesquelles rampait et s'éparpillait une multitude de petits insectes. C'était ce dont elle avait le plus besoin, ces moments de solitude tout là-haut, lovée dans le vinyl beige du siège baquet de son oiseau bien-aimé, les mains reposant sur le manche, les pieds bien calés sur le palonnier. Elle était bercée par le ronronnement grave et rassurant du moteur, par le sifflement de l'air pur le long des ailes et de la cage vitrée de son sanctuaire, du seul refuge capable de protéger sa fuite.

Diane embrassa du regard ce monde à la beauté majestueuse qui défilait sous l'appareil, et il lui vint à l'esprit que cette beauté s'estompait lorsque l'on se rapprochait du sol, puis disparaissait quand il fallait y poser le pied pour essayer d'y vivre et de le supporter. Combien il était alors salutaire de s'en évader, de mettre les gaz, de prendre de la vitesse et de s'envoler assez haut pour le contempler sans crainte d'être meurtrie!

Ici, Teddy ne pouvait pas lui faire plus de mal qu'elle ne pouvait lui en faire. Sa mère non plus n'avait rien à redouter.

Pourquoi ne pouvait-elle s'empêcher de blesser les autres et, bien sûr, d'en subir les contrecoups? Si réponse il y avait, Diane ne la connaîtrait jamais, bien qu'elle s'interrogeât sans trêve. Des myriades de questions se pressaient sans cesse dans sa tête, la bouleversant à un point tel qu'elle ne pouvait se retenir d'invectiver les autres; ce qui évidemment les mécontentait et, par effet de boomerang, les amenait à lui retourner la politesse. Et cela, elle le supportait mal, mais n'était pas, pour autant, capable de se réfréner. Dieu sait pourtant qu'elle s'y efforçait. Elle faisait tout son possible pour se conduire décemment, gentiment; mais elle ne tenait pas la distance car au bout d'un moment, quelque chose en elle se déclenchait. Alors, ce qui lui restait de mieux à faire, tant pour elle que pour les autres, c'était de fuir à la hâte vers son *Cessna*, son gros oiseau fidèle qui savait l'emporter vers la sécurité, la solitude où elle était la seule personne à qui elle pouvait faire du mal. Il était d'ailleurs heureux qu'elle soit en ce moment même dans les airs, car elle n'avait pas voulu blesser Teddy. Encore une fois, cette indicible pulsion en elle l'avait poussée à dire et à faire ce qui s'était produit la veille.

La boisson n'était qu'apparemment la grande responsable, la source de tous ses malheurs dans l'existence. Diane savait que l'alcool n'y était pour rien, qu'il s'agissait d'autre chose. Mais si elle arrivait à persuader les autres que son intempérance expliquait tout, peut-être finirait-elle par le croire aussi? Alors finie l'introspection, toutes ces questions périlleuses, et à nouveau la vie avec Teddy, qu'elle n'aurait jamais dû quitter! Teddy, son véritable amour, sa passion... Comment s'était-elle laissé entraîner à l'agonir de la sorte? Il avait tant besoin d'elle, tant besoin de son amour, de sa compréhension, de l'aide protectrice qu'elle lui offrait. Personne ne savait lire la profonde tristesse que cachait son regard face au dédain ou la pitié que lui témoignaient les gens du cinéma sous prétexte qu'il n'était rien, qu'il n'était pas son frère, qu'il n'avait pas fait, et ne ferait jamais carrière. Elle, elle le connaissait sous son vrai visage: adorable, tendre, drôle, touchant, fou, cruel, dangereux et... et quoi...? Totalement incapable d'aimer quiconque? Qui prétend cela?

C'est toi, Diane, toi, la nuit dernière. Mais comment as-tu pu lui faire cela? Tu avais trop bu, Diane, vraiment tu devrais arrêter. Il faut que tu arrêtes! C'est vrai, pourquoi bois-tu tant?

Je bois pour tromper les autres.

Pour me mystifier moi-même.

A nouveau, la ronde des questions. Mais quelle importance, puisqu'elle planait entre ciel et terre sur les ailes de son grand ami? Dans quelques minutes, elle amorcerait le virage qui ramènerait l'oiseau à son nid, sur le terrain de Santa Monica. Elle chercherait alors à se réconcilier avec Teddy et, dans ce sens, les questions qui se pressaient dans sa tête l'aideraient peut-être à assainir pour de bon leurs rapports à venir.

Prise d'une soudaine impatience, Diane mit l'avion en configuration de virage serré. Elle s'en retournait vers Teddy, s'il voulait bien la reprendre.

Et même s'il ne voulait pas.

3.

Pour jouer la comédie, là il y avait vraiment un style! Le style de Teddy Stern lui-même. Imiter Howard n'avait rien de compliqué : il suffisait de se pénétrer en permanence d'une bonne couche d'auto-suffisance, même pour dire des choses aussi simples que : « Ne laissez passer aucun appel et venez avec votre bloc-notes, je vous prie ».

Il avait assez perdu de temps – presque une heure entière – à lire les contrats, regarder par la fenêtre, utiliser les toilettes de la direction et prendre les communications téléphoniques. La conversation avec Lazar avait plus consisté à écouter qu'autre chose; le reste des coups de fil émanait de gens qui, selon toute apparence, ne connaissaient pas mieux Howard que lui ne les connaissait. Il n'y avait pas eu le moindre problème. Par contre, à mesure que Jo Anne Kallen lui passait les appels, la vision de cette porte qui les séparait engendrait en lui un sentiment de frustration sans cesse accru.

De sa propre opinion, il avait admirablement su ne pas céder à ses pulsions. Un comportement aussi remarquable méritait une petite récompense... qu'il venait de s'accorder en lui demandant de venir dans son bureau. Le fait de désobéir aux instructions de Howard, et même de prendre le risque de se voir démasqué, ne faisait qu'ajouter au plaisir qu'il en escomptait. Les bons garçons vont loin, mais, pour la distraction, les mauvais garçons sont plus doués.

En la regardant s'approcher de son bureau, Teddy ne décela pas la moindre trace de perplexité ou de soupçon sur son adorable visage sensuel; peut-être une sorte de nervosité, comme si elle hésitait à lui demander une augmentation, et aussi une étincelle qu'il n'avait pas encore remarquée dans le regard de la jeune femme. De la main, il lui indiqua un siège et fit pivoter le sien pour la regarder s'asseoir en croisant les jambes. Sa courte jupe remonta au-dessus des genoux, ranimant d'un coup la sensation de désir qui avait imprégné son rêve un peu plus tôt sur la plage. Puis son parfum le cerna, évoqua le souvenir d'aventures passées. Il la dévisagea alors avec cette indifférence affectée qu'aurait certainement affichée Howard, et lui demanda :

– Miss Kallen, que pensez-vous de mon pseudo cow-boy de frère?

Elle parut surprise et son visage s'empourpra un peu.

– C'est à peine si nous avons échangé quelques mots, répondit-elle d'une voix douce.

– Première impression alors...

Quelques instants s'écoulèrent avant qu'elle ne reprenne :

– Un peu marginal, peut-être. Très différent de vous à bien des égards, monsieur Bluestern.

Il se rendait compte qu'il aurait dû changer de sujet, mais c'est au contraire vers le terrain le plus glissant qu'il orienta la conversation.

– Qu'entendez-vous par là?

– Eh bien... On le dirait un peu désarmé, peut-être même fragile? Vous êtes plus solide... Je ne crois pas qu'il se tienne lui-même en très haute estime, ni, d'ailleurs, qu'il respecte beaucoup les autres...

Après une légère hésitation, elle ajouta :

– Il n'a ni votre force... ni votre séduction. Le mot est-il plus juste?

Hochant la tête, Teddy commenta :

– Moi, il me plaît.

Il soutint un instant son regard, puis détourna les yeux, jouant machinalement avec le courrier qui encombrait le bureau de Howard.

– Je me demande comment je vais me débarrasser de cette littérature. Et si je vous demandais de rester ici ce soir pour m'aider à liquider cela, quelqu'un y verrait-il de graves objections?

Il se contraignit enfin à la regarder en face et s'aperçut qu'elle ne l'avait pas quitté des yeux.

– Qui pourrait m'en empêcher, monsieur Bluestern?

– Eh bien, vous par exemple, ou votre petit ami.

Écartant une mèche de cheveux rebelle, elle demanda :

– Où voulez-vous travailler?

– Pourquoi pas ici? répondit-il sans broncher. Cependant, je crois en toute sincérité qu'il serait à la fois plus commode et plus confortable d'aller nous installer chez moi; cela nous permettrait de grignoter un petit quelque chose entre deux lettres. Qu'en pensez-vous?

– Parfait.

– Vous êtes sûre?

– Tout à fait.

– Vous connaissez la maison?

– Je sais où elle est située et m'y rendrai sans problème. Voulez-vous que je repasse chez moi me changer ou...?

– Non, Jo Anne. Vous êtes très bien ainsi.

Quelque chose dans sa voix la fit détourner les yeux.

– Vous aurez besoin de moi à quelle heure, monsieur?

La réponse fusa d'elle-même, presque contre son gré :

– Tout de suite.

Le regard qu'elle lui renvoya exprimait un certain désarroi.

– Tout de suite, répéta-t-il.

Il lui tendit la main. Un long frisson parcourut la jeune femme.

– Approchez, Jo Anne.

Elle hésitait.

– Je vous en prie... insista-t-il.

Elle se leva lentement, posa son bloc sur le siège abandonné et contourna le bureau pour s'approcher de lui, l'enivrant de son parfum. Il l'enlaça, épousa les souples rondeurs de son corps, l'attira contre lui, posant les lèvres sous la boucle de la ceinture qui ornait sa jupe. Puis, soudain, la jeune femme lui saisit les cheveux et se pencha, chercha avidement sa bouche; une sourde plainte s'échappa de ses lèvres.

– Mon Dieu, que m'arrive-t-il?...

Sans la quitter, il se leva à son tour, enfouit ses mains dans la chevelure de Jo Anne et l'embrassa. Lorsqu'ils se séparèrent, sans forces, Teddy reprit la parole d'une voix sourde :

– Il vaudrait peut-être mieux que je téléphone à la maison.

Dans un souffle, elle répondit :

– Je m'en occupe.

A peine avait-elle esquissé un pas vers l'appareil que, d'un mouvement rapide, il la reprit dans ses bras, la dévorant de baisers sauvages qu'elle interrompit d'une voix altérée.

– La porte n'est pas fermée.

– Je sais, murmura-t-il.

Elle quitta rapidement la pièce tandis qu'il cherchait à calmer les battements de son cœur.

Il s'affala dans le fauteuil. Howard lui avait bien recommandé de passer une soirée tranquille à la maison et de se tenir à l'écart de toute aventure. Alors, bon Dieu, qu'est-ce qui lui prenait? Il venait de se faire séduire, voilà ce qui lui prenait. Et par une fille qui, de toute évidence, le désirait aussi passionnément que lui la désirait. Qui désirait passionnément Howard. Après tout, c'était son frère qui régnait sur ce territoire, non?

La sonnerie interrompit ses méditations, et il décrocha l'appareil.

La jeune femme avait eu le temps de reprendre son sang-froid.

– J'ai votre domestique sur la deux.

– Merci.

Il ferma les yeux, essaya de s'éclaircir les idées, de se remettre en phase avant d'enfoncer la touche du téléphone et de redevenir Howard.

– David?
– Oui, monsieur?
– Ne changez rien au menu de ce soir, mais soyez gentil de le prévoir pour deux. Miss Kallen, ma secrétaire, dînera avec moi car nous avons un peu de travail à terminer.
– Très bien, monsieur. Désirez-vous choisir un autre vin? Nous n'avons pratiquement plus de Margaux
– Faites pour le mieux, David.
Aucune chance pour que lui, Teddy, tranche ce genre de débat. Dès qu'on dépassait le niveau du gros rouge, ce n'était plus de son ressort.
– Un Morgon, peut-être? Ou un Moulin-à-vent?
– Va pour le Moulin-à-Vent.
Ne m'en demande surtout pas plus!
– Très bien, monsieur. Vous désirez autre chose?
– Non, c'est parfait. A tout à l'heure.
Il faudrait se surveiller avec ce type. Teddy ne l'avait pas rencontré souvent, et c'est sans surprise qu'il avait ressenti l'hostilité que cet individu éprouvait pour lui. Par contre, ce qui l'avait surpris, c'était le mépris évident que ce petit fumier manifestait vis-à-vis de son employeur. La soirée promettait d'être trop pleine de délices aussi imprévues qu'érotiques pour qu'un ancien casseur de coffres britanniques, un ex-maître-chanteur un peu maquereau sur les bords, vienne la gâcher. Pour lui, travailler au service d'un des plus gros pontes de Hollywood n'était qu'un job minable et il n'en faisait aucun mystère, il cherchait quelque chose de mieux.
Pourquoi Howard l'avait-il gardé si longtemps?
A l'évidence, ce type avait besoin d'être remis à sa place.

4.

En passant sous la douche, l'excitation provoquée par la petite fête à laquelle il venait de participer embrasait encore les sens de David Stanner. Pourtant, le comportement de son patron lui avait semblé bizarre : il avait paru surpris par sa présence. En d'autres circonstances, David se serait attardé sur ce sujet qui s'ajoutait aux divers événements étranges de la soirée. Mais l'heure était aux ablutions qui avaient rang de priorité absolue. Il ne put retenir une exclamation lorsque le jet d'eau chaude le frappa, puis il s'adapta à la température tandis qu'il se décontractait et réagissait contre la vague de fatigue qui le submergeait toujours lorsqu'il abusait à la fois de la cocaïne et du sexe.

Il entreprit de se savonner avec le gros pain de *Roger et Gallet* qu'il utilisait parce que Bluestern en avait rapporté un stock de Londres à son unique intention. Le savon était trop gros pour ses mains relativement menues. Il avait pourtant décidé de continuer à s'en servir, sous prétexte qu'il détestait le gaspillage; en fait, il le faisait dans l'espoir de persuader un jour Bluestern de partager sa chambre avec lui. Quelle maladresse c'eût été d'offenser inutilement le pauvre chéri, alors qu'il essayait à toute force de lui faire lâcher prise sur le terrain de l'hétérosexualité pure et dure.

Tandis que, sous la caresse voluptueuse de ses mains, il enrobait sa peau de mousse parfumée, Stanner se remémora les moments marquants de la soirée.

Bluestern et la fille n'avaient cessé de se dévorer des yeux pendant le repas, au point que cela devenait gênant; c'est à peine s'ils avaient échangé quelques mots et grignoté un peu de viande, tant ils semblaient obsédés l'un par l'autre ou par les phantasmes de ce qu'ils se préparaient à vivre ensemble. Au cours des navettes que Stanner effectuait entre la salle à manger et la cuisine, le spectacle de ce couple qu'il observait à la dérobée avait eu pour effet de le mettre en érection. Il lui sembla en fin de compte déceler une invite sous-jacente à participer à leurs futurs ébats. Pourtant, le visage de la fille et sa poitrine n'avaient rien d'extraodinaire. En revanche, ses yeux d'un bleu profond et ses lèvres pleines exprimaient une sensualité des plus prometteuses tandis que ses longues jambes et le galbe de la partie postérieure de son anatomie semblaient le prélude à d'enivrantes folies.

De plus, Bluestern avait paru s'écarter de son éternel quant à soi, adoptant une attitude plus décontractée, moins protocolaire. Il s'était même livré à des remarques mordantes, voire sadiques, que Stanner avait accueillies avec de délicieux frissons quelque peu masochistes. Ces coups de fouet verbaux avaient-ils contribué à l'exciter? Ou était-ce le désir réciproque que son patron et la fille manifestaient sans ambiguïté? Ou encore Stanner avait-il été inconsciemment ému par cette nonchalance qu'il n'avait jamais remarquée chez Bluestern, cette sorte de grâce avec laquelle il avait traversé le hall d'entrée en arrivant à la maison, et qui avait déclenché chez le domestique un trouble incontrôlé?

Il se savonna les aisselles, remisa le *Roger et Gallet* en lieu sûr et, lentement, présenta son visage au jet brûlant. Dans un premier temps, il s'était demandé ce qui avait valu à cette petite secrétaire de se voir invitée par Bluestern en ce temple prestigieux, réservé d'habitude à de jeunes et ravissantes starlettes, ou à des superstars nettement plus âgées et beaucoup moins désirables. Mais lorsqu'il entendit, de la cuisine, les cris d'amour dont elle emplissait la chambre de son patron, lorsqu'il se posta sans bruit derrière la porte close pour l'écouter gémir son extase, telle une litanie : « Oh oui, Howard, je t'aime, je t'aime, mon chéri, oui... », il comprit la violence de la séduction qu'elle avait exercée sur Bluestern. Son propre pouls s'accélérait et il fut submergé par le besoin irrésistible de partager sans plus attendre le plaisir des deux amants.

Il tremblait d'une telle excitation qu'il dut se battre avec ses vêtements pour les enlever. Il contrôlait mal ses gestes et renversa quelques grains de la poudre magique qu'il inhalait en de telles occasions pour accroîtres ses forces et se doter des ailes qui le mèneraient au septième ciel. Il pénétra alors dans la chambre sombre, referma discrètement la porte derrière lui. L'odeur luxurieuse des amants, les soupirs qu'ils échangeaient, la silhouette imprécise et mouvante de Bluestern, la cambrure de ses reins, sa tête nichée dans l'échancrure des cuisses laiteuses de sa maîtresse, tout ceci enflamma brutalement les sens de Stanner, déclenchant une érection presque douloureuse de son membre jusque-là semi-rigide. Le saisissant d'une main experte, il entreprit de lui dispenser les caresses qui lui donneraient l'illusion de participer aux ébats dont il n'était que le témoin.

... Les yeux fermés, l'esprit en ébullition et la fièvre au ventre, sous le jet brûlant de la douche il revivait toute la scène, ses plaisirs rétrospectifs, mais aussi l'étonnement qu'il en avait gardé, et qu'il ne manquerait pas d'analyser plus en détail lorsque les circonstances seraient moins empreintes d'érotisme.

Alerté par un bruit indistinct ou un obscur mouvement, Bluestern avait dressé la tête.

– Qui est là?

– Encore, ne t'arrête pas, avait gémi la fille.

– Ce n'est que moi, avait murmuré David.

– Prends-moi, Howard, pénètre-moi.

– Mais enfin, David, qu'est-ce que vous...?

Rien de plus que d'habitude! Oh, que ça va être bon...

– Viens, Howard, viens...

Elle avait irrésistiblement attiré Bluestern contre elle,

soudant sa bouche aux lèvres de son amant, refermant sur lui l'étau de ses longues jambes. La lente houle de ses reins s'accélérait en un frénétique va-et-vient qui avait englouti, aspiré Howard dans un maëlstrom de luxure, dans un gouffre de plaisirs débridés, dans un univers de débauche des sens à des années-lumière de la chambre à coucher où se déroulaient leurs ébats.

David s'était alors laissé aller à la satisfaction de ses sens en émoi, rythmant ses attouchements manuels sur la cadence des deux corps nus enlacés sur la couche qu'il dominait de sa petite taille, ralentissant parfois pour endiguer le flot montant de son désir exacerbé, attentif aux mouvances, aux ondulations enchevêtrées des amants, attentif aussi à l'intensité des feulements, des plaintes de bonheur charnel par lesquels il devinait, estimait, sentait l'ascension irrésistible du double orgasme auquel il désirait ajouter sa voix.

C'est ainsi qu'ils avaient, tous les trois, atteint ensemble l'ultime anéantissement dans les ténèbres mystérieuses de cette chambre à coucher imprégnée de la moiteur suave propre aux débordements sexuels, où les seuls sons perceptibles restaient leurs respirations oppressées, les sanglots décroissants de la jeune femme, puis, enfin, le bruit étouffé des pas de Stanner sur l'épaisse moquette, et celui d'une porte qui se ferme aussi discrètement qu'elle s'était ouverte pour le laisser entrer.

...David s'essuya délicatement, s'efforçant de ne pas rompre le fil de ses pensées, afin de déterminer dans quelle mesure il avait, lui-même, imaginé cette expression d'intense surprise qu'il avait lue sur le visage de Bluestern lorsque celui-ci s'était retourné pour identifier l'intrus qui venait s'immiscer dans sa scène d'amour. Dans l'obscurité, il avait peut-être exagéré cette surprise, à moins que Bluestern l'ait momentanément pris pour un autre dans le noir. David savait bien que tout avait une explication sur cette bonne vieille terre créée par le Seigneur. Après tout, la stupeur de Bluestern, sa façon de faire croire que c'était la première fois qu'il lui arrivait de se trouver en présence d'un voyeur actif, tout cela pouvait n'être qu'un numéro destiné à la fille. Car enfin, il y avait quand même deux ans que son patron et lui opéraient en tandem pour le plus grand bonheur des petites veinardes du monde de l'écran.

De retour dans sa chambre, si exiguë que c'en était outrageant, tracassé par cette énigme qu'il n'arrivait pas à résoudre mais résigné à la supporter jusqu'au lendemain matin, quand Bluestern lui fournirait toutes les explications voulues, Stanner brancha la télé et s'allongea sur son lit. Il attendait le sommeil qui ne manquerait pas de dissoudre provisoirement les incertitudes qu'il ne parvenait pas à chasser de son esprit. Ce qu'il ignorait c'était que déjà une partie de son cerveau, dont il n'avait jamais eu pleine conscience, se mettait au travail, procédant à l'analyse et à la synthèse des événements de la soirée pour lui procurer des instruments, aussi nouveaux que profitables, destinés à favoriser le déroulement de sa carrière dans un avenir plus ou moins indéterminé.

Je vais le tuer! Avec une violence inouïe, ce cri muet lui déchirait l'esprit. *Je vais les tuer tous les deux!* Le visage plaqué sur la vitre glacée pour tenter d'éliminer les reflets créés par l'éclairage public qui l'empêchaient de voir dans toute son horreur le spectacle dont la chambre à coucher était le théâtre, Diane se laissait envahir par un tumulte inarticulé de pensées meurtrières... Ce spectacle lui était insupportable, mais elle ne pouvait pas non plus en détourner les yeux tant elle cherchait à distinguer le lit, qu'elle devinait entre les rideaux censés dissimuler leurs corps dévêtus au monde extérieur. Et elle frissonnait sous le vent des ténèbres, au son des vagues déferlant sur les rochers et le sable qui bordaient cette maison de rêve dont elle avait cru devenir un jour la maîtresse... ce que, manifestement, elle ne serait jamais, pas plus qu'il ne deviendrait son maître, lui qui se vautrait sur leur couche avec une voluptueuse créature, lui qui n'avait cessé de mentir. Elle avait eu raison de le quitter, et il aurait dû en ressentir du chagrin, au moins quelques jours. Pas comme cela, tout de même, dans le lit encore tiède et imprégné du parfum de son corps à elle... Là, avec cette fille, couché entre ses cuisses ouvertes, leurs lèvres soudées en un long baiser. Mon Dieu, quel spectacle insupportable, et pourtant ô combien fascinant, ce merveilleux spectacle, cette horrible merveilleuse exhibition. Oh, Teddy, quel salaud tu es, comment as-tu pu, mon chéri?...

Dans un sanglot, elle s'arracha à la fenêtre et repartit, trébuchant dans le sable, vers sa voiture qu'elle avait garée au pied des dunes en début de soirée. Sa voiture dans laquelle elle avait attendu, l'œil aux aguets, et d'où elle l'avait vu arriver dans sa Porsche jaune... Sa voiture dans laquelle elle avait bu au goulot de longues rasades de *Wild Turkey* jusqu'à ce que sa gorge ne soit plus qu'une intense fournaise. Oui, elle avait bu et pleuré, cherchant désespérément les mots qui lui feraient comprendre que ses paroles de la veille ne reflétaient pas ce qu'elle avait voulu dire. Que ce qu'elle lui avait fait subir, au cours de cette nuit d'amour, de haine et de désaccord ininterrompu, n'avait pas été conscient... Et puis, juste comme elle se décidait à quitter sa voiture pour le rejoindre et lui crier son amour... Au diable les mots qu'elle emploierait! Quelle importance, dès lors qu'elle serait à nouveau près de lui, qu'elle entendrait sa voix, que ses mains se poseraient sur son corps? Au moment même où, malade et en proie au vertige, mais débordante d'amour, déterminée à reprendre la vie commune, à se vouer à lui dans les liens sacrés du mariage et lui consacrer le reste de sa misérable existence, hantée par la peur, étouffée sous le joug maternel, déglinguée par tous les bouts... Alors, juste à ce moment-là, était arrivée l'autre voiture qui avait viré dans l'allée conduisant au garage, son garage. Et elle avait vu cette fille en descendre, avec un énorme sac plein de provisions, sa longue chevelure dorée flottant au vent, sa croupe affriolante solidement campée sur deux appétissantes jambes élancées... Alors elle avait compris d'un seul coup ce qui allait se passer entre cette fille et Teddy, cette nuit même; elle avait clairement pressenti le décor des chaussures à talons et du fourreau vert abandonnés sur la moquette, des seins nus de sa rivale, du corps de son amant succombant à l'étreinte de ses jambes nerveuses... Oh le salaud! Mais quelle idiote tu fais, Diane, pauvre idiote larmoyante et ridicule, tu le savais bien ce qu'ils allaient faire après avoir bu tout leur soûl. Tu le connaissais, ton Teddy, pas besoin de te faire un dessin pour que tu reconnaisses le genre de cette fille... Tu le savais, tout cela, mais il a quand même fallu que tu ailles voir, et maintenant tout ce dont tu es capable, c'est de ravaler tes larmes en faisant une tête d'enterrement... C'est vraiment tout ce dont tu es capable, tout ce que tu vas faire, tu vas te laisser traiter comme cela, le laisser s'en sortir tranquillement, passer le reste de ta vie à ressasser cette histoire; c'est vraiment tout ce que tu comptes faire... Alors que tu sais bien qu'elle ne tardera pas à rentrer chez elle, c'est évident. Des salopes comme elle ne restent jamais bien longtemps, pas comme toi, Diane. Elles se rhabillent et rentrent chez elles, sans même prendre une douche. Elles se contentent de se rhabiller, de prendre l'argent qu'on leur a laissé sur la commode, de se glisser hors de la maison et de se perdre dans la nuit, dans un sillage de parfum de pute. Pendant que lui dort, inconscient des draps humides de transpiration, de la porte qui se ferme, de la voiture qui démarre... indifférent à tout, se foutant de tout, endormi, seul comme il l'a toujours désiré, même quand tu étais avec lui. Oui, seul, c'est ce qu'il a toujours attendu de toi, que tu lui foutes la paix! Jamais il n'a eu besoin de toi. Il t'a menti depuis le début, il s'est servi de toi comme d'un objet en te racontant des histoires, l'enfant de salaud...

Appuyée contre la voiture, elle pleurait à gros sanglots.

Tu ne peux pas me faire ça, non pas à moi, non, je ne te le permettrai pas...

5.

A peine arraché à ses rêves par le mélodieux carillon du réveil, Teddy mit un certain temps à se rendre compte que les bruits familiers de l'océan, les odeurs moites de sa couche habituelle avaient cédé la place au calme parfumé de la chambre d'Howard, à Bel Air. Sur l'oreiller voisin, un petit mot manuscrit s'était substitué à l'adorable visage de Jo Anne. Après avoir consulté la montre à aiguilles posée sur la table de nuit et constaté qu'il n'était que huit heures moins dix – ce qui lui laissait largement le temps – il se cala dans le lit pour lire le message.

Mon très cher Howard,
Quoi que vous ayez ressenti, je veux que vous sachiez que pour moi, cette nuit est et restera un enchantement. Je vous trouve merveilleux, Howard, mais, tout en espérant ne pas surestimer mes capacités de maîtrise personnelle, je vous assure que rien de ce qu'il y a ou aura entre nous n'affectera nos relations de travail. Surtout, ne prenez pas mon attitude réservée au bureau pour de l'indifférence. Je crois très profondément à la pudeur des sentiments, surtout lorsqu'il convient de ne pas en faire étalage (quel moment extraordinaire cela a été hier soir, lorsque nous avons su faire tomber le voile de cette pudeur!).

Votre Jo Anne

Alors il se leva, tira les rideaux sur une journée ensoleillée et passa dans la salle de bains où il déchira en mille morceaux le billet que la chasse d'eau fit disparaître. Pourtant, cette première réaction de cynisme qu'il aurait voulu manifester à l'égard du message de la jeune femme manquait de conviction. Curieusement, la décence dont Jo Anne faisait preuve le touchait (pas maladroite, la petite!), comme la violence émotionnelle qu'elle n'avait pas cherché à cacher la veille (quelle actrice!). D'un coup, la tristesse envahit Teddy tandis qu'il comprenait que, même s'il le voulait, Jo Anne ne serait pas à lui. C'est Howard qu'elle aimait, pas lui; Howard pourrait en disposer selon son bon plaisir. Lui n'avait servi, involontairement, qu'à préparer le terrain pour son frère (à toi de jouer, salopard!).

En se rasant, il s'adressa un pauvre sourire dans la glace. Puis il se doucha, se sécha les cheveux, et choisit dans la spacieuse garde-robe de son frère l'un des nombreux costumes que *Norman at Dorso's* avait créés aux mesures de Howard pour atténuer un peu son maintien compassé. A neuf heures moins le quart, il s'installa pour le petit déjeuner et se plongea dans la page des sports du *Times* avec une telle concentration que David Stanner, encore plus pâle qu'à l'accoutumée, n'aurait pu engager la conversation sans faire preuve de grossièreté. Ce dernier en effet en apportant le jus d'orange, avait tenté une ouverture sous la forme d'un : « Comment allons-nous, ce matin? » Teddy s'était contenté de répondre : « Complètement épuisé ».

Et si tu veux savoir si je t'ai remarqué hier soir, British de mes deux, pas de doute à avoir là-dessus!

– Voulez-vous m'apporter un grand verre d'eau, David, et sans glace, s'il vous plaît!

– Certainement, monsieur.

Se remplir la vessie était quand même bien la moindre des politesses à avoir pour l'inspecteur d'assurances censé rencontrer Howard.

D'un trait, Teddy finit son café, avala le verre d'eau, puis se leva. Il hésita à appeler son frère à Malibu pour savoir si tout s'était bien passé avec Linda Carol, mais préféra s'abstenir. D'abord, il risquait de le réveiller. Et puis surtout, il ne tenait pas à déclencher une avalanche de conseils et de consignes de dernière minute qui lui hérisseraient le poil et lui gâcherait la matinée entière. De toute façon, plus longtemps il s'arrangerait pour cacher à Howard la venue de Jo Anne Kallen au temple sacré, mieux tout le monde se porterait. Commence par lui rendre service. Il sera toujours temps, après, de plaider ta cause.

– Je m'en vais, annonça-t-il à la cantonade.

David surgit à la porte de la cuisine.

– Rentrerez-vous dîner ce soir, Monsieur?

– Je... je n'en sais trop rien. Je vous avertirai.

Et, comme son domestique l'inspectait des pieds à la tête :

– Qu'y a-t-il, David?

Avec un pâle sourire, vaguement évocateur de sous-entendus, celui-ci répondit :

– C'est que monsieur semble particulièrement en forme, aujourd'hui.

Teddy lui adressa une de ces petites grimaces désinvoltes rodées par les multiples rôles qu'il avait interprétés devant les caméras de la télévision.

– Rien d'étonnant, après la nuit que j'ai passée.

Au volant de la Bentley grise de Howard, il se dirigea vers Sunset Boulevard cherchant à chasser le souvenir déplaisant que le sourire graveleux de l'ex-matelot lui avait laissé. Il alluma l'auto-radio stéréo et le régla sur les glapissements des Bee-Gees, qui lui firent oublier momentanément le domestique. Mais il craignait que cette thérapeutique ne soit que provisoire...

Ils l'attendaient tous dans le salon d'accueil : Seligman, du service des affaires juridiques, le médecin de la compagnie d'assurances, l'infirmière de l'hôpital privé des studios, ainsi qu'un petit bonhomme chauve qui ne pouvait être que l'inspecteur de la *Mutuelle de l'Oklahoma.*

– Bonjour à tous! Suis-je en retard? s'enquit Teddy avec des intonations Bluestern de la plus belle eau.

– Pas du tout. En fait, vous êtes pile à l'heure, Howard, répondit Seligman.

– Pourriez-vous m'accorder quelques minutes, Scotty?

Howard l'avait averti d'éviter d'appeler le juriste Edgar.

– Prenez votre temps.

Jo Anne Kallen s'empourpra à mesure que Teddy s'approchait de son bureau.

– Voulez-vous m'accompagner, je vous prie? lui dit-il très calme.

Il la précéda dans le bureau de Howard, sidéré de la voir si fraîche après la nuit torride qu'ils avaient passée ensemble. Il s'en voulut immédiatement de son attitude envers les relations sexuelles auxquelles il conférait implicitement un pouvoir de destruction tant sur la santé que sur l'allure extérieure de celle qui s'y était livrée.

Il entendit Jo Anne fermer la porte du bureau et, tandis qu'elle s'avançait vers lui, son charmant visage exprimant une certaine attente, il se retourna et lui dit à voix basse :

– Je voulais que vous sachiez que votre petit mot était merveilleux. Vous aussi, d'ailleurs, et vous l'êtes toujours, bon Dieu de...

– Pourquoi dites-vous « bon Dieu »? répondit-elle doucement, s'approchant encore de lui.

– S'il vous plaît, restez où vous êtes, ne me touchez pas. Vous me rendez fou et je ne puis me le permettre avec la visite médicale qui m'attend dans deux minutes...

Mais elle était déjà dans ses bras et, emportées par la tempête, leurs mains, leurs lèvres, leurs langues se mêlèrent avec autant d'ardeur que s'ils avaient été privés l'un de l'autre depuis des centaines d'années...

– Mon amour...

– Je veux, je veux...

– Oui.

– Dès qu'ils auront...

– Oui, mon chéri...

Elle s'arracha à ses bras, pâle, le souffle court :

– Ils vous attendent, Howard.

– Je sais... oh, mon Dieu, j'ai le cœur qui bat trop fort... Vas-y, va là-bas, mais laisse-moi une minute ou deux...

Il s'affala dans son fauteuil, encore oppressé, et la regarda s'éloigner, plein de désir.

– Toute la matinée sera à nous, lui souffla-t-il avant qu'elle ne sorte du bureau, cherchant désespérément comment il allait réussir à se l'attacher pour la vie, car désormais, il savait qu'il se consacrerait entièrement à ce but, au mépris de toutes les raisons, de toute logique prétendant l'en empêcher. Après avoir repris son souffle, il brancha l'interphone.

– Dis-leur que je suis prêt et j'espère que je n'ai pas dix-huit de tension ou pire.

Seligman se chargea des présentations, ses paupières clignotant comme celles d'un hibou derrière ses grosses lunettes d'écaille.

– Howard, voici le Dr Franklin Kimmel, je crois que vous avez déjà rencontré miss Seeley qui travaille à notre hôpital, et enfin je vous présente Marvin Gerber de la *Mutuelle de l'Oklahoma.* Howard Bluestern.

Ayant serré les mains à la ronde, Teddy entreprit de se dévêtir jusqu'à la ceinture, en vétéran des visites médicales qu'il était.

Seligman reprit :

– Marvin, je ne pense pas que ma présence soit indispensable, ni à vous, ni à vous non plus, docteur Kimmel?

– Non, non, nous nous débrouillerons, monsieur Seligman, répondit l'inspecteur d'assurances avec un accent new-yorkais à couper au couteau.

D'un signe de tête, le médecin donna également son accord.

– Dans ces conditions, je vous abandonne. Vous êtes en de bonnes mains, Howard. S'il y a quelque chose, je suis à votre disposition.

– Merci, Scotty.

Le juriste quitta précipitamment la pièce, avant qu'ils ne changent d'avis.

Torse nu, Teddy se croisa les bras, tandis que le médecin, un homme d'une soixantaine d'années aux cheveux blancs, le nez chaussé d'une paire de lunettes sans monture, lui appliquait l'extrémité glacée de son stéthoscope sur la poitrine afin de l'ausculter. Sa façon de procéder semblait si superficielle que Teddy eut vite l'impression qu'il s'agissait d'un examen de pure forme. Si ce médecin décidait de déclarer Howard Bluestern inapte à s'assurer pour cinq millions de dollars, la *Mutuelle de l'Oklahoma* n'aurait probablement aucune difficulté à le poursuivre pour incompétence.

Teddy inspira, toussa, expira, surveillant discrètement le petit bonhomme qu'on lui avait présenté sous le nom de Gerber : installé sur le canapé, il feuilletait avec nonchalance la presse économique du matin, comme si cette visite médicale ne le concernait en rien. Quant à l'espèce de Florence Nightingale du pauvre, elle attendait avec son matériel de prise de sang le moment d'entrer en action.

– Dites-moi, docteur, si vous descendez encore un peu avec votre engin, vous attraperez peut-être *Radio Caraïbes*, suggéra Teddy.

Sursautant comme s'il avait reçu une décharge électrique, Kimmel extirpa vivement les deux tubes du stéthoscope de ses oreilles.

– Il ne faut pas parler pendant que je vous ausculte, monsieur Bluestern, dit-il d'une voix chevrotante.

– Excusez-moi.

En voilà une manière de s'adresser au président d'une grosse société! Il se prenait pour qui, celui-là? Pour un médecin de compagnie d'assurances?

Le deuxième acte s'intitulait « Prise de Tension », avec, en vedette, le sphygmomanomètre, bien connu du public sous le nom de tensiomètre. Teddy interpréta le rôle, assis sur le bureau.

– Treize virgule cinq, sept, annonça le Dr Kimmel en desserrant le garrot qui comprimait le bras de Teddy.

Pour un homme qui occupe une position comme la vôtre dans le monde des affaires, c'est assez remarquable.

– N'en parlez surtout pas au Comité de Direction, docteur. Ils en déduiraient que je ne travaille pas assez.

– Non, non, j'insiste... vraiment remarquable.

Si on avait joué à cela il y a dix minutes, songea Teddy, ton foutu appareil aurait explosé.

– Asseyez-vous sur le canapé pour l'examen suivant, monsieur Bluestern, intervint miss Seeley, cherchant maladroitement à dissimuler l'aiguille qu'elle tenait à la main.

Marvin Gerber se leva pour laisser la place à Teddy. Celui-ci tendit le bras droit, poing serré pour que l'infirmière, de son index, repère la veine.

– La voilà, dit-elle enfin. Desserrez votre poing, s'il vous plaît.

Tout se passa en silence et, quand elle eut essuyé avec un morceau de coton la gouttelette de sang qui perlait, Florence Nightingale déclara :

– Voulez-vous plier votre bras, monsieur Bluestern? J'espère que je ne vous ai pas fait mal.

– La caresse d'un ange, miss Seeley.

– Vous êtes trop gentil, murmura-t-elle en rougissant.

Franklin Kimmel prépara alors la machine à électrocardiogramme portative qu'il avait apportée et l'installa à même le sol, près du canapé.

– Voulez-vous vous allonger, monsieur Bluestern?

Lorsque Teddy fut en position, l'infirmière lui enduisit la poitrine d'une sorte de gel collant, dans lequel elle fixa les deux coupelles caoutchoutées d'où partaient les électrodes de l'appareil.

– Tout est prêt, docteur.

– Après avoir petit déjeuné de très bon appétit, le condamné s'inquiète de savoir s'il vivra assez longtemps pour déjeuner de même, dit Teddy.

– Cet examen ne présente aucun danger, répondit Kimmel en branchant la machine.

Bercé par le cliquetis de l'appareil, Teddy s'efforça de faire le vide dans son esprit, mais l'image de Jo Anne, vêtue, puis nue, ne cessait de l'obséder. Il ferma les yeux jusqu'à ce que Kimmel dise :

– Cela devrait suffire.

L'infirmière débrancha l'engin, et le médecin tendit à Teddy un petit récipient de verre.

– Et maintenant, dernière épreuve : les toilettes, monsieur Bluestern.

Nous y voilà, Stern. Donne le meilleur de toi-même, sans retenue. C'est toi la vedette, n'oublie pas, et cette scène-là, c'est la raison d'être de tout le film. Prêt? En piste : moteur... Tourne... Action!

– Navré, mais il faut que je vous accompagne, j'espère que vous ne m'en voudrez pas, intervint Franklin Kimmel. Vous ne pouvez pas imaginer les tours qu'on nous a joués pour falsifier cet examen.

– Dans ces conditions, rétorqua Teddy en baissant la fermeture du pantalon de Howard, j'espère que vous-même ne me taxerez pas d'exhibitionnisme si je m'exécute ici-même.

Kimmel marqua son approbation d'une sorte de petit ricanement.

Cela pourrait être pire, songea Teddy. Outre ces trois-là, on aurait pu avoir David Stanner.

– Voilà, docteur, reprit-il en tendant le flacon au médecin.

Cinq millions de dollars liquides, tout frais sortis de la poule au fleuve d'or.

Laissant Kimmel et l'infirmière rassembler leur attirail, Teddy se rhabilla avant de les accompagner à la porte. Ce faisant, il fut surpris de voir que Gerber ne suivait pas le mouvement et restait planté derrière le bureau présidentiel.

– Eh bien, merci pour le temps que vous avez bien voulu nous consacrer, monsieur Bluestern, occupé comme vous devez l'être...

Le vieux praticien aux cheveux blancs lui serra la main.

– C'est moi qui vous remercie de vous être dérangé, docteur Kimmel, ainsi que vous, miss Seeley.

– Cela a été avec plaisir, monsieur, répondit l'infirmière.

Teddy referma la porte sur le corps médical et fit volte-face vers l'inspecteur d'assurances.

– Je vous écoute.

– Si vous disposez de quelques minutes, il y a certaines choses dont j'aimerais m'entretenir avec vous, déclara Marvin Gerber.

Et comme Teddy hésitait.

– Cela pourrait être important, reprit-il.

– Eh bien, asseyez-vous.

Le septième ciel attendrait.

Dévisageant son interlocuteur qui avait pris place face au bureau, Teddy s'enquit :

– Tout s'est bien passé, non? Y aurait-il un problème?

Il lui sembla que l'inspecteur d'assurances transpirait légèrement.

– Pourquoi un problème? Vous n'y tenez pas, moi non plus, les studios n'y tiennent pas et la *Mutuelle de l'Oklahoma* pas davantage...

A la dérobée, Teddy consulta la montre de Howard.

– Je vous prie de m'excuser un petit instant, dit-il, en décrochant le téléphone pour former le numéro du poste de Jo Anne.

– Oui? répondit-elle aussitôt.

– Je ne prends toujours pas les communications, mais nous n'en avons plus pour longtemps.

– Tu me manques, murmura-t-elle.

– C'est parfait, répondit-il en raccrochant pour, à nouveau, regarder l'inspecteur d'assurances qui s'épongeait le visage avec son mouchoir.

– Excusez-moi encore.

– Je vous en prie...

Gerber se racla la gorge.

– Monsieur Bluestern, ce que je vais vous dire, je le dis à tous mes clients lorsque la situation est identique à...

– Identique à quoi?

– Lorsqu'il s'agit d'une police d'assurances à court

terme souscrite par une entreprise sur la vie d'un nouveau cadre de direction, police de deux, cinq, sept millions, montant qui varie selon chaque entreprise...

Teddy se contenta de fixer son interlocuteur sans le moindre commentaire.

– Premièrement, en tant qu'inspecteur, je me sens responsable du bon déroulement des opérations. Il vaut mieux éviter une fin de non-recevoir lorsque tous les avis convergent vers la conclusion d'un contrat, n'est-ce pas? Deuxièmement, je ne vois pas pourquoi le cadre que l'on veut assurer ne jouirait pas de tous les privilèges qui s'attachent à cette situation, et ce, même si l'assureur est trop important, trop occupé et surtout trop éloigné de la relation individuelle pour songer à en informer l'intéressé. Quant à l'entreprise, qu'elle soit ou non au courant de ces possibilités, elle s'en moque dans la mesure où cela ne la concerne pas, elle, directement. Vous me suivez?

Comme un aveugle amputé de ses jambes dans la nuit noire!

– Je vous écoute.

– Je peux me tromper, mais cela m'étonnerait. Je ne pense pas que M. Edgar Seligman, ou quiconque d'ailleurs, se soit donné la peine de vous mettre au courant du fait que vous pouvez si vous le voulez, monsieur Bluestern, vous assurer personnellement sur la vie pour un montant identique à celui de la police demandée par les studios, et dans les mêmes conditions.

Haussant les épaules, Teddy le coupa :

– Mais que voulez-vous que je...

– En d'autres termes, l'interrompit Gerber, cela signifie que vous avez la possibilité de vous assurer personnellement pour cinq millions de dollars de plus...

– Mais...

– Tout ce que l'on vous demande, c'est d'acquitter vous-même la prime; après cette petite visite médicale de rien du tout, vous en avez automatiquement le droit, monsieur Bluestern. Si ce n'est pas une prérogative de premier ordre, alors dites-moi ce que c'est!

– Et s'il se trouve que je ne cherche pas à m'assurer plus que je ne le suis déjà?

Gerber cligna les paupières.

– Vous avez sans doute une famille, monsieur Bluestern?

– Eh bien, en fait, non, monsieur Gerber.

– Pas de famille?

– Ah si, un frère, enfin si on peut appeler ça une famille.

– Et qu'avez-vous contre ce frère?

– Vous voulez le savoir? Il boit trop, il fume trop, il court les jupons et il a perdu toute l'ambition qu'il n'a d'ailleurs jamais eue; il n'y a aucune raison pour que cela change. Moi, Howard Bluestern, j'ai travaillé comme un fou pour arriver; ce petit salopard, lui, avait tout : le charme, la facilité... Moi, rien du tout, j'étais le rabat-joie, trop timide pour qu'on s'occupe de moi; mais je suis devenu le premier de la classe et je me suis fait tout seul, et je ne vois pas pourquoi j'en rougirais. Si lui n'est qu'un raté, je ne lui dois rien. D'ailleurs, je passe mon temps à m'occuper de lui, alors fichez-moi la paix avec mon frère, vous m'entendez?

– Non, laissa inconsciemment échapper Teddy.

Il se leva avec brusquerie.

– Non? reprit Marvin Gerber avec une pointe d'étonnement. Non quoi, monsieur Bluestern?

Teddy sursauta. Ma parole, il s'était pris pour Bluestern. Allons, allons, une garde-robe, des bureaux, une secrétaire et un royaume d'un jour ne faisaient pas de Teddy Stern un souverain à vie. Assez de cinéma : les caméras ne tournent même pas.

– Rien, je n'ai rien contre mon frère. Mais simplement... Il n'a besoin de rien. Même si demain je passais sous un camion...

– Dieu vous en garde!

– Tout cela pour vous dire que, dans la mesure où il serait mon seul bénéficiaire, je ne crois pas utile de m'assurer plus que je ne le suis déjà, mais je vous remercie de m'en avoir signalé la possibilité.

– Entendons-nous bien, je ne vous cache pas que les dix-sept mille dollars de commission que je toucherais sur vos primes ne me laissent pas indifférent...

– Dans ce cas, je suis navré pour vous, répliqua Teddy en songeant que lui non plus ne cracherait pas sur cinq millions de dollars si Howard venait à être renversé par un camion.

Aussi vite qu'elle avait surgi, cette pensée fugace s'estompa.

– Il y a aussi cet autre aspect que je vous ai signalé tout à l'heure, reprit Marvin Gerber.

Jetant un coup d'œil à sa montre, Teddy s'enquit :

– Quel aspect?

Il commençait à montrer certains signes d'impatience.

– Le bon déroulement des opérations. Le fait que personne ne tient à ce qu'une fin de non-recevoir au contrat qui nous occupe vous soit opposée après la visite médicale que vous venez de passer. Je vous en parlais tout à l'heure, vous vous souvenez?

– Vous voulez dire que la *Mutuelle de l'Oklahoma* pourrait refuser mon dossier?

Marvin Gerber hocha lentement la tête en haussant les épaules.

– Et c'est censé vouloir dire quoi, ça?

Gerber haussa encore les épaules.

– J'avais cru comprendre qu'il n'y avait aucun problème de ce côté-là, insista Teddy.

– C'est aussi mon avis. Mais l'avis de Marvin Gerber ne vaut pas certitude, loin de là...

Comme au ralenti, Teddy se rassit.

– Par contre, il y a une chose que je sais, reprit l'inspecteur, et ça, c'est une certitude. Il serait beaucoup plus difficile à ma compagnie de refuser une police d'un montant de dix millions de dollars qu'une simple police de cinq millions.

Le sang monta brutalement au visage de Teddy.

– Soyons sérieux! Personne n'a rien à me reprocher. Il n'y a pas de raison que votre compagnie refuse mon dossier. Je remplis toutes les conditions pour être assuré. Je suis en parfaite santé...

– Ne nous énervons pas, monsieur Bluestern. Je suis bien d'accord avec vous. Mais, de même que vous connaissez votre affaire, je connais la mienne, c'est-à-dire les assurances; et j'en sais assez à ce sujet pour ne pas me fier à des ordinateurs qui décident en fonction de raisons électroniques et non humaines, si telle ou telle personne représente un risque trop important ou non. Et je me fie moins encore à une compagnie qui tient les réponses de l'informatique pour de divins oracles. Je ne peux que vous réitérer mes conseils, monsieur Bluestern : doublez la valeur nominale de votre police. De la sorte, je vous promets de m'occuper personnellement de votre dossier avec le maximum de soin. De m'y attacher de si près que nous progresserons vers une heureuse solution en évitant tous les écueils qui sinon pourraient fort bien faire échouer l'affaire. Cela, je vous le certifie.

Teddy ne put réprimer un frisson. Il avait la gorge sèche et répondit d'une voix sourde :

– Et si je choisis de ne pas souscrire cette police supplémentaire?

Une expression de grande tristesse se peignit sur les traits de Gerber.

– Vous mettriez votre existence entière à la merci d'un ordinateur, monsieur Bluestern?

– Je présume que vous mesurez les implications de ce que vous dites, répondit Teddy en dévisageant fixement son impassible interlocuteur.

– Parfaitement. J'ajouterai toutefois que moi, je ne présume strictement rien; je me contente de vous recommander, en toute sincérité, la meilleure façon de servir vos propres intérêts. Pour la somme de cent six mille dollars, payable en cinq annuités, vous bénéficierez d'une assurance de cinq millions de dollars supplémentaires dont votre frère, je le suppose, pourrait être le bénéficiaire. Voilà les termes de l'accord, monsieur Bluestern. J'irais même jusqu'à dire que le mot obligation serait plus approprié. Vous ne croyez pas?

Teddy détourna le regard quelques instants; il éprouvait une envie irresistible d'étrangler ce type, mais cela n'aurait pas arrangé les affaires de Howard.

– Pour quand vous faut-il cette réponse, Gerber?

Toujours impassible, l'interpellé répondit :

– Le plus tôt sera le mieux. Immédiatement serait parfait.

– Laissez-moi seul et accordez-moi quelques minutes de réflexion.

– Bien sûr, dit Gerber en se levant.

Teddy aurait vite fait d'appeler Howard pour le mettre au courant, et ce serait à son frère de prendre la décision. Bien sûr, ce dernier allait hurler que téléphoner des studios représentait un « risque inutile » Mais Teddy n'avait pas le choix, enfin, lui, n'en voyait aucun autre.

A peine Gerber eut-il refermé la porte que Teddy formait son propre numéro à Malibu, sur la ligne privée du bureau de Howard. A la troisième sonnerie, on décrocha, et après quelques instants, il comprit que la voix qu'il entendait n'était pas celle de Howard cherchant à l'imiter, mais la sienne propre, telle qu'il l'avait enregistrée la veille sur son répondeur automatique..... *Si vous voulez bien laisser votre nom et votre numéro, je vous rappellerai dès mon retour.*

Plusieurs minutes de silence s'écoulèrent après le bip de l'appareil, et il dut se résoudre à raccrocher.

S'essuyant les paumes sur le pantalon de Howard, il se dirigea vers la porte. Gerber feuilletait les magazines qu'il avait trouvés sur le bureau de Jo Anne.

– Monsieur Gerber?

L'inspecteur d'assurances remercia Jo Anne et suivit à nouveau Teddy dans son bureau, reprenant le même siège que précédemment.

Plus impassible que jamais, il s'adressa à Teddy.

– Alors que vous a-t-il conseillé?

Teddy le dévisagea sans répondre.

– Qu'est-ce que Edgar Seligman vous a conseillé de faire? reprit Gerber avec le sourire fat de celui qui ne doute pas de sa propre intelligence.

– Je n'ai pas appelé Seligman. Ni personne, d'ailleurs.

Le petit homme haussa les épaules.

– Vous voyez, je vous avais bien dit que Marvin Gerber n'était pas infaillible.

– Je voudrais vous demander un service, Gerber.

– Si c'est dans mes possibilités, avec le plus grand plaisir, monsieur Bluestern.

– Il m'est impossible de vous donner une réponse définitive tout de suite. Jusqu'à quelle heure pouvez-vous attendre?

– Cinq heures ce soir, répondit Gerber d'une voix assurée. Je ne quitterai pas mon bureau de la journée, et ce jusqu'à cinq heures.

D'un signe de tête, Teddy manifesta son accord.

Tirant alors quelques papiers de son portefeuille, Gerber les déplia et les posa sur le bureau.

– Signez-moi cette demande en précisant le nom du bénéficiaire; le reste, je m'en occupe et je bloque tout jusqu'à ce que vous m'appeliez.

Ce fumier était tellement sûr de son coup qu'il était venu avec un formulaire de demande déjà quasi complet. Teddy indiqua son propre nom comme bénéficiaire, imita la signature de Howard et inscrivit la date du contrat.

– Dès que vous me donnez le feu vert, je transmets votre demande à la compagnie, vous nous réglez par chèque le montant de votre première prime et il ne nous restera plus qu'à attendre la confirmation du corps médical. A partir de là, vous serez couvert avant même que la police vous soit envoyée.

– Je vous téléphonerai, répondit Teddy d'une voix dépourvue d'aménité en lui tendant les imprimés qu'il venait de parapher.

– Avant cinq heures, s'il vous plaît, lui rappela Gerber en se levant.

Teddy ne se donna pas la peine de l'imiter.

– Pour ce qui est du premier versement, reprit l'inspecteur, le mieux serait que vous fassiez parvenir un chèque certifié à mon bureau demain matin. Vingt et un mille deux cents dollars. Peut-être voulez-vous noter ce chiffre?

– Au revoir, monsieur Gerber.

Après avoir enfoui les documents dans son portefeuille, le petit inspecteur d'assurances se dirigea d'un pas égal vers la porte et quitta le bureau.

6.

Elle avait merveilleusement accepté la situation. Son attitude calme, adulte, raisonnable l'avait impressionné. Il lui avait dit, et d'ailleurs, c'était la stricte vérité, qu'un événement imprévu avait surgi qui l'obligeait à quitter les studios. Le regard de la jeune femme n'avait pu masquer sa déception, mais elle avait su se contenir, et aucun reproche, si minime fût-il, n'avait franchi ses lèvres.

Puis elle était redevenue très professionnelle, lui avait indiqué les rendez-vous qu'elle annulerait ainsi que les termes dans lesquels elle le ferait, lui avait retracé son planning de l'après-midi, qu'évidemment (mais cela, elle ne pouvait pas le savoir) il n'aurait jamais à respecter. Elle lui proposa même de se contenter d'un sandwich pour rester au bureau pendant son absence.

– Écoute, rien ne t'y oblige, objecta-t-il.

Elle lui caressa tendrement la joue.

– Bien sûr, mais j'en ai envie.

A présent, les mains crispées sur le volant de la Bentley, le regard braqué sur la route, il avait toutes les peines du monde à imaginer qu'il ne la verrait plus jamais; en tout cas, plus en tant que Howard Bluestern. Comme, par ailleurs, elle avait jugé Teddy « un peu marginal », « un peu désarmé » et « même, plutôt, fragile », cela anéantissait ses derniers espoirs. Mais pour le moment, il fallait qu'il se concentre sur Howard et sur la façon d'éviter que celui-ci ne le juge comme l'incapable qui avait tout bousillé et le mettait dans la panade avec le type des assurances.

Lancé à pleine allure sur la voie rapide côtière menant à Malibu, guettant dans le rétroviseur l'éventuelle apparition d'un motard, il se remémora la scène qui s'était déroulée au bureau, et en conclut que non seulement on ne pouvait lui en vouloir, mais qu'il s'était même comporté brillamment face à la situation imprévue créée par Marvin Gerber. Après tout, il avait gagné du temps pour que Howard puisse se retourner, et ce, sans braquer le type.

D'accord, mais je ne comprends pas comment tu as pu t'embringuer dans cette histoire d'assurance personnelle.

Ah, mais je ne m'y suis pas embringué, Howard. C'est le type qui a mis ça sur le tapis, et il n'y avait pas à discuter, crois-moi!

Bon, mais c'est toi qui deviens le bénéficiaire...

Je te l'ai dit, il a d'abord essayé de me fourguer sa salade en invoquant ma famille, et je lui ai dit que je n'avais pas de famille – enfin, plutôt que toi, tu n'en avais pas – à part ton frère, c'est-à-dire moi! Il m'a alors demandé ce que j'avais contre le fait que mon frère soit mon bénéficiaire. Ce n'est pas moi qui ai eu cette idée. Non, vois-tu, même si tu avais été l'orphelin total, ce type aurait essayé de te les pomper, les cent six mille dollars, en foutant comme bénéficiaire la Maison de Retraite des Acteurs Méritants ou la Ligue pour le Sionisme International.

Possible, Teddy. En attendant, ce ne sont ni la Maison de Retraite, ni les Sionistes qui sont bénéficiaires. C'est toi.

Oh, là, eh, minute! Tu insinues que j'ai tout manigancé pour hériter de cinq millions de dollars en faisant établir une police d'assurances sur ta peau à toi? C'est ce que tu penses?

Mais non, Teddy. Pourquoi voles-tu toujours aux pires conclusions lorsque je dis quelque chose?

Peut-être à cause de ta façon de le dire, Howard.

Voilà qui frise l'insulte! Aussi je te prie de retirer ces mots.

D'accord, mais sache une chose : si tu décides de t'entendre avec cet enfoiré de Gerber, tu désigneras un autre bénéficiaire, l'Armée du Salut si tu veux, ou même, tiens, David Stanner, qui est tout indiqué. Parce que moi, je ne veux plus entendre parler de ce truc-là.

Ah, pour l'amour du ciel, cesse de te ridiculiser, Teddy!

Ridicule ou pas, je te le répète, je refuse d'être le bénéficiaire de quoi que ce soit. On est bien d'accord là-dessus?

Très bien, très bien, tu as été clair.

Autre chose. C'est la dernière fois que je porte le chapeau pour toi. Désormais, ne compte que sur ta propre vessie, vu?

Il abandonna la voie rapide pour la vieille route de Malibu et roula encore environ huit cents mètres avant de garer la Bentley en face de chez lui. Le garage était fermé, mais en se dirigeant vers l'entrée côté rue, il s'assura que la Porsche jaune s'y trouvait.

Comme Howard avait les clés, il actionna la sonnette, attendit quelques minutes, puis contourna la maison vers la mer. La main en visière sur les yeux, il scruta la plage ensoleillée. Aucune trace de Howard, pas plus dans l'eau que sur le sable. Seuls quelques gosses batifolaient dans les vagues, sous l'œil attentif de leurs mamans.

Il fit volte-face, inspecta le living-room à travers les vitres teintées. Pas un mouvement. La porte à glissière n'étant pas fermée, il entra.

– Howard?... C'est moi... Teddy...

Le living était propre et bien rangé. Il y régnait une atmosphère de ménage bien fait qui attestait de la présence de Howard mais soulignait également son absence. Teddy reconnut aussi les effluves capiteuses du parfum de Linda Carol.

La porte de la chambre à coucher était close. Il allait l'ouvrir, mais suspendit son geste. Une supposition qu'ils soient encore au pieu? Il aimait bien jouer les voyeurs, mais pas le genre de David Stanner. De toute façon, la voiture de Linda n'était ni dans le garage ni dehors. Sans doute était-elle partie depuis un bon moment.

Il frappa à la porte.

– Howard?

Pas de réponse.

Il frappa à nouveau.

– Howard, c'est Teddy...

Midi cinq, quand même!

Saisissant la poignée, il entrouvrit la porte.

– Howard, il faut que je te parle...

Le silence persistant, il rabattit la porte et entra dans la pièce.

Cette fois, pas de doute, Howard dormait à poings fermés, seul, la couverture tirée sur la tête pour se protéger de la lumière du jour.

Teddy s'approcha de lui.

– Debout, petit père, on a des problèmes!

Il se pencha et secoua son frère.

– Allez, debout, il est midi passé.

Aucune réponse. Il le secoua à nouveau, un peu plus fort, tandis que montait en lui l'étrange impression que ses mains adressaient un message incompréhensible à ses cellules grises et au creux de son estomac.

– Bon sang, Howard!

Sa voix avait pris un ton plaintif, presque apeuré.

– Enfin, tu vas te lever? Il faut que je te parle. Lève-toi, lève-toi!

Il se remit à le secouer, tandis qu'une angoisse pétrifiante l'envahissait. Le secouer, le secouer toujours plus fort comme pour se débarrasser de cet effroi qui croissait en lui, devenait si intolérable qu'il se sentit forcé d'agir, de faire quelque chose, de soulever la couverture, en dépit de la folle terreur qui l'étreignait, pour voir cette forme indistincte qu'il secouait frénétiquement. Il se força à regarder sous les draps et laissa échapper un cri étouffé. Il se força à regarder et vit ce qu'il s'attendait à voir, en pire encore; il vit son pauvre frère, gisant dans toute sa nudité.

Sa tête, étrange et monstrueuse, reposait sur l'oreiller sanglant, dans un silence abominable, une horrible immobilité. Oh mon Dieu, mon Dieu, aidez-moi! Non Howard, non, je t'en supplie!

Sans forces, il s'effondra sur le plancher, souhaitant sa propre mort, guettant le chagrin, le torrent de larmes qui ne manquerait pas de le submerger, mais il ne sentit que ses mains glacées, son estomac révulsé et une torpeur immense, la sainte torpeur de l'oubli... Tout va bien, il ne s'est rien passé; allez, Howard, cesse de faire l'imbécile, lève-toi, il faut qu'on parle, je t'en prie, Howard, je t'en supplie.

D'un coup, il se rendit compte que ce vacarme horrible dans lequel il baignait, il en était lui-même l'auteur, et il explosa de haine et de rancœur contre ses propres gémissements, ses sanglots, ses hoquets inutiles. Il s'exhorta à se remettre sur pieds, à s'essuyer le visage, le nez, à la fermer, la boucler, et surtout faire quelque chose, oui quelque chose...

Il s'agrippa au lit, se remit debout et resta immobile, frissonnant dans le bain de sueur glacée qui l'avait inondé. Il se força encore à regarder Howard, et le supplia à nouveau de se réveiller, sans plus de résultat. Il recouvrit alors la dépouille de son frère et regagna le living d'un pas mal assuré. Là, il piqua droit sur le bar où il dénicha une bouteille de Tequila à moitié pleine qu'il but au goulot.

Affalé sur le canapé, il jeta la bouteille vide sur le tapis et attendit patiemment que Howard daigne le rejoindre pour lui expliquer les raisons de cette comédie, tandis que lui, Teddy, lui raconterait l'horrible trouille qu'il avait eue. Tu comprends, Howard, avec les rideaux tirés et l'obscurité et tout... Son frère lui demanderait comment ça s'était passé au studio avec les gens de l'assurance, et alors, il devrait lui raconter l'histoire avec Marvin Gerber et le pistolet sur la tempe de Howard... le...

Mais non,... pas le pistolet... le tisonnier... Oui, bien sûr, le tisonnier...

Se levant d'un bond, il se précipita vers la cheminée, malgré le vertige déclenché par la Tequila.

– Foutre Dieu, mais bien sûr...

Le tisonnier en fer forgé. C'était pourtant la première chose qu'il avait machinalement remarquée en pénétrant dans la maison. Le tisonnier était bien à sa place habituelle en travers des chenêts, sur la pelle, seulement voilà : quelqu'un l'avait déplacé et remis à l'envers. Lui, Teddy, le disposait toujours de sorte à l'attraper de la main droite, tandis qu'aujourd'hui, il lui aurait fallu être gaucher pour le prendre.

Et c'est ainsi, mesdames et messieurs les jurés...

Retournant sur le pas de la porte de la chambre, il s'abîma dans la contemplation de la forme inerte qui se dessinait sous la couverture; progressivement, le sang déserta à nouveau ses mains, tandis que les griffes glacées de la peur se refermaient sur lui. Car ce n'était pas Howard qu'on avait tué. C'était lui, lui, Teddy Stern. Quelque soit l'assassin, qu'il ait utilisé le tisonnier pour fendre le crâne de sa victime attestait qu'il avait pensé tuer Teddy. Mais qui donc le haïssait à ce point? Qui accordait à Teddy Stern assez d'importance pour se donner la peine de le tuer? Linda Carol? Allons donc! Diane? Oui... non... peut-être... ou alors un rôdeur? Apparemment, rien n'avait été volé. Comment le tueur réagirait-il en apprenant que Teddy Stern était toujours en vie? Recommencerait-il? Ah, mon Dieu...

Il repartit vers le bar s'emparer d'une autre bouteille de Tequila. Après en avoir avalé une longue gorgée, il en remplit un verre et alla s'affaler dans son fauteuil.

Et si l'on pensait que c'était lui, l'assassin d'Howard? Pourquoi pas? Avait-il seulement un alibi? Était-il capable de prouver son innocence? Non. Mais d'autre part, pourquoi aurait-il tué son propre frère?... Quels motifs l'auraient poussé à cela?

– La jalousie, mesdames et messieurs les jurés. Jamais il n'a cessé de jalouser son frère...

Conneries!

– Une fabuleuse police d'assurances...

– Mais je l'ai refusée, cette police! Elle n'existe même pas.

– Et si vous l'aviez acceptée...
– Il n'y a pas de si. Je n'ai rien accepté.
– Oui, mais si vous l'aviez acceptée...
– Dans ce cas, répondit-il à son verre, et si personne ne s'était douté de rien, je possèderais cinq millions de dollars.
– Vous voyez bien.
– Il n'y a rien à voir.
– Mesdames et messieurs les jurés, je vous pose la question suivante : pourquoi n'a-t-il pas tout de suite alerté la police?
– Un peu de temps, accordez-moi un peu de temps, sanglota Teddy devant la pièce vide.
– Pourquoi n'a-t-il pas tout de suite appelé la police?
– Parce que! hurla Teddy en se levant à nouveau avec une telle brusquerie qu'il renversa une partie de son verre sur le costume de Howard.
– Parce que quoi?
– Parce que, répéta Teddy en se ruant gauchement sur le téléphone qu'il décrocha, tandis que la pièce se mettait à tournoyer.

Aux renseignements, on lui conseilla de consulter l'annuaire, et il allait parlementer avec le bonhomme lorsqu'il se rendit compte qu'il s'adressait à un répondeur. Une voix féminine prit le relais, la voix d'une vraie femme, vivante, elle, pas comme Howard, et qui lui demanda de préciser le nom de la localité qu'il désirait contacter. Teddy lui demanda à son tour si, selon elle, le commissariat de police de Malibu se trouvait à Chicago, ou quoi? Après moult palabres, il finit par obtenir son numéro, le composa tant bien que mal et on le mit en ligne avec un certain sergent Prattker, lequel lui demanda :
– Qu'y a-t-il pour votre service, monsieur?
« Je vous téléphone pour un meurtre », voilà ce que Teddy entreprit de dire, mais, à sa grande surprise, il entendit sa propre voix déclarer :
– Je vous appelle à propos d'un vol de voiture.
Ce à quoi le sergent répondit :
– Un instant, je vous prie, je vous branche sur le service concerné.

A peine son appel mis en attente, Teddy raccrocha et se détourna de l'appareil.

– Quant aux motifs, mesdames et messieurs, sa seule raison d'agir, ou plutôt de ne pas agir, se résume à cinq millions de dollars...

– Mais comment voulez-vous que je me débrouille autrement, maintenant que Howard n'est plus là? geignit-il à l'adresse de son verre.

– Pour de l'argent, mesdames et messieurs. C'est pour de l'argent qu'il a fait cela.

Fronçant les sourcils, Teddy posa son verre sur la table basse, se débarrassa de sa veste qu'il balança au petit bonheur, roula les manches de sa chemise et regagna la chambre à coucher où se trouvait sa penderie à vêtements. Il évita autant que possible de regarder du côté du lit, et se garda bien de gémir à nouveau. Lui-même ne le supportait plus, tant cela lui rappelait ses faiblesses, son inefficacité, bref, tout ce qui caractérisait son personnage. Repoussant chemises, pantalons et vestons d'un côté de la penderie, il dégagea la housse de voyage en plastique grand modèle qui permettait d'emporter trois à quatre costumes complets, et qu'il avait achetée à l'occasion d'un tournage en extérieur à Durango.

Après l'avoir difficilement extraite de la penderie, il l'étala sur le sol au pied du lit et en fit coulisser la fermeture à glissière, ouvrant ainsi les bords d'une gigantesque enveloppe d'environ deux mètres de long. Puis il ferma les yeux et se pencha sur le lit. Mais c'était débile! Il ne réussirait pas à le faire les yeux fermés! Il fallait qu'il les rouvre et qu'il fasse ce qu'il avait à faire, point final!

Comment? Qu'est-ce que tu fabriques? Mais tu le sais bien ce que tu es en train de faire, et tu sais aussi pourquoi. Alors ne viens pas nous les briser, avec ces conneries, hein! Contente-toi de le mettre dans la housse, comme ça, voilà, c'est bon, et maintenant referme la fermeture à glissière. Là, mon petit gars, c'est bien! Vas-y, enferme-le dedans, complètement! Quoi, tu ne vas pas t'arrêter maintenant? Qu'est-ce qui te prend? Tu te crois au cinéma? Il est où, ton public? Personne ne te regarde, personne ne t'écoute, tout le monde s'en fout!

A présent que c'était terminé, il se sentait mieux. Encore étourdi, mais mieux. Il avait beau être bourré comme une vache, depuis que Howard était dans la housse en plastique et qu'il ne le voyait plus, il se sentait presque bien. Son frère n'était plus qu'une forme, une charge qu'il faudrait traîner sur le plancher. Il entreprit de remorquer la housse, serrant fermement le crochet métallique qui faisait office de poignée, cherchant à épargner à Howard les chocs inutiles. Le moins qu'il pouvait faire était d'être aussi doux que possible. Pour la literie, il s'en débarrasserait plus tard. Du matelas aussi, si nécessaire. Il ferait disparaître tout ce qui risquait de devenir embarrassant. Un joli mot, ça, embarrassant...

– C'est très embarrassant, Howard...

La housse de plastique glissa sans heurts sur le carrelage de la cuisine, fit entendre un bruit sourd lorsqu'il la fit descendre sur la petite véranda à l'arrière de la maison, puis s'immobilisa quand Teddy, en lâchant la poignée, se tourna vers le congélateur.

C'était un énorme monstre vrombissant d'environ deux mètres cinquante de long sur un mètre vingt de large et pas tout à fait un mètre de haut. Extérieurement, il ne payait pas de mine, mais on aurait pu y congeler le diable, ses pompes et son royaume sans problème. Teddy souleva le panneau de fermeture et le bloqua en position ouverte avant de plonger dans les entrailles du monstre pour le vider de son contenu, indifférent à la morsure glacée qui lui engourdissait les doigts à mesure qu'il extrayait des piles de steaks sous cellophane, de légumes surgelés, de pizzas, de côtelettes d'agneau, enfin tout ce tas de cochonneries que sa femme de ménage, Mme Mahoney, s'entêtait à lui faire stocker au cas où... Mme Mahoney... ah, bon Dieu... elle devait venir demain à deux heures.

Le frigo vidé, il y avait à peu près l'équivalent d'un demi-hypermarché sur le sol.

Il reprit alors la housse de plastique à bras le corps et, aussi doucement, aussi tendrement qu'il le put, hissa

Howard jusqu'au bord du congélateur dans lequel il le fit descendre, de sorte à l'étendre sans heurt sur le fond. Toujours délicatement, il entreprit ensuite de le recouvrir avec les produits congelés qui jonchaient le sol, jusqu'à ce que le frigo fut rempli.

Une fois l'opération terminée, restaient encore une trentaine de paquets à ses pieds. Qu'allait-il bien pouvoir en foutre? Pas question de manger tout cela, ni de l'offrir à qui que ce soit. Il restait à les balancer quelque part, ailleurs que dans sa propre boîte à ordures.

Il referma le monstre, constatant à regret qu'il n'avait jamais pris la peine d'acheter un cadenas pour le verrouiller. Un cadenas neuf cela se remarquerait, mais comment faire autrement avec cette fouineuse de Mme Mahoney ou n'importe quel autre gêneur qui risquait de violer la tombe de son frère? Il faudrait qu'il s'en procure un avant la nuit.

Il y avait tant à faire, tant de détails à ne pas négliger! Les victuailles à jeter. La literie de même. Ne pas oublier d'appeler Marvin Gerber avant cinq heures pour lui confirmer qu'il acceptait la police d'assurances. Et Linda Carol? Pourquoi ne pas aller la surprendre à son boulot, et voir si son apparition la faisait tourner de l'œil? Mais d'abord, il devait changer de tenue, et il avait des choses plus urgentes à régler. En outre, c'était un vieux coup, cette fille. Pourquoi aurait-elle cherché à lui faire la peau? Non, ça serait plutôt Diane. Elle, elle avait une sacrée dent contre lui. Et en plus, elle avait toujours une clé de la maison. Pas de doute, c'était elle. Il contempla le congélateur d'un air sinistre.

Je suis vraiment navré, Howard. Je t'avais dit que tu n'avais pas à t'inquiéter pour elle, et à présent, regarde où tu en es.

Il tourna les talons, saisi d'une envie irrépressible de s'allonger pour pleurer tout son soûl. Et même si les larmes ne venaient pas, il dormirait un moment. Juste une demi-heure, le temps de récupérer, de reprendre des forces pour la suite. Il fallait qu'il s'étende.

Il passa dans le living, referma la porte vitrée, la

verrouilla, tira les rideaux et s'allongea sur le canapé. Les battements de son cœur ne s'étaient pas calmés. Il ferma les paupières et chercha à faire le vide dans son esprit, mais Howard était là, silencieux, immobile. Les yeux pleins de reproche, telle la statue du commandeur.

La sonnerie du téléphone l'arracha à ses songes.

Les yeux à nouveau grands ouverts, il fixa l'appareil avec une intensité douloureuse. La sonnerie cessa. Le répondeur automatique prit le relais. Ne valait-il pas mieux qu'il réponde lui-même?

Non.

Mais si, pourquoi pas?

Oui, mais alors qui était-il : Teddy ou Howard?

Teddy était mort.

Ah non, Teddy était censé être mort, tandis que Howard, lui, l'était pour de bon.

Attention, il était Howard, il l'avait été toute la nuit, toute la matinée et le serait encore quand il retournerait aux studios.

Retourner aux studios

Évidemment, pauvre idiot! Qu'est-ce que tu t'imaginais?

Dépêche un peu! Un message sur un répondeur, ça ne prend pas des heures à enregistrer.

Oui, mais quand même, il était qui, à la fin?

En fait, il n'était pas Teddy *ou* Howard.

Il était à la fois Teddy *et* Howard.

Bien sûr! Il était *les deux à la fois*. Il le fallait. Au moins jusqu'à ce que le contrat d'assurances soit signé et un délai convenable écoulé, mais pour le moment, il était Teddy. A Malibu, il ne pouvait être personne d'autre que lui-même.

En revanche, à Bel Air ou aux studios, il redeviendrait automatiquement Howard.

Bon, réponds à ce putain de téléphone!

Mais tout doux, hein! Écoute d'abord qui c'est.

Très discrètement, il décrocha l'appareil.

C'était Diane. Elle laissait un message sur l'enregistreur. D'une drôle de voix, d'accord, mais c'était bien elle.

– ... je viens juste de rentrer de Palm Springs et je serais très heureuse de te voir, mon chéri...

Diane n'était donc pour rien dans cette affaire? Linda? Pas possible. Mais qui alors avait assassiné Howard? Il aurait pourtant juré...

– Sois gentil, Teddy, appelle-moi dès ton retour. Tu me manques beaucoup. Je t'embrasse.

Sans plus attendre, il intervint.

– Salut, mon lapin, c'est moi. Ne raccroche pas.

Un petit hoquet de surprise lui répondit, puis un silence, si intense qu'il en était presque palpable.

Non, il se faisait des idées. Peut-être avait-elle raccroché?

– Allô... Diane?

Comme dans un murmure, il entendit :

– Qui est à l'appareil?

Puis un cri lui vrilla les tympans, un hurlement d'angoisse.

– Qui est à l'appareil?

– Enfin, bon sang de... C'est moi, Teddy.

– Teddy?

– Ben oui.

– Oh, mon Dieu, mon Dieu, OH, MON DIEU...

– Diane...

Elle ne l'écoutait même pas, elle sanglotait son nom, comme une litanie.

– Teddy... Teddy... Teddy... Teddy...

– Diane!

– Oh merci, mon Dieu, merci... je... ne peux plus dire un mot... Il faut...

– Tu es chez toi?... Réponds-moi, tu es chez toi?

– Oui, je...

– Raccroche. Raccroche, Diane. Je te rappelle. Tu m'entends? Raccroche.

La ligne fut coupée. Il raccrocha lui-même et se remit sur pied, cherchant à reprendre son souffle. Bon, allez, secoue-toi, petit père! Éclaircis-toi les idées, parce que maintenant il faut agir.

Mécaniquement, il avança vers la fenêtre, rouvrit les

rideaux, demeura un instant aveuglé par le soleil éblouissant, puis retourna s'asseoir sur le canapé.

C'était donc Diane. Finalement, c'était bien elle.

Bon, maintenant réfléchis. Qu'est-ce que ça implique?

Cela signifie qu'il n'y a qu'elle et toi qui soyez au courant pour Howard.

Eh là, minute! Pour Howard, elle ne sait rien de rien. Elle est persuadée c'est *toi* qu'elle a frappé, et voilà que tu lui réponds au téléphone, que c'est à toi qu'elle vient de parler. Donc elle ne sait rien, et il faut que cela continue. A part toi, personne ne doit rien savoir.

Pas le choix.

Toi et personne d'autre.

Redécrochant l'appareil, il composa le numéro de Diane. Lorsque la sonnerie retentit, il se mit à faire les cent pas, incapable de juguler la nervosité qui le submergeait. Mais enfin, bon Dieu, pourquoi ne répondait-elle pas? Il jeta un coup d'œil sur la montre de Howard, la montre à aiguilles, sa montre à lui à présent. Déjà presque une heure. Il n'avait rien mangé, avec toute cette Tequila! Et puis il devait repasser aux studios, au bureau de Howard. et Jo Anne... Pas possible, il en avait presque oublié Jo Anne. Et toutes les réunions auxquelles devait assister son frère. Il fallait qu'il retourne aux studios afin d'y entretenir l'illusion que Howard Bluestern était encore de ce monde. Mais avant, il lui restait bien des choses à faire.

Diane finit par répondre.

– Teddy?

– Tu vas mieux, maintenant?

– Je crois. Oui. Beaucoup mieux. Oh, mon Dieu, Teddy. Et toi? Je n'arrive pas à y croire. Comment vas-tu? Oh, mon chéri, tu vas vraiment bien? Je t'en supplie, dis-moi que tu vas bien...

– Je peux seulement t'assurer que j'ai un solide mal de crâne.

– Oh, Teddy, je me sens si moche! Je ne pourrai jamais te dire à quel point je regrette ce que j'ai fait : il n'y a pas de mots pour cela. Je voudrais que tu me pardonnes, mais c'est impossible, parce que je suis impardonnable...

– C'est bon, Diane, c'est bon.

– Tu sais, j'étais comme folle, complètement folle, quand je t'ai vu avec cette fille...

– Je comprends, mon petit.

– Tu es vraiment sûr que ça va? Tu as vu un docteur? Tu vas aller en voir un? Oh, Teddy, qu'est-ce que je peux faire pour que...?

– Rien.

– Rien du tout? Mais il faut que je fasse quelque chose pour que...

– Diane?

– Je t'en supplie, il faut que...

– Diane?

– Oui, Teddy?

– Il y a un truc que je ne comprends pas.

– Quoi, mon chéri?

– Pourquoi m'as-tu appelé? Et pourquoi ici? Que signifie cette histoire de Palm Springs que tu étais en train d'enregistrer sur mon répondeur?

– Tu ne me croiras jamais, Teddy. J'étais persuadée que je t'avais... oh, mon Dieu, je ne peux pas te le dire...

– Que quoi?

– Que je t'avais tué hier soir en te frappant avec le tisonnier.

– Doux Jésus!

– Et je voulais enregistrer sur ton répondeur que j'étais à Palm Springs au moment où...

– Petite futée, va... Diane?

– Oui, mon chéri?

– Si tu es aussi astucieuse que ça, et ce que tu viens de dire le prouve, comment n'as-tu pas été assez raisonnable pour t'empêcher de me taper sur le crâne? C'est débile!

– Tu es furieux contre moi? Je m'en rends compte à ta voix, et tu as raison, totalement raison.

– Mais non, je ne suis pas furieux.

– J'avais trop bu, Teddy. Tu le sais. Dans ces cas-là, je

ne suis plus moi-même. J'avais perdu la tête, hier, je ne savais plus ce que je faisais, mais c'est fini, cela ne m'arrivera plus jamais. Je te le jure, Teddy. Je vais te le prouver. Je viens tout de suite te cajoler, embrasser cette pauvre petite tête que j'ai brutalisée, pour qu'elle se sente encore mieux qu'avant.

– Non, Diane!

– Si, je t'en prie...

– Certainement pas. Je ne suis pas encore assez d'aplomb pour voir du monde. Je ne tiens pas à devoir expliquer mes plaies, mes bleus et tout le reste.

– Si quelqu'un ne risque pas de poser des questions à ce sujet, c'est bien moi.

– En effet.

– Alors pourquoi refuses-tu que je vienne?

– Parce que je ne veux pas.

– Plus jamais?

– Je n'ai pas dit ça.

– Je sais, mais c'est ce que tu penses, non?

– Je ne pense rien de plus que ce que je t'ai dit.

– Tu ne réponds pas à ma question, Teddy.

– Bon sang, tu ne vas pas remettre ça, non?

– Si.

– Bon, disons que je ne me sens pas bien.

– Quand est-ce qu'on se voit?

– Je ne sais pas.

– Tu ne sais pas?

– Non.

– Et l'autre, tu vas la revoir?

– Qui ça?

– La fille que tu as sautée, hier soir, dans notre lit...

– Notre lit?

– Oui, notre lit, espèce de salaud...

– Oh, poussin, écoute un peu...

– Comment oses-tu, fumier?

– Diane...

– Ignoble ordure!

– Diane!

– Oui!

– Tu vas m'écouter?
– Allez, vas-y, j'attends tes excuses, vas-y, je t'écoute.
– Fais-moi le plaisir d'arrêter ce cinéma tout de suite!
– Que j'arrête, moi, alors que tu...
– Il faut que tu t'en ailles, que tu partes chez ta mère, tu sais, dans son coin perdu. Tu es sur les nerfs...
– Ah, parce que tu crois que tu réussiras à te débarrasser de moi comme ça, espèce de monstre...?
– Diane...
– Oui, eh bien, tu n'es pas sorti de l'auberge, on ne me vire pas, moi, on ne me laisse pas tomber comme une vieille chaussette, tu peux me croire! Mais pour qui tu te prends...?
– Si jamais tu approches encore de chez moi...
– Quoi?
– Tu as bien entendu.
– Je viendrai quand ça me chantera...
– Certainement pas, Diane.
– Ah, certainement pas?
– Non, mon lapin, pour la bonne raison que tu as tenté de me tuer. Tu as forcé la porte de cette maison... ma maison... tu m'as attaqué avec une arme et tu as essayé de m'assassiner...
– Tu ne méritais rien d'autre, salaud!
– Alors, si je t'aperçois dans le secteur, ou même si tu te risques à me téléphoner...
– Ma parole, tu me menaces?
– Te menacer, moi? Non, non, je t'avertis : n'approche pas, disparais de mon existence, ne cherche jamais à me revoir, sinon...
– Sinon quoi? Dis-le, ce que tu comptes faire?
– Je porterai plainte à la police pour tentative d'assassinat.
– Et tu t'imagines qu'ils te croiront, toi, pauvre minable?
– Pas sur parole, Diane. Seulement voilà, j'ai enregistré toute notre conversation.

Cette réplique lui cloua momentanément le bec. Puis, elle reprit d'une voix plus hésitante :

– Du vent! Tu n'as rien fait du tout.
– Mais si, Diane.
– Des conneries, tout ça.
– Non, Diane. Je n'en ai pas raté un mot.
– Ne me fais pas rigoler...
– Et pourquoi crois-tu que je t'aie demandé de raccrocher, tout à l'heure, avant de te rappeler moi-même?
– Plus menteur que toi... Tu me racontes des histoires, n'est-ce pas, Teddy? Des histoires, oui, tu cherches à me foutre le trac...
– Maintenant, fais-moi le plaisir de raccrocher comme une gentille petite fille, de ne plus jamais me rappeler. Tu éviteras ainsi de finir en cabane le reste de tes jours. Mais tu préfères peut-être que je te le claque au nez, moi, ce bon Dieu de téléphone...?
– Non, une minute... Teddy... mon chou... écoute-moi...

D'un geste rageur, il lui coupa le sifflet en même temps que la communication, grondant d'une voix rauque :
– Tu as tué mon frère, bougre de salope, tu l'as tué, tu l'as tué...

Puis il s'effondra sur le canapé en sanglotant : tu l'as tué, tué, tué. Il pleurait à chaudes larmes, sans plus se soucier de l'inconvenance de ses sanglots, des larmes dont son visage était inondé, sans plus se soucier de rien, se laissant enfin envahir par l'étendue de son chagrin.

Howard, pourquoi m'as-tu abandonné? Comment as-tu pu me lâcher, me laisser tout seul? Regarde ce que tu m'obliges à faire...

7.

Il s'engagea avec prudence sur la voie réservée aux véhicules lents. Les effets de la Téquila s'étaient estompés par les vertus d'une vigoureuse contre-attaque au café noir. Du pain et du fromage avaient fait le reste, calmant également les tiraillements insistants de son estomac. Restait qu'il était épuisé, vidé, hors-circuit. Heureusement, l'effort pour appeler « S.O.S. Serrurier », faire changer les serrures des portes d'entrée et acheter un cadenas à combinaison chiffrée pour le congélateur, cet effort avait été minime et n'avait pas pris plus d'une demi-heure. En revanche, l'incinération l'avait achevé à cause des allumettes qui ne cessaient de s'éteindre. Toute la literie y était passée : les draps, les oreillers et leurs taies avaient fini dans la cheminée du living, au risque de mettre le feu partout et d'attirer l'attention des gens sur la plage. Il n'y a pas de fumée sans feu, et du feu avec la température clémente de cette mi-septembre, cela signalait qu'il y avait quelque chose de pourri au royaume de Malibu, non? Aussi, loué soit le Seigneur pour tous ces gamins qui barbotaient en eau profonde, obligeant leurs mères à ne pas quitter l'océan des yeux.

Le matelas n'avait pas été taché, mais Teddy l'avait quand même retourné. Et donc, rien à craindre de la mère Mahoney. Elle était bien trop flemmarde pour envisager seulement de retourner un matelas. Quant aux couvertures, il aurait fallu une vocation de super Sherlock Holmes, avec casquette, pipe et tout, pour s'étonner des quelques minuscules taches que le drame y avait laissées. Par prudence, il les avait pourtant mises de côté pour les nettoyer plus tard, ou peut-être les brûler, et les avait remplacées ainsi que les oreillers.

Ensuite il s'était livré à ce qui était sans doute son devoir le plus pénible. Debout devant le congélateur, tête baissée, sans une larme, il avait fait ses adieux à son frère, récitant des bouts de prières oubliées depuis des lustres. Il lui restait tant de choses à faire, toutes plus impossibles les unes que les autres! Autant les aborder sans trop de culpabilité.

Effondré derrière le volant de la Bentley grise, il surveillait la route, cherchant un endroit où se débarrasser des derniers surgelés qu'il avait dû sortir du frigo. Après quoi, il regagnerait les studios. Avec la collaboration inconsciente de la *Mutuelle de l'Oklahoma*, il établirait que lui et Howard étaient toujours vivants, actifs et omniprésents, ce qui ne se résumerait pas à une seule représentation. Cette fois, c'était un contrat à long terme qu'il avait conclu, et pour le baisser de rideau final, la grande dernière, il faudrait attendre le moment où, en toute sécurité, Howard pourrait décéder dans un accident incontestable.

Se faire passer pour le patron d'une compagnie cinématographique n'était pas au-dessus de ses forces. Il traînait ses guêtres dans le milieu du show-biz depuis assez longtemps, il s'était familiarisé avec la littérature contractuelle en vigueur, avec le jargon des imprésarios, des hommes d'affaires, des comédiens en vogue, de tout ce paquet de crétins qui s'étaient élevés au rang de présidents ou de vice-présidents dans le monde de la production. En plus, il avait entendu les commentaires cyniques, vu l'enthousiasme bidon de commande dont Howard faisait preuve dans ses rapports professionnels. Il en avait été le témoin à maintes reprises. A part ses considérations sur les meilleures façons de garder la ligne ou d'améliorer ses revers au tennis, Howard parlait rarement d'autre chose que de son boulot.

Mais Teddy ne se leurrait pas. Il sentait bien qu'il minimisait les risques afin de calmer ses angoisses. Parce que s'il était qualifié pour jouer ce genre de comédie, pourquoi son rang dans la profession n'était-il que celui d'un minable? Etait-il un incapable comme le prétendait tout le monde, ou manquait-il seulement de confiance en lui-même? Pour compenser, il avait cherché à se rassurer par la bouteille, donnant ainsi prise aux critiques que son frère n'était pas le dernier à lui prodiguer.

Quoi qu'il en soit, pour le moment, ce qui lui manquait, c'était le temps nécessaire pour bien réfléchir à la suite.

Ah, voilà ce qu'il cherchait, là à droite, juste avant la bretelle de Sunset Boulevard. Il ralentit pour s'engager dans le parking à moitié désert afin de se débarrasser de trois paquets de steaks sous cellophane et de deux pains de mie en tranches. Le reste avait déjà été balancé dans sept poubelles différentes trouvées dans les trois parkings de la voie rapide côtière où il s'était arrêté.

Après avoir donné un dollar au gardien, il roula le plus loin possible de l'entrée, descendit de voiture, déverrouilla le coffre arrière et répartit ses paquets dans deux nouvelles poubelles. Puis, il remonta dans la Bentley et reprit sa route vers les studios.

Il était déjà trois heures moins vingt lorsqu'il y parvint.

Tout était organisé dans sa tête. Il avait mentalement répété, il ne restait plus qu'à interpréter le rôle. Et il s'arrangerait pour que ça marche. Il n'avait cessé de s'en persuader sur la route, et continuait en garant la voiture sur l'emplacement réservé de Howard. Mais à peine avait-il pénétré dans le bâtiment administratif qu'il comprit l'absurdité de la situation. Il n'était pas plus Howard Bluestern que le premier homme sur la lune. Personne ne se laisserait prendre une seconde à son numéro. Ils verraient bien que tout cela c'était du bidon, ils le sentiraient, comme les animaux reniflent l'odeur de la trouille chez ceux qu'ils effraient.

Il prit l'ascenseur, traversa d'un bon pas le bureau d'accueil pour filer vers la Direction. Avec le sentiment très net de son imposture et sans doute pour conjurer la vague d'angoisse qu'il sentait déferler, il se jetait dans la gueule du lion. Piquant sur le bureau de Jo Anne, il la regarda droit dans les yeux.

– Avant tout, il faut que je joigne Marvin Gerber de la *Mutuelle de l'Oklahoma.*

– Tout de suite.

Le regard fixé sur lui, elle reprit à voix basse :

– Ça va, Howard?

Je viens juste de perdre mon frère. A part ça...

– Oui, oui, ça va. Mais il faut que je parle très vite à ce monsieur.

Marvin Gerber avait dû passer l'après-midi la main sur le téléphone.

– Bonjour, monsieur Bluestern...

Il y avait plus que de la suffisance dans sa voix.

– Après mûre réflexion, monsieur Gerber, j'en suis arrivé à cette conclusion : votre conseil, ce matin, était excellent.

– Vous m'en voyez ravi. C'est là une façon bien courtoise de formuler votre décision qui, soyez-en assuré, me réjouit. Je mets sans plus tarder la procédure en route, et vous pouvez d'ores et déjà considérer qu'il n'y aura pas la moindre anicroche au bon déroulement de nos affaires.

– Parfait. J'aimerais que vous me rendiez un petit service.

– Avec plaisir, monsieur Bluestern.

– Non que je soupçonne votre compagnie d'indiscrétion, mais je préfèrerais pour le moment que la police personnelle à laquelle je souscris reste confidentielle. Je ne vois d'ailleurs pas en quoi elle concernerait qui que ce soit.

– C'est mon avis, répondit l'inspecteur. Nous avons pour règle de ne jamais divulguer ce type d'information sauf à la demande expresse du client. Cela dit, vous avez eu raison de me préciser votre sentiment sur ce point.

– Bon. Pour ce qui est de la première prime, le chèque certifié?

– Comme je vous l'ai dit ce matin, son montant s'élève à vingt et un mille deux cents dollars.

– Très bien.

– Mais puisque nous en sommes là et que vous avez déjà pris votre décision, permettez-moi de vous signaler une option supplémentaire susceptible de vous agréer.

– De quoi s'agit-il? s'enquit Teddy avec circonspection.

– Loin de moi l'idée de mettre en doute vos connaissances en la matière. Je suis convaincu qu'un homme de votre expérience connaît cette clause que nous appelons, dans notre jargon, avenant de décès par accident. En langage plus courant, nous la désignons sous le nom de double indemnité.

Teddy se garda bien de souffler mot, tant il craignait que sa voix ne le trahisse.

Profitant de son silence, Gerber reprit.

– Pour cinq mille dollars de plus par an, vous pouvez doubler le montant de l'indemnité de votre police; soit dix millions, dans le cas où, Dieu vous en préserve, vous seriez victime d'un accident mortel. Suis-je clair?

– Oui, répondit Teddy, cherchant à réprimer le tremblement qui agitait ses mains tandis qu'il sentait sa gorge se dessécher.

Dix... millions... de dollars...

– Ce n'est qu'une suggestion, monsieur Bluestern, comprenez-moi; je ne cherche pas à vous vendre cette idée, moins encore à vous forcer la main.

– Bien sûr, monsieur Gerber. J'entends bien.

Il s'humecta les lèvres avant de poursuivre :

– Franchement, cela donne à réfléchir. Il faut que je pèse le pour et le contre. A première vue, je ne vois pas en quoi un tel avenant serait utile. Mais, en fait, qui sait? Je ne cesse de courir les autoroutes. Je file à New York pour un oui, pour un non. Et d'ailleurs, on peut aussi glisser dans sa baignoire! Oh, je connais les statistiques. D'un autre côté, cinq mille dollars par an... Permettez-moi de vous poser une question : à ma place, le feriez-vous? Est-ce bien raisonnable d'engager une telle dépense? En bref, que me conseillez-vous?

Gerber répondit sans la moindre hésitation.

– A mon avis, si vous pouvez vous le permettre, il serait ridicule de ne pas le faire – tuer la poule aux œufs d'or pour ménager le grain, comme dit le proverbe. De nos jours, qui saurait prédire ce qui nous attend, où et quand? Mais comme je vous le disais, il s'agit d'une suggestion. La décision vous appartient.

– Je sais, je sais.

Teddy s'accorda une pause convenable avant de reprendre :

– Ce qui m'ennuie, c'est que je ne trouve pas la moindre raison pour mettre votre conseil en défaut. En fait, soyons honnête : je crois que vous avez raison, monsieur Gerber. Allez, topons-la, c'est oui!

– Vous êtes le patron, monsieur Bluestern.

– Mais cela modifie sans doute le montant de la première prime?

– En effet. Faites donc établir le chèque pour la somme de vingt-six mille deux cents dollars.

– Vingt-six mille deux cents, répéta Teddy.

– Puis-je me permettre de vous féliciter pour la perspicacité de votre jugement, monsieur Bluestern?

– Oui, si vous acceptez que je fasse de même pour le vôtre.

– Je vous en remercie. Bien. Vous serez couvert seulement lorsque le service médical nous aura donné son accord, ce qui, nous le savons tous les deux, est un point acquis. Je pense pouvoir vous le confirmer d'ici lundi, mardi au plus tard. Il me reste à vous conseiller d'éviter de prendre le volant le prochain week-end, ainsi que de faire du ski nautique.

Gerber ne put s'empêcher de glousser de son trait d'esprit.

– Soyez sans crainte, je ne me risquerai même pas à prendre une douche, rétorqua Teddy.

Gerber gloussa de plus belle. Vraiment un bon vivant,

ce type! Teddy en regretta de devoir le quitter, mais finit pas s'y résoudre.

Dix... millions... de bon Dieu... de merveilleux... dollars.

Il appela Jo Anne par l'interphone.

– Oui?

– Rien de spécial, fit-il d'un ton enjoué. Je voulais juste savoir comment tu allais.

– Très bien.

Elle semblait heureuse de le voir revenu parmi les vivants.

– Tu es très attendu.

– Je sais.

– Non, je veux dire, aussi par d'autres que moi.

– J'avais compris.

– Je pensais, ajouta-t-elle, que si tu étais claqué, tu n'aurais peut-être pas envie de jouer au tennis après une journée comme celle-ci.

Il chercha à masquer son embarras.

– Au tennis...

– Tu préfèreras sans doute une soirée paisible?

– Certainement.

– Howard?

Sa voix n'était plus qu'un souffle.

– Oui?

– J'ai envie de me fondre dans le calme de tes soirées.

Une douce chaleur l'envahit. D'une phrase, elle avait recréé l'harmonie qui les unissait. À contrecœur, il reprit.

– Tu veux bien m'appeler Victor Lampkin?

L'homme d'affaires de Howard passait le plus clair de ses journées au *Country Club* de Brentwood. Ses clients ne s'en plaignaient pas car, contrairement au handicap que Lampkin semblait incapable de remonter au golf, leurs richesses, elles, prospéraient quand ce dernier s'en occupait. Teddy, lui, avait toujours admiré la ponctualité avec laquelle les services de Lampkin lui faisaient parvenir son chèque tous les premiers du mois, jamais avant ni après!

– Bonjour, Howard. Quel bon vent vous amène?

– Voilà, Victor : ce que j'ai à vous demander va probablement vous troubler, ce qui m'obligera à me justifier et à défendre mon point de vue. Tout cela prendra un temps considérable dont hélas je ne dispose pas en ce moment...

– Pour ce qui est de perdre du temps, je me permets de vous signaler que c'est très exactement ce que vous êtes en train de faire. Alors, cartes sur table, Howard, de quoi s'agit-il?

Avalant sa salive, Teddy se jeta à l'eau.

– Je voudrais que vous me prépariez un chèque certifié d'un montant de vingt-six mille deux cents dollars à l'ordre de la *Mutuelle de l'Oklahoma* et que vous le fassiez porter au bureau de Marvin Gerber, G.E.R.B.E.R., au siège de la *Mutuelle*, à Miracle Mile, demain matin à la première heure. Vous me suivez?

– Bien sûr. Toutefois, êtes-vous certain de disposer encore de cette somme sur votre compte?

D'une voix blanche, Teddy demanda :

– Je suis à découvert?

– Non, ça va, mais...

– Alors, établissez-moi ce chèque, Victor.

– Comme vous voudrez.

– C'est le versement de la première prime d'une police d'assurances sur la vie à cinq ans, d'un montant de cinq millions de dollars avec double indemnité. Le bénéficiaire en est Teddy, mais j'aimerais que tout cela reste entre vous et moi...

– Mais enfin, qu'est-ce qui vous a...? Oh, après tout, ça ne me regarde pas.

– Bien. Avez-vous besoin de plus de détails?

– Non, je veux seulement savoir si je peux filer tout de suite. Les banques ferment dans très exactement quarante-cinq minutes.

– Au revoir, Victor.

Il raccrocha et médita quelques instants, immobile. Peu à peu, il recouvrait son assurance. Les choses ne se présentaient pas si mal! Howard reprenait corps, tout au moins par téléphone. Mais attention de ne pas négliger le personnage numéro deux : Teddy Stern lui-même.

Changeant d'appareil, il appela le domicile de Howard à Bel Air sur la ligne privée et, mentalement, se retrouva en slip de bain, lunettes de soleil, après s'être envoyé quelques coups de Tequila derrière la cravate.

Stanner répondit de sa petite voix déplaisante :

– Ici la résidence de M. Bluestern.

– Ah, David, mon pote, Teddy Stern à l'appareil. Mon frangin ne serait pas dans le secteur, des fois, à faire le guignol sur le court de tennis?

– Non, monsieur Stern.

– Non quoi, David?

– Il n'est pas sur le court de tennis, monsieur.

– Tant mieux. Mais il est dans le coin?

– Non, monsieur.

– Il doit rentrer bientôt?

– Pas que je sache, monsieur Stern.

– Allez, je suis sûr que tu saurais si tu voulais.

– Est-ce tout ce que vous désirez, monsieur?

– De ce côté-là, on est loin du compte, David. Mais pour le moment, je me contenterai de causer à ton patron.

– Essayez d'appeler les studios?

– Déjà fait. Ils m'ont dit qu'il ne reviendrait pas de la journée.

– Alors, je crains de ne pouvoir vous renseigner.

– T'affole pas pour ça, mon gars. Contente-toi de lui demander de m'appeler dès qu'il rentrera. O.K.?

– Bien, monsieur Stern.

– Je t'en serai éternellement reconnaissant, David.

Redevenu Howard, il brancha l'interphone et demanda.

– Qui est le premier sur la liste?

– Barnett et Hough. Voilà déjà un moment qu'ils s'agitent.

Une seconde, son cœur cessa de battre, mais il se força à reprendre son calme.

– Allons-y, répondit-il.

A peine avaient-ils franchi la porte que Teddy devina

qui étaient ces deux-là : la moitié de l'équipe d'assistants de direction de son frère. Petits foulards, cols boutonnés, costumes discrets – pas vraiment gris foncé, mais pas non plus fraise écrasée – cela ne trompait pas : malgré leurs allures d'hyper-responsables, ils puaient la magouille.

– Messieurs! les accueillit chaleureusement Teddy en se levant.

– Monsieur Bluestern, répondirent-ils d'une seule et même voix.

– Non, non, s'il vous plaît, appelez-moi Howard.

On échangea des poignées de main.

– Redites-moi pourquoi je vous ai convoqués.

Le plus grand des deux, qui portait des verres teintés, se fit le porte-parole du tandem.

– Vous ne nous avez pas convoqués, monsieur, et c'est en quelque sorte la raison pour laquelle nous avons pris la liberté de venir vous trouver. Je suis Jeff Barnett. Et voici Larry Hough.

– Asseyez-vous, les gars.

Tandis qu'ils prenaient place, Teddy les observa rapidement. Ils auraient à travailler ensemble un moment, tout au moins jusqu'à ce qu'un délai convenable se soit écoulé pour que Howard disparaisse à jamais. Alors, pourquoi ne pas utiliser ces deux blancs-becs pour faciliter son intérim présidentiel? D'ailleurs, comment pourrait-il se débrouiller sans eux? Disons, sans ces deux-là, parce que quatre, voilà qui devenait quasiment ingérable.

– Si vous le permettez, je commence par le petit discours traditionnel, et puis à vous de jouer.

Ils approuvèrent et Teddy se demanda ce qu'il allait leur raconter.

– J'ignore en quels termes vous étiez avec mon prédécesseur et, très franchement, je m'en fiche. Ce que je veux que vous sachiez, en revanche, c'est que depuis ma nomination, qui est très récente, les relations que j'ai pu avoir avec vous, Larry, et vous, Jeff, ont été aussi inexistantes que l'ensemble des rapports que j'ai entretenus avec les autres membres du personnel de ces studios. Exception faite peut-être pour les femmes de ménage et le poste de garde. J'ai été si occupé à chercher où se trouvait la lumière des toilettes, à repérer si les portes s'ouvraient vers l'intérieur ou l'extérieur, et à comprendre comment obtenir New York en priorité sans vexer personne que, sincèrement, je ne prétends pas avoir commencé à diriger cette entreprise, moins encore à vous en avoir délégué la direction. Car ce que je me propose de faire, c'est de me prélasser dans ce fauteuil pendant que vous, vous vous arrangerez pour faire tourner la boutique – j'aime autant vous en avertir tout de suite.

D'un air affairé, Jeff Barnett tripotait ses lunettes, cherchant à masquer la fièvre qui s'emparait de lui. Quant à Larry Hough, il s'était figé en un sourire, n'osant souffler mot, de peur sans doute d'exulter s'il ouvrait la bouche.

– Le problème est donc le suivant. Êtes-vous d'accord, et surtout êtes-vous prêts à assumer les tracas et les difficultés qui sont le lot des gens chargés de prendre des décisions importantes? Parce que c'est cela dont il s'agit, pas moins. L'idée étant que, si vous vous en sortez bien, rien ne vous interdit d'envisager à terme la vice-présidence, voire, sait-on jamais, la place que j'occupe à présent. Voilà. J'en ai fini. A vous de jouer.

Tu aurais dû entendre ça, Howard. Tu étais formidable...

Après un rapide regard à son collègue, Jeff Barnett prit la parole.

– Je parle en mon nom, et Larry sera, je pense, de mon avis. Nous venez d'exprimer nos souhaits les plus profonds, monsieur Bluestern. Euh, pardon, Howard. N'est-ce pas, Larry?

– Sans aucun doute. S'il nous est arrivé de ressentir une certaine insatisfaction, dans le passé, avant votre arrivée, monsieur, cela tenait justement à ce que l'on nous sous-utilisait, en nous payant bien certes, en nous traitant gentiment, mais surtout en nous ignorant presque complètement. Une situation difficile à accepter pour des individus qui se savent capables d'apporter leur pierre à l'édifice commun.

– Je vous comprends! compatit Teddy en hochant la tête. Vous savez ce que j'ai de plus que vous, moi? Une dizaine d'années! Mais je n'ai pas oublié ce par quoi je suis passé autrefois. Et je n'ai pas l'intention de vous infliger le même traitement. J'aimerais que désormais vous vous considériez comme mes deux bras. Que dis-je, mes doubles! Dès à présent, je veux que vous me concoctiez des contrats, que vous mettiez en présence des gens qui doivent se rencontrer, que vous me trouviez des battants, des jeunes loups capables d'accéder au sommet. Je veux que tout le monde sache qu'on peut traiter directement avec vous, pas seulement discuter mais traiter. Inutile de me consulter – d'ailleurs, je vous l'interdis – tant qu'une affaire n'est pas mûre. Comme moi, qui suis tenu de contacter New York seulement avant le feu vert définitif. Je suis le patron de l'équipe, mais la partie, c'est vous qui la jouez, et vous avez intérêt à remporter la coupe. Sinon, je me ferai taper sur les doigts. Cela dit, vous pouvez disposer. Et ne revenez que pour apporter aux studios les millions et les millions de dollars grâce auxquels on me prendra pour le plus grand génie d'Hollywood.

Jeff Barnett se leva comme s'il était monté sur ressort.

– Et comment, Howard! Bon sang, c'est fantastique! J'en suis encore à me demander si je n'ai pas rêvé...

– Vous ne me croirez pas, monsieur...

Larry Hough était dans un tel état d'excitation qu'il se cramponnait au bureau directorial.

– Vous ne me croirez pas, mais ce matin même j'ai annoncé à ma femme mon intention de présenter ma démission. A présent, me voilà réconcilié avec ces studios!

– En route, champions, en route! répliqua Teddy en se levant pour les raccompagner.

Puis, se ravisant :

– A propos, tant que nous sommes dans ce bureau, à l'abri, du moins je l'espère, des indiscrets, je voudrais avoir votre opinion sur certains membres de l'équipe qui jouent dans la même catégorie que la vôtre...

Barnett regarda Hough qui regarda Barnett, lequel se tourna enfin vers Teddy.

– Vous voulez parler de deux ailiers droits de votre équipe, Marty Wallach et Liam O'Toole? Ah, ils ont tout pour eux... La jeunesse, l'expérience, le dynamisme, l'allure, les amis qu'il faut, les ennemis aussi, et une ambition à tout casser. Leur seule petite faiblesse et encore, comment le leur reprocher... ils n'ont pas la moindre notion de ce que sont les milieux cinématographiques. Et, plus grave peut-être, ils n'ont pas non plus conscience de cette lacune.

– C'est bien ennuyeux! soupira Teddy. Je suis très déçu de l'apprendre...

– Vous pensez bien que nous aussi, intervint Larry Hough en écho.

– Je serais malade d'avoir à vous demander de choisir entre eux et nous, ajouta Jeff Barnett.

– Et si c'était le cas, quelle réponse me feriez-vous?

D'un air peiné, Larry Hough haussa les épaules.

Teddy les dévisagea l'un après l'autre.

– J'ai bien peur que vous ne me laissiez d'autre choix que de les recaser dans un cirque ambulant.

– Si c'était possible, ce serait déjà miraculeux! commenta Jeff Barnett.

– Vous êtes dur, shérif, persifla Teddy.

– Épouvantable! enchaîna Larry Hough.

Résigné, Barnett annonça :

– Ce sont toujours les meilleurs qui partent.

– Ainsi s'achève l'oraison funèbre de Wallach et O'Toole, conclut Teddy en ouvrant la porte du bureau. Bien entendu, pas un mot à la reine mère. Et maintenant, allez réaliser des miracles.

Avec une tape amicale dans le dos, il lâcha ses fauves dans une jungle qu'ils étaient prêts à écumer pour lui plaire.

Tu t'en sors drôlement bien, Howard! se dit-il en reprenant place dans son fauteuil.

Par l'interphone, il demanda à Jo Anne :

– M. Seligman a-t-il fini de déjeuner?

– Il a peut-être même fini de dîner, monsieur Bluestern.
– Pourriez-vous essayer de le joindre, s'il vous plaît?
– Vous voulez le voir ou le prendre au téléphone?
– Au téléphone, ce sera suffisant. Il m'a déjà vu une fois aujourd'hui.
– Il y a en a qui ont de la chance, murmura Jo Anne.
Comme il ne répondait pas, elle ajouta.
– MM. Wallach et O'Toole ont appelé pendant que vous étiez en réunion. Ils souhaitent vous voir, ensemble ou séparément, avant que vous ne quittiez les studios.
– Téléphonez tout de suite à leur secrétariat. Vous m'avez raté, et je ne reviendrai pas de la journée.
– Entendu.
– Vous pensez à Seligman?
– Je ne sais pas si vous le savez, mais Joe Van Allen attend que vous le receviez.
– Joe Van Allen...
Allons bon, qui c'était encore celui-là?
– Excusez-moi, j'ai un trou.
– Le réalisateur du *Gang de Madison.*
– Ça, je sais. Mais que veut-il?
– Je crois, enfin, il me semble avoir entendu dire que lui et Bemmelman sont en désaccord sur un problème de casting.
Bemmelman... Bemmelman... Il ne pouvait pas encore demander des précisions à Jo Anne!
– Pourquoi me met-on sur le dos des histoires d'intendance comme celle-là?
– Vous n'êtes pas seulement président des studios, monsieur Bluestern.
– Non, je sers de poubelle aussi.
– Vous avez la responsabilité de l'ensemble de la production.
– J'aurais dû lire le contrat in extenso avant de le signer. Gardez-moi Van Allen au chaud et passez-moi Seligman.
Le juriste se répandit en excuses pour n'avoir pas assisté à la visite médicale, mais Teddy le coupa net.

– Je vous en prie, Scotty, tout s'est bien passé. Mais vous avez raté ma petite exhibition de prélèvement d'urine en public.

– Je vous le disais. J'aurais dû rester. A part cela, qu'est-ce qui vous amène, Howard?

– Quels sont les accords qui nous lient à Martin Wallach et Liam O'Toole?

– N'avons-nous pas regardé cela ensemble la semaine dernière?

– Est-il écrit en lettres de feu que ma mémoire est infaillible?

– D'accord. Je vous demande une seconde.

Une bonne minute plus tard, Seligman reprenait la communication :

– Howard?

– Oui.

– Soixante quinze mille dollars par an, contrat garanti la première année avec possibilité de le renouveler deux ans. Actuellement, ils en sont... attendez voir : à vingt-neuf semaines et deux jours de la fin de leur première année.

– Parfait! Voilà ce que je voudrais, Scotty, et j'insiste pour que vous vous en occupiez personnellement : aussi gentiment que possible, mais sans trace de coup de téléphone, moins encore de note écrite, informez-les dès cet après-midi que leur contrat est résilié à compter de la fermeture des bureaux, vendredi...

– Bon Dieu, Howard...

– Vous leur réglez intégralement le solde de leur contrat et vous invoquez une seule raison, qui est d'ailleurs la vérité : restriction des activités de la société, la lutte contre l'inflation commence chez soi, etc... Je ne suis pour rien dans cette affaire. On m'a informé, pas consulté. Encore un coup de New York. Vous y êtes, Scotty?

– Et pour les deux autres, Barnett et Hough?

– Quoi, les deux autres?

– Rien, rien. C'était pour savoir.

– Tout est clair?

– Oui, répondit le juriste avec un soupçon d'amertume.

– Je vous remercie, Scotty.

Teddy raccrocha. Continue à aller de l'avant, ne te retourne surtout pas...

– M. Van Allen est toujours là? demanda-t-il à Jo Anne.

– Oui, bien sûr.

– Parfait. Pendant que je le reçois, pourriez-vous appeler mon frère et lui demander de venir dîner chez moi, ce soir, vers neuf heures?

Le téléphone resta muet.

– Quelque chose ne va pas? demanda-t-il.

– Non, répondit-elle.

Ils raccrochèrent tous les deux.

Comme une tornade, Joe Van Allen se rua dans la pièce. Il avait tout d'un vieil ours de cinquante-cinq ans, mais rien d'effrayant pour Teddy. Ce n'était qu'un metteur en scène, et Dieu sait que des metteurs en scène, il en avait rencontré!

– Asseyez-vous, Joe.

– Je n'y tiens pas, grommela le réalisateur.

– Restez debout, Joe.

– Écoutez, Bluestern, je n'ai pas de temps à perdre en conneries. Je commence à tourner lundi, et il me faut Louise Fletcher pour le rôle de la patronne du dancing. Bemmelman, lui, prétend que Jennifer O'Neil convient mieux, or non seulement elle est trop jeune et trop jolie mais...

– Petite seconde! C'est Bemmelman qui fait la mise en scène?

– Évidemment pas, il est producteur, vous vous foutez de moi?

– Alors je ne vois pas de quoi on discute! Que fichez-vous dans ce bureau, si le tournage commence lundi?

– Mais je viens de vous dire...

– Vous venez de me dire que le réalisateur, c'est vous, que vous voulez prendre Louise Fletcher et que vous ne l'avez pas encore engagée. Si je disposais d'un peu plus de temps, ce qui n'est pas le cas, je vous demanderais pourquoi vous n'avez pas encore foutu Bemmelman dehors, bon sang!

Se penchant sur le bureau, il enclencha l'interphone.
– Miss Kallen, voulez-vous dire à Edgar Seligman d'engager immédiatement Louise Fletcher pour le rôle de patronne de dancing dans... euh...
– Le *Gang de Madison*, lui souffla-t-elle.
– C'est cela, et qu'on ne me parle plus de cette histoire! Si Bemmelman téléphone, inutile de me le passer. Vu?
– Vous avez oublié, monsieur Bluestern. Vous avez déjà quitté les studios.
Haussant la voix, Teddy poursuivit :
– D'autre part, pourriez-vous inventer un prétexte quelconque pour me débarrasser de Joe Van Allen?
– Pardon?
– Rien.
Il reprit position face au vieil ours.
– Allez tourner votre film, mon vieux, au lieu de me casser les pieds.
Tout sourire, Van Allen hocha la tête.
– Bluestern, je ne sais pas ce qui vous arrive ou ce que vous avez bouffé, mais, si vous pouvez m'en dégotter quelques miettes, je suis preneur!
Sans cesser de hocher la tête, il quitta le bureau. Vidé, Teddy s'affala dans son fauteuil. La voix de Jo Anne le fit sursauter.
– Je viens d'appeler votre frère, mais je n'ai eu que son répondeur. J'ai donc invité ladite machine à dîner chez vous ce soir.
– Très drôle! lâcha-t-il en essayant de sourire.
– Je vous envoie le rendez-vous suivant?
Fermant les yeux, il refusa d'un signe de tête.
– Jo Anne?
– Oui, monsieur Bluestern?
– Je ne veux plus voir personne. C'est fini pour aujourd'hui.
– Comme vous voudrez, répondit-elle.
– Je suis désolé.
– Pardon?
– Je vais m'étendre et essayer de dormir un peu...
– Excellente idée.
– Vous me réveillerez?

– Promis.
– Vous ne partez pas trop tôt, ce soir?
– Cela ne me viendrait pas à l'idée.
Un je ne sais quoi dans l'intonation de la jeune femme déclencha en lui une vague de désir. Soyons sérieux, songea-t-il amèrement. Je suis hors d'usage.
Il baissa les stores, jeta sa veste sur le dos d'une chaise, éteignit les lumières et se laissa aller sur le canapé, sidéré par l'intensité de la fatigue qu'il ressentait soudain. Il avait abusé de ses forces, voilà tout. Il avait beaucoup lutté au cours de cette journée, lutté non pour atteindre un but, mais au contraire pour fuir, pour oublier le malheureux cadavre qui lui ressemblait tant, mais qui n'était pas le sien, qui n'était pas lui...
Cesse d'y penser. Assez. Tu m'entends? Cesse de songer à lui.
Il ferma les paupières et, malgré lui, revécut toute cette journée, jusqu'au plus petit détail, à commencer par son réveil, le matin même, dans la chambre à coucher de Bel Air.
Le temps d'en arriver au petit déjeuner, il dormait à poings fermés.

A son réveil dans la pièce mi-obscure, elle était là, debout près du canapé. Elle ne portait plus ses lunettes et le regardait tendrement, sa chevelure soyeuse cascadant sur ses épaules.
– 'Jour, murmura-t-elle.
Il fit mine de se redresser.
– Non, ne bouge pas, lui dit-elle d'une voix douce.
– Quelle heure est-il?
Une faible clarté dorée filtrait par les stores baissés.
– Six heures vingt..
– Oh!
– Tu as fait un bon somme. Tu en avais besoin.
Elle s'assit sur le bord du canapé, un doux sourire aux lèvres.
– Tu as eu une drôle de journée, ajouta-t-elle.
– En effet...

Si par malheur elle découvrait son emploi du temps passé et, pis encore, à venir, le haïrait-elle à jamais?

– On ne se connaît pas depuis longtemps, poursuivit-elle. En fait, pour moi, ce n'est que depuis hier, hier soir même, mais j'ai le sentiment que tu as changé, Howard. Que tu as réellement changé d'un coup et de façon merveilleuse. Jamais je n'aurais imaginé, et Dieu sait si j'ai rêvé de toi, mon chéri... je n'aurais jamais cru que tu sois si tendre, si vulnérable... si émouvant.

– Moi?

– Oui, toi.

– Méfie-toi, ne te laisse pas trop toucher par des bonshommes dans ce genre-là.

– Je ne plaisante pas, mon chéri.

– Je te crois.

– Tu es en train de changer.

– Je ne sais pas ce qui m'arrive.

– Espérons que c'est à cause de moi.

– C'est probable.

Ce disant, il sentait bien qu'il n'énonçait là qu'une demi-vérité.

– Je veux te sentir contre moi, reprit-elle, caressante. Ne bouge pas, mon chéri, s'il te plaît. Reste comme tu es, détends-toi. Laisse-moi faire, promets-le-moi.

– Juré.

– Nous sommes seuls, murmura-t-elle en effeurant la boucle de sa ceinture. La porte est verrouillée, tout le monde est parti.

– J'adore ton parfum.

– C'est pour toi que je l'ai mis. Je n'ai pensé qu'à toi, aujourd'hui. Je n'ai rêvé qu'à ce moment, et la journée s'est écoulée comme par enchantement. Tu es bien, mon chéri?

– Merveilleusement.

Faites que cet instant dure à jamais... que la réalité disparaisse pour toujours.

– Ferme les yeux.

– Tu le veux?

– Oui, détends-toi et oublie tout.

Incapable de lui résister, il se laissa aller pendant

qu'elle le déshabillait. La douce fraîcheur de l'air caressait sa peau nue, lui procurant de délicieux frissons. L'image du regard de Jo Anne détaillant son corps eut sur lui un effet aphrodisiaque, tandis que montait en lui le désir qu'elle le caresse, l'étreigne, l'embrasse partout. N'y tenant plus, il ouvrit les yeux, plongea son regard dans le sien pour s'y découvrir tout entier, alors que, rayonnante de bonheur, la jeune femme contemplait sans pudeur son amant.

– Que tu es beau, murmura-t-elle. Que tu es beau, Howard! Merveilleux...

Fou de désir, il sentit son sexe se dresser vers elle, presque douloureux dans l'attente de sa caresse, dans la violence du besoin qu'il éprouvait de la pénétrer.

– Ne bouge pas, mon chéri, répéta-t-elle en un souffle, s'il te plaît...

Lentement, elle s'agenouilla à califourchon sur lui, sa bouche cherchant la sienne, forçant ses lèvres de sa langue pour l'entraîner dans un baiser passionné. Il se cambra pour mieux l'étreindre, tandis qu'elle répétait à nouveau :

– Ne bouge pas, mon chéri.

Comme au ralenti, elle souleva sa jupe sous laquelle elle ne portait rien, intensifiant la violence de son érection au point qu'il ne put retenir un gémissement lorsque le velours de son sexe toucha le sien, tandis qu'elle s'accroupissait lentement sur lui, l'enfouissant dans l'écrin doux et chaud de sa féminité.

Leurs corps fiévreux se mêlèrent dans une étreinte irréelle, immobile.

– Je ne peux plus...

Sa voix n'était qu'un sourd murmure.

– C'est merveilleux, Howard.

– Je ne peux plus...

– Encore un peu.

– Oh, Seigneur...

– Ne bouge pas. Oui, comme ça, mon chéri, mon délicieux chéri! Comme j'aimerais que tu voies le bonheur que je lis en toi, c'est bon... C'est bon, c'est le paradis...

Son extase atteignait les limites de la souffrance; Teddy dut fermer les yeux, ne supportant plus de la regarder, d'entendre les inflexions caressantes de sa voix, de deviner ce qu'elle ressentait...

– Embrasse-moi, Jo Anne.

– Ne bouge pas, mon chéri.

– Ta bouche... viens... donne-moi ta bouche... viens... Jo Anne, viens, je t'en supplie...

Elle s'allongea, sur lui, sa chevelure masquant les baisers dont elle couvrait son visage, puis elle se laissa aller sur sa poitrine en une étreinte ardente, tandis qu'elle psalmodiait.

– Ne bouge pas, ne bouge pas, ne bouge pas, mon chéri...

– Oh, Jo Anne, j'ai envie de toi...

D'un long mouvement, ils pivotèrent sur le canapé, les mains de Teddy glissant sous la jupe de la jeune femme, pour enserrer sa croupe épanouie, cherchant à la pénétrer encore plus, toujours plus, tandis qu'ils entamaient un voluptueux va-et-vient, presque paisible d'abord, une houle allant vers la tempête, le déchaînement luxurieux, la frénésie incontrôlable d'un désir toujours plus exacerbé dans laquelle ils s'engloutirent, comme si un abîme de passion s'était ouvert sous leurs corps soudés l'un à l'autre.

Jo Anne, ma chérie, oh, chérie! Je ne peux plus attendre! Je viens, ma chérie, viens aussi, viens, je te veux, je t'aime! Ensemble, oui, toi aussi, tous les deux! Il ne pouvait retenir ses cris, et les gémissements de la jeune femme se muèrent en une longue plainte ininterrompue tandis que leurs corps se tordaient sur la couche plus vite, encore plus vite, encore... jusqu'à ce que, sauvagement, il s'arc-boute, tendu comme une corde de violon, poussé encore plus avant dans un ultime spasme d'une violence inouïe. Le flot de sa passion rompit la digue qu'il avait su jusque-là maintenir, se précipita, tel un torrent impétueux, un bouillonnement déchaîné, vers les rivages enfiévrés par la montée du désir exacerbé de Jo Anne. Oh, mon Dieu! Ses sanglots de bonheur... Puis leur chute, exténués d'amour, en un long baiser tendre et fervent, une sourde plainte émanant de leurs gorges, tel le ronronnement de deux chats éperdus de reconnaissance.

Jamais de sa vie il n'avait rien ressenti de pareil. Il l'enlaça, se laissa porter par elle. Il savait que l'amour et la chaleur de la jeune femme agiraient comme un charme protecteur tant qu'ils reposeraient dans les bras l'un de l'autre. Le visage enfoui dans ses seins soyeux, il se sentait à l'abri des cauchemars, de ces mauvais rêves qui le guettaient au coin de la réalité, loin de la mascarade à laquelle il avait dû se livrer pour prendre la place d'un autre dans le cœur de Jo Anne, un autre qui n'existait plus et dont la proche mort accidentelle lui briserait le cœur, la laissant en proie à ses souvenirs, dans un monde où ne subsisterait qu'un frère jumeau qu'elle n'aimait pas, un jumeau qui serait riche à millions, mais seul et privé d'elle, un jumeau qui n'oublierait jamais le double jeu dont elle avait été la victime inconsciente, et qui s'en mépriserait toujours.

Un bref instant, il fut sur le point de tout lui avouer avant qu'il ne soit trop tard. Mais ce ne fut qu'un sursaut. Jamais encore dans sa vie il n'avait été capable de prendre la décision qui s'imposait, et rien n'indiquait qu'aujourd'hui il le soit.

Doucement, il embrassa les seins de la jeune femme, presque comme un bébé. Mais lorsqu'il sentit les pointes durcir sous ses lèvres en même temps que le flot du désir lui étreignait les reins, il comprit qu'ils allaient à nouveau faire l'amour, qu'il en oublierait ses pensées moroses, et le bonheur le submergea, tandis qu'ils s'embrassaient, reprenaient leurs caresses, échangeaient des paroles émerveillées, refaisaient doucement le chemin qui les conduiraient tous les deux vers l'ivresse, vers l'apogée qui, irrésistiblement, oh, mon chéri, mon amour, concluerait leurs ébats...

8.

Assis à la table de l'office devant un gin fizz léger, David Stanner, débordant de rancœur, entendit arriver la Bentley, bien reconnaissable au crissement de ses freins de luxe. Il jeta un bref coup d'œil sur la pendule murale. Huit heures dix, l'enfoiré! Se levant à contrecœur, il se dirigea d'un pas traînant vers l'entrée, comme pour manifester à son patron l'état d'esprit dans lequel il était. Parce que pour lui casser les pieds, il les lui cassait, celui-là. Il aurait quand même pu téléphoner comme il le faisait d'habitude, pour le prévenir qu'il rentrait dîner, ou l'avertir qu'il mangerait dehors et laisser Stanner organiser sa soirée. Mais, macache, pas un mot!

– Bonsoir, monsieur, dit-il en affichant le Sourire Numéro Deux, modèle anémique, qui était encore trop bien pour ce que méritait cette grande andouille.

Monsieur le Big Boss lui passa sous le nez, l'air vanné.

– Pas d'appels? aboya-t-il.

– Votre frère.

– Teddy? Que voulait-il?

Il semblait encore plus dégoûté que d'habitude.

– Que vous le rappeliez le plus tôt possible, dès votre retour...

– Eh bien, me voilà.

– Je vous l'appelle tout de suite, monsieur.

– Pas question. Et puis, cessez de me bousculer.

– Je ne vois pas qui pourrait vous bousculer aujourd'hui.

– Qu'entendez-vous par là?

– Rien... rien, monsieur, répondit Stanner avec un petit rire rentré. Vous paraissez assez fatigué, si je puis me permettre.

– Ce matin, j'avais l'air en pleine forme. Décidez-vous, mon vieux!

– Depuis ce matin, il s'est écoulé douze longues heures, monsieur.

Le Big Boss lui jeta un regard torve.

– Quand vous faites le malin, ce n'est pas très réussi, David. Si vous trouvez que je rentre tard, dites-le. A tourner ainsi autour du pot, vous m'agacez!

Cela dit, il se dirigea vers le bar.

– Allons, monsieur, murmura Stanner en lui emboîtant le pas, c'est vrai, vous rentrez tard, mais cela ne regarde que vous, voilà ce que je dis.

Sans répondre, Teddy se versa un grand verre de Tequila sur lit de glace et en avala la moitié d'un trait en se dévisageant dans le miroir placé derrière le bar. Le voile de transpiration dont il était couvert s'expliquait-il par la chaleur, ou trahissait-il la nervosité rentrée qu'il ressentait?

Se tournant vers Stanner, il lui dit :

– Appelez mon frère au téléphone, je vous prie. Oh, et puis non, laissez, je m'en charge.

Il forma le numéro, sous l'œil faussement indifférent de son domestique. Il y avait des oreilles qui traînaient, dans le coin!

– Teddy? On me dit que tu as appelé... Oh, pas la peine d'y penser. J'ai un travail fou... Ah bon? Et quand?... On ne t'a pas beaucoup laissé le temps de souffler... Hon, hon... Hon, hon... oh, cela aurait pu être pire. Ils auraient pu t'expédier à Ensinada... Ah bon?... Vraiment?... Eh bien, écoute, je te remercie. Il n'est pas impossible que je te prenne au mot. En principe, j'ai dans les quatre à cinq cents scénarios à lire pendant le week-end, alors pourquoi pas sur la plage? Allez d'accord, tiens, j'accepte avant que tu ne changes d'avis... O.K. ... Quand rentres-tu? Lundi ou mardi?... Je vois... Bon, amuse-toi bien, pique-leur des sous et de mon côté, je tâcherai de ne pas mettre le feu chez toi... Tu peux compter sur moi... Toi aussi.

Après avoir raccroché, il se tourna vers Stanner.

– Vous voilà libre pour le week-end, David... libre comme l'air... Avant de partir, veillez à porter quelques sandwiches aux pique-assiettes qui sont sûrement en train de jouer sur le court de tennis. Moi, je vais me faire bronzer chez mon frère.

– J'aurais souhaité que monsieur me prévienne plus tôt. Cela m'aurait permis de former des projets.

– Vous me voyez sincèrement désolé, David.

Pas dégonflé, l'enflure!

– Vous avez encore le temps d'arpenter les trottoirs de Santa Monica Boulevard.

Sur ce, il tourna les talons.

– Oh, j'allais oublier! le rappela Stanner. Bea Magnin a appelé quelques minutes avant votre arrivée.

Là, tu ne bouges plus, hein, espèce de sadique!

– Elle voulait savoir si vous viendriez seul ou accompagné à la soirée de demain.

– La soirée? Demain?

– Le dîner, monsieur Bluestern.

– Ah oui... le dîner.

– Elle a ajouté que Meryl Streep et la princesse Diana étaient de passage à l'hôtel Beverly Hills et qu'elles seraient célibataires. Elle a ajouté « dites à votre patron que s'il arrange pour venir avec l'une des deux, je suis d'accord pour qu'il me saute après le dîner ».

– Rappelez-la et dites-lui que je suis déjà accompagné.

– Elle voudra sûrement savoir par qui.

– C'est surtout vous qui voulez le savoir.

– La réception a lieu à huit heures, tenue de ville. Pour le cas où vous auriez aussi oublié cela, monsieur.

Big Boss la Terreur lui jeta un regard mauvais avant de répliquer :

– Je m'y rendrai directement de Malibu. Ayez l'obligeance de me sortir de quoi m'habiller et de porter le tout dans la voiture. Et n'oubliez pas que c'est moi qui vais à cette réception, pas vous. Ce n'est pas le genre petits éphèbes blonds décolorés!

Stanner réprima une formidable envie d'envoyer son patron au diable.

– Je ne sais pas si monsieur se rend compte, mais c'est une grande première.

– Quoi donc?

– Jamais encore vous n'avez jugé bon de me confier le choix de vos vêtements.

L'embarras qu'il lut sur les traits de Big Boss lui parut sans mesure avec la portée de sa remarque.

– Vous avez quelque chose contre les premières?

– Rien.

Stanner lui adressa son sourire le plus fielleux avant de poursuivre :

– Je pourrais même vous proposer quelques suggestions en ce domaine, si d'aventure...

– Ce sera pour une autre fois.

– La patience est bien la seule vertu qui me reste...

En repartant vers l'office, Stanner se surprit à méditer sur les raisons qui, entre autres, avaient poussé son patron à passer du Perrier nature ou du martini-vodka noyé, au demi de Tequila on the rocks. Et comment un type doté d'une mémoire d'éléphant parvenait-il du jour au lendemain au stade de la sénilité amnésique?

Comme convenu, elle appela à onze heures. Elle venait de rentrer chez elle, après avoir dîné au restaurant avec ses parents. Il prit l'appel sur le poste de la chambre à coucher de Howard et lui annonça son projet de passer le week-end avec elle chez son frère, sur la plage de Malibu. S'ensuivit un instant de silence pénible, dont il se demanda s'il ne l'avait pas provoqué en omettant de préciser que le maître de céans brillerait par son absence, retenu par le tournage d'une pub télévisée à Mazatlan.

– Voilà qui change tout, reprit-elle d'une voix claire. C'est merveilleux, mon chéri!

– Devine un peu ce que je m'apprêtais à faire? poursuivit-il.
– Te mettre au dodo?
– On ne peut rien vous cacher, miss Kallen.

Après un échange de milliers de baisers, hélas à distance, ils raccrochèrent.

Mais pour lui, il n'était pas encore l'heure de se coucher. Tant s'en fallait. Quittant discrètement la maison, il prit la route de Malibu au volant de la Bentley, veillant à ne pas dépasser un quatre-vingt-dix de père de famille sur la route littorale déserte. Là-bas, il rédigea un mot pour Mme Mahoney, qu'il laissa en évidence sur la table de la cuisine : « Je serai absent tout le week-end. Mon frère, Howard Bluestern, doit venir avec une amie. Soyez gentille de vous occuper d'eux. A la semaine prochaine. Teddy... P.S. Par pitié, ne liquidez pas tout mon stock de gnôle. »

Il passa ensuite dans le living et brancha le répondeur téléphonique pour y relever les messages éventuels. La voix de Linda Carol s'éleva.

– Téléphone-moi quand tu veux avant minuit, mon nounours.

Ce qu'il fit, la sortant manifestement de son premier sommeil.

– Je suis navré, mon lapin.
– Ne sois pas bête! Tu es chez toi?
– J'arrive à l'instant. Un boulot, mon petit! Je suis crevé!

Son interlocutrice répondit d'abord par un bâillement aussi long que sonore puis :

– Excuse-moi, mon nounours.
– Ah, je n'ai décidément plus de mémoire. C'est vrai qu'on a bien donné, la nuit dernière, tous les deux.

Le rire de gorge qu'elle lui adressa évoquait les sept péchés capitaux.

– On devrait recommencer plus souvent. Tu sais que tu as été fantastique!
– C'est toi qui as été fantastique, poussin.
– Menteur! Mais j'adore que tu me dises ça. S'il n'était

pas si tard et que je ne sois pas déjà couchée, je viendrais te montrer des trucs à faire rougir les pensionnaires d'un clandé.

– C'est comme ça que tu parles à tes clients chez *Holman-Meyer*?

– Devine où j'ai la main?

– Je n'oserais jamais...

– Pourquoi ne sauterais-tu pas dans ta voiture pour t'amener ici? J'ai envie de toi. Je laisserai ouvert, pour que tu entres sur la pointe des pieds et que tu me réveilles en me faisant l'amour. Teddy, j'ai envie...

– Et moi donc! Mais dans deux minutes je m'effondre.

– Bon. Alors demain?

– Pas possible, je pars au Mexique dans la matinée.

– Que vas-tu faire là-bas, quand tu peux m'avoir, ici?

– Le fric, mon petit. Ce sacré pognon qu'il faut quand même gagner de temps en temps. Une pub pour des maillots de bain.

– Oh, Teddy... ne raccroche pas... je vais jouir... Teddy... encore... oh, c'est bon...

– Bien... je te rappelle en rentrant.

Sans plus attendre, ni en entendre plus, il raccrocha.

Il laissa la Bentley à Malibu, et prit la Porsche jaune pour se rendre à l'aéroport international de Los Angeles où il la laissa dans le parking longue durée. De là, il se rendit au terminal des *United Air Lines*, où il attrapa un taxi pour rentrer à Malibu. Aux environs d'une heure et quart, il reprenait la route de Bel Air au volant de la Bentley grise et, à peine rentré, sombrait dans un profond sommeil dans le lit de Howard. C'était la première fois depuis des mois qu'il se passait de somnifère.

– Une saccharine ou deux dans votre café, monsieur?

– Une seule suffira, répondit Teddy, le nez ostensiblement plongé dans son *Los Angeles Times*.

– Un petit déjeuner plutôt sobre, ce matin, commenta Stanner en déposant le bol sur la table roulante.
– Mouais.
– Des petits va-et-vient tardifs, hier soir...
– Je suis en train de lire, David.
– Je crois avoir entendu le bruit de la voiture vers une heure. En fait, cela m'a réveillé.
– Des cambrioleurs sans doute, répliqua Teddy, l'œil rivé au *Times.*
– Des cambrioleurs?
– Peut-être en voulaient-ils à votre pucelage? Mais j'ai, hélas, l'impression qu'ils sont repartis bredouilles.
– Si votre hypothèse avait été la bonne, je vous assure qu'ils auraient eu ce qu'ils voulaient.
– Vous ne doutez de rien, mon vieux.
D'un geste automatique, Teddy prit le bol et le porta à ses lèvres.
– Alors, qu'en pense monsieur?
– Le train-train quotidien.
– Je ne parle pas des nouvelles, mais du café.
– Pas mal.
Jamais le maître de céans n'avait sucré son café, ni son thé. Pas une seule fois!
Repliant le journal, Teddy jeta un coup d'œil à sa montre.
– Je suis en retard, déclara-t-il en se levant.
– Que lui avez-vous fait, monsieur?
Décontenancé, Teddy demanda :
– Fait à qui?
– A Howard Bluestern, répliqua Stanner.
Teddy jeta sa serviette sur la table après s'être essuyé les lèvres.
– Je l'ai habillé, je l'ai nourri, et à présent je vais l'accompagner aux studios, si vous n'y voyez pas d'inconvénient.
Et il tourna les talons.
– Vous ne m'avez pas répondu. Qu'avez-vous fait de lui, monsieur?
Se retournant avec brusquerie, Teddy explosa.

– Mais de quoi parlez-vous, espèce de petit pédé?
– Pédé, peut-être, mais pas idiot.
– Écoutez, mon vieux, je sais que vous cherchez une place plus intéressante...
– Mais, monsieur, je n'ai même pas...
– ... et je ne vous le reproche pas : ce doit être plutôt monotone, ici. Alors je vais m'en occuper, d'accord? Comptez sur moi, mais un peu de patience.
– Vous m'avez mal compris, monsieur, répliqua paisiblement Stanner. Je voulais seulement savoir ce qu'était devenu le Howard Bluestern que je connaissais si bien, ou plutôt que nous connaissions si bien, tous les deux. Vous avez beaucoup changé, monsieur, c'est tout ce que...
Teddy le dévisagea, lèvres serrées.
– C'est en citrouille que je vais me changer, si je ne file pas dans les deux minutes.
Il quitta la pièce comme une fusée, sans se retourner, conscient de s'en être mal sorti avec Stanner. Mais il s'en fichait, parce que ça s'était quand même assez bien terminé. La seule façon pour que cela se soit encore mieux terminé, c'eût été de massacrer sur place cette méprisable petite lope. A présent, il ressentait ce que Diane avait dû éprouver lorsqu'elle avait brandi le tisonnier.
Sur la route des studios, il se dit qu'il était temps de trouver un nouvel emploi à David Stanner, non seulement dans son intérêt à lui, mais aussi pour éviter le pire à ce petit fumier.
Et même s'il résolvait ce problème, sa tranquillité ultérieure en serait-elle assurée?

9.

Jo Anne était fraîche comme une rose.

– Quels sont les oracles pour ce vendredi, fastes ou néfastes? demanda-t-il d'un ton badin.

– Qui vivra verra.

Il ne pouvait s'empêcher de la dévorer des yeux.

– Je ne sais pas ce que tu en penses, mais c'est déjà difficile de faire tourner ces sacrés studios en temps ordinaire. Si ça doit être néfaste, en plus...

Elle éclata de rire.

– Ne te donne pas la peine de me jeter à la porte, je démissionne.

– Sérieusement, reprit-il, tu ne trouves pas aberrant de passer de mes bras au rôle de la parfaite secrétaire? On est tous les deux au septième ciel, et la seconde d'après, je suis là à te dicter mes instructions, et toi tu réponds : oui, monsieur Bluestern.

– Les femmes savent mieux s'adapter que les hommes sur ce terrain, Howard chéri. Certainement, monsieur Bluestern. Si les choses en arrivent au point que je me sente incapable de les maîtriser, je t'enverrai une note en trois exemplaires.

– Ce n'est pas tant pour toi que je me tracasse, mais plutôt pour moi.

– Alors voilà ce que je te propose : Mlle Fahnsworth me remplace à ton secrétariat, et moi, je m'installe dans son bureau.

Avec une grimace, il répliqua :
– Je n'en suis pas encore à ce point de désespoir. Tu allais me dire autre chose...
– Oui. Stan Howe, le responsable de l'intendance des studios, sera ici dans une vingtaine de minutes...
Le plus tôt sera le mieux, songea Teddy, repensant à son récent accrochage avec Stanner et à l'urgence qu'il y avait à trouver un nouveau boulot à ce minable.
– En outre, une certaine Miss Mac Vorter a appelé...
Son cœur cessa de battre... Diane... que voulait-elle à Howard?
– Elle est, m'a-t-elle dit, une amie de ton frère.
– Je la connais. Elle t'a expliqué pourquoi elle appelait?
– Elle voulait te voir d'urgence. Elle n'a pas précisé la raison. Il n'y en aurait pas pour plus d'un quart d'heure, selon elle. À moins que tu ne sois libre pour déjeuner.
Ah, bon Dieu, c'était bien la dernière personne devant laquelle il avait envie de jouer son numéro.
– J'avais l'intention de filer à Malibu dès que possible.
– Alors ne change surtout rien à tes projets.
– Tu me rejoins dès qu'ils ouvrent les portes du pénitencier?
– Mais mon chéri, qu'est-ce que tu crois?
– Pendant qu'on y est, j'ai oublié de te dire que nous sommes invités à une réception chez Bea Magnin, ce soir. Huit heures. Pas de tenue de soirée exigée.
Elle fronça les sourcils.
– Petit détail sans importance, Howard, j'aurais quand même préféré le savoir plus tôt.
– J'avais peur que tu ne refuses et ne me laisses seul pour le week-end.
– Tu crois que je t'aurais dit non?
– Je n'étais pas sûr que tu aies envie de te montrer en public... avec moi.
Elle le regarda dans les yeux, comprenant à demi-mot. De fait, il avait pensé qu'elle n'accepterait pas, à cause de la notoriété qui entourait les soirées de Bea Magnin. Jo Anne risquait de passer inaperçue au milieu des célébrités

qui s'y pressaient. Elle n'aurait pas été la première à ne pas supporter de se voir ainsi éclipsée. Sa Majesté Bea elle-même risquait l'infarctus si elle venait à apprendre qu'une simple secrétaire s'était introduite dans le cercle hyperfermé de ses soirées. Sa rancœur vis-à-vis de Howard Bluestern en serait éternelle.

Devant la perplexité de Jo Anne, Teddy reprit :

– Des problèmes?

Avec un sourire, elle répondit :

– Non, c'est parfait. Par bonheur, j'ai apporté dans la voiture une toilette appropriée.

– Même et surtout si tu apparaissais vêtue de tes seuls charmes, tu serais le point de mire de la foule.

D'un geste mutin, elle lui embrassa le bout du nez.

– Bien, que décides-tu pour Miss Mac Vorter?

Plus d'échappatoire. A quoi bon différer?

– Dis-lui que c'est d'accord pour qu'on prenne un verre, mais c'est tout. Au bar du *Polo Lounge*, à midi.

– Tu ne préfères pas que je retienne une table?

– Non, non. A présent, j'aimerais que tu me joignes Victor Lampkin.

– Il a déjà appelé. Voilà le message qu'il a laissé...

Elle feuilleta son bloc.

« J'ai apporté moi-même le chèque à son destinataire, très tôt ce matin. Il semblait satisfait, ce qui n'étonnera personne », et c'est signé : « Votre très critique et, néanmoins, obéissant serviteur. »

– C'est tout?

– Non, il y a également un certain Marty Wallach et un certain Liam O'Toole qui, si j'ai bien compris, sont en passe de devenir tes ex-assistants de direction. Ils aimeraient passer te faire leurs adieux. Je leur ai répondu que tu étais très occupé, et Wallach m'a rétorqué que lui aussi l'était... à se chercher un nouvel emploi.

– O'Toole avait aussi à me parler?

– Il a marmonné quelque chose à propos de joli métier et de dégraissage.

– A ton avis, il faut que je les voie?

– Je pense que cela vaut mieux.

– Merci pour le conseil, répondit-il, sachant qu'elle avait raison.

Howard les aurait sûrement reçus. Il n'y avait rien d'autre à en penser, et il devrait s'en accommoder.

– Bon. Va les chercher.

Le temps qu'il s'asseye à son bureau, Jo Anne était de retour.

– MM. Wallach et O'Toole sont là.

– Qu'ils entrent.

A nouveau, il se leva : mieux valait rester debout, pour le cas où l'un des deux deviendrait violent. Il imaginait que les caméras tournaient, qu'il était sous les projecteurs et qu'il avait intérêt à ce que la première prise soit la bonne, parce que ses deux visiteurs étaient des ennemis plus que potentiels, qui ne mettraient pas cinq secondes à alerter tout le monde s'ils devinaient que Teddy n'était un imposteur.

Ils entrèrent, traînant dans leur sillage des relents de whisky et un halo d'amertume, en dépit des sourires douloureux qu'ils affichaient. Wallach était mal rasé, les cheveux en bataille. Quant à O'Toole, son rictus révélait une rangée de dents jaunâtres, mal plantées.

– Salut... les gars.

– On sait que vous êtes débordé, Howard, attaqua Marty Wallach, mais, on ne voulait pas quitter le navire en détresse sans agiter les mouchoirs.

D'un air solennel, il tendit sa main droite.

– Tous nos remerciements. Et ce n'est pas une plaisanterie.

Teddy leur serra la main avec circonspection.

– Je ne vois pas pourquoi vous me remerciez, je ne suis pour rien dans cette histoire. C'est New York qui a tout décidé.

– La modestie vous perdra, Howard, rétorqua Wallach. C'est chasse gardée, ici. Aucun braconnier ne peut prendre le moindre lièvre au collet sans que vous le sachiez.

– Et que vous lui tordiez le cou vous-même, murmura O'Toole, souriant toujours.

– J'espère tout de même que Seligman vous a dit à quel point j'ai été surpris, poursuivit Teddy. Parce que moi, je comptais sur votre jeunesse, votre expérience, votre dynamisme, votre vivacité...

– La peau de mes burnes, oui, ça, vous pouviez compter dessus! ricana Wallach. On était prêts à consacrer vingt-quatre heures par jour à chercher une combine pour se tirer d'ici légalement...

– Vingt-cinq, tu veux dire, renchérit O'Toole.

– Et voilà que vous nous apportez la solution sur un plateau, sans qu'on y perde un rond! C'est nous qui vous devons une fière chandelle, Howard, on vous le rendra au centuple à l'occasion, et les occasions, croyez-moi, ce n'est pas ce qui manque! Parce que c'est aux toilettes qu'ils vont, les studios, avec vous pour tirer la chasse d'eau...

– Bon, cela suffit maintenant! Un instant...

Howard n'aurait jamais supporté un tel discours. Il appela Jo Anne à l'interphone.

– Miss Kallen, trouvez-moi Edgar Seligman, où qu'il soit, et passez-le moi...

– Vous ne croyez quand même pas vous en sortir en appelant tout le patelin à la rescousse et nous enfoncer encore un peu dans la merde?

– Je vous conseille de raccompagner ce malade que vous semblez considérer comme votre ami, monsieur O'Toole.

Le coup du mépris à la Bluestern.

– Je ne pense pas que ce soit le moment d'y toucher, monsieur.

– Monsieur Bluestern, vous avez Edgar Seligman en ligne, intervint la voix de Jo Anne.

Le visage de Marty Wallach s'empourpra.

– Dites-lui de ma part que comme menteur, il est encore pire que comme juriste.

– Scotty, j'ai Marty Wallach et Liam O'Toole dans mon bureau, et je voudrais qu'ils entendent bien les instructions que je vais vous donner, et qui remplacent ce dont nous étions convenus précédemment. Dorénavant, c'est pour faute grave entraînant rupture de contrat qu'ils sont licenciés. Aucune indemnité ne leur sera versée. Qu'ils nous intentent un procès s'ils en ont les moyens, mais je doute fort que cela les mène loin, car je ne vois pas de studios assez débiles pour les embaucher comme nous l'avons fait... Très bien, dès que vous aurez raccroché, appelez la comptabilité et dites-leur de déchirer les chèques. Merci d'avance, Scotty.

Reposant l'appareil, il fit face aux deux hommes.

– Adios, muchachos.

Impulsivement, Wallach se précipita vers lui, l'écume aux lèvres, mais O'Toole l'intercepta.

– Hé, du calme...!

Ils s'empoignèrent sous les yeux de Teddy.

– Ôte tes bon Dieu de sales pattes...

– Du calme, Marty...

– Je vais lui casser la gueule!

La sonnerie de l'interphone retentit.

– Fin du match, commenta Teddy.

– T'as pas fini d'entendre parler de nous, Bluestern! brailla Wallach, tandis que O'Toole l'entraînait vers la porte.

– En ce qui me concerne, c'est comme si vous n'aviez jamais existé.

Ayant ainsi clos le débat, Teddy se tourna vers l'homme qui entrait dans son bureau.

– Faites vos adieux à Marty Wallach et Liam O'Toole, Stan.

Le responsable de l'intendance des studios, un grand type d'une cinquantaine d'années, s'effaça, interloqué, devant la tornade humaine qui se ruait hors de la pièce.

– Bon sang de bois, que se passe-t-il?

– Deux chômeurs involontaires en route vers l'armée des sans-emplois, expliqua Teddy en l'invivant à s'asseoir.

Une fois installé, son imposant interlocuteur lui adressa un regard un tantinet glacial avant de déclarer :

– Bon, il y a des gens qui m'attendent dans mon bureau.

Toujours debout afin de minimiser leur rapport de taille, Teddy, mal à l'aise, dévisagea son visiteur : pas l'air commode, le mec!

Allez, courage, Howard! Il faut le faire. Ne me laisse pas tomber.

– Voilà, Stan. J'ai un peu réfléchi à propos de votre restaurant-cadres, ou plutôt du restaurant qui est placé sous votre responsabilité.

– Ce qui veut dire, monsieur Bluestern?

– Je vous en prie, appelez-moi Howard...

– Ce qui veut dire?

– Ne croyez-vous pas que nous devrions améliorer, l'atmosphère de ce restaurant?

– La quoi?

– L'atmosphère.

– On peut toujours tout améliorer. Rien n'est parfait, en ce monde. Ainsi, les films que vous avez tournés du temps où vous étiez producteur indépendant, vous les trouvez parfaits, vous?

– Non, pas vraiment. En réalité, je voulais surtout vous demander votre avis sur la personne qui s'en occupe.

– Qui s'occupe de quoi?

– Eh bien, du restaurant...

– C'est mon service qui en a la responsabilité, monsieur Bluestern. Maintenant, si c'est le maître d'hôtel dont vous voulez parler, Mario est un type à la hauteur.

– Combien gagne-t-il?

– Vingt mille par an.

– C'est beaucoup d'argent.

– Peut-être... Vous avez quelque chose contre lui?

– Pas personnellement. Il se peut toutefois que la cuisine italienne...

– Mario Jovanek est aussi italien que vous et moi. C'est un Yougoslave...

– C'est bien ce qui me tracasse...

– Moi, mon seul souci, c'est qu'on ne perde pas d'argent.

– A ce sujet, je pourrais vous proposer quelqu'un de très sérieux, qui ferait bien l'affaire.

– Mario n'a rien à voir avec la gestion du restaurant. Il est là pour le décor.

– C'est bien le drame. Ce qu'il nous faut, c'est un type capable, ayant du charme, quelqu'un qui saurait transformer un simple restaurant en établissement de classe, dont les studios pourraient s'enorgueillir...

– Tout ça pour quelques malheureux metteurs en scène, acteurs et autres impresarios qui viennent de temps en temps parler boutique et discuter de leurs contrats à la gomme! Vous voulez rire, monsieur Bluestern?

– Je ne plaisante pas, monsieur Howe.

– Et comment il s'appelle, votre type?

– David Stanner.

– Qu'est-ce qu'il fait, ce gars-là?

– C'est mon domestique... mais il vaut largement mieux.

– Je ne savais pas qu'il entrait dans nos attributions d'assurer la promotion des génies méconnus. Je pensais que nous étions là pour faire des affaires, point final.

– Et ce restaurant en fait, des affaires, monsieur Howe?

– Pas pour le moment.

– C'est pourquoi j'aimerais que vous receviez Stanner lundi matin, à l'heure qu'il vous plaira.

– Pas question! Je n'ai pas l'intention de virer Mario Jovanek. Il connaît bien son boulot, et des gens comme ça, on n'en trouve pas tous les jours. Faites-en un producteur indépendant, de votre domestique. Ou ce que vous voudrez...

– J'ai une meilleure idée! Commencez plutôt à vider votre propre bureau...

– Pas la peine! aboya son interlocuteur en se levant. Dès que vous aurez nommé votre sœur femme de ménage, je lui demanderai de s'en occuper.

– Si j'avais une sœur, je vous ferais regretter vos paroles.

– C'est vous qui avez de la veine d'être fils unique, rétorqua Stan Howe en prenant la porte.

Teddy en tremblait encore lorsqu'il appela Seligman.

– Vous auriez dû me contacter d'abord, Howard. Nous venons de lui renouveler son contrat. Cent cinquante mille dollars annuels, garantis pour quatre ans. Que vous vous preniez de querelle avec les gens, c'est votre affaire, mais pas lorsqu'ils nous coûtent six cent mille dollars.

– Bon, mais alors que faut-il que je fasse? C'est quand même moi qui donne les ordres, non? Lui, il exécute, voilà tout.

– A votre place, je le caresserais dans le sens du poil.

– Alors, filez le voir et occupez-vous- en.

– Ah non, Howard! C'est votre affaire, pas la mienne.

– Considérez que je vous passe le manche et ne perdons plus de temps, voulez-vous, Scotty?

Après avoir raccroché, il se prit la tête entre les mains.

David Stanner n'avait pas encore quitté ses fourneaux! Il n'avait pas progressé d'un centimètre!

Diane avait rencontré Howard Bluestern une seule fois, un an plus tôt, au cours d'une gigantesque réception au *Hilton* de Beverly où se pressaient des milliers d'invités. A l'époque, elle n'avait pas été frappée par son évidente ressemblance avec Teddy. En le voyant traverser le bar pour la rejoindre, elle aurait juré que c'était ce dernier qui arrivait. Et pourtant quelques petites différences sautaient aux yeux.

Howard était vêtu de façon traditionnelle (ce qui n'était pas pour l'étonner, d'ailleurs), et il y avait quelque chose de compassé, de rigide dans son allure. Avant qu'il n'ait desserré les lèvres, elle ressentit l'arrogance, la morgue dont il était imprégné et qui contrastait avec la désinvolture de Teddy. Il lui manquait aussi cette chaleur naturelle qui émanait de son frère (cela, elle ne pouvait pas le lui enlever, à ce petit salopard). Malgré le sourire qu'il lui adressa quand il la vit, elle discerna une grande froideur dans son regard.

Mal à l'aise, elle saisit son verre et avala une longue

gorgée de bourbon, malgré sa résolution de garder la tête claire afin de ne pas gâcher leur entretien.

– Diane?

– Comment allez-vous, mon cher Howard?

Elle lui tendit sa joue. Il y déposa un chaste baiser.

– Très heureux de vous revoir, ma chère. Cela fait des lustres, beaucoup trop même.

– En effet.

Qu'est-ce qui m'empêche de croire en la sincérité de ses bons sentiments? se demanda-t-elle, tandis qu'il embrassait la salle du regard en se hissant sur le tabouret de bar proche de celui de la jeune femme. Lorsqu'il braqua ses yeux bleus sur elle, un léger frisson la parcourut, tant sa ressemblance avec son frère était frappante.

– Vous semblez en pleine forme, observa-t-il.

– Merci. Vous aussi.

– Vous et votre avion participez toujours à la campagne pour les économies d'énergie?

– Chaque fois que l'occasion se présente. Mais comment savez-vous cela?

– Je... euh...

Il semblait décontenancé.

– C'est Teddy qui m'en a parlé. Que buvez-vous?

– Un *Wild Turkey* avec de la glace.

– C'est du scotch?

Elle éclata de rire. Le pauvre chéri!

– Mais non, c'est du bourbon.

– Oh...

D'un geste, il héla le barman.

– Donnez-moi la même chose!

– Certainement, monsieur Bluestern. Un double aussi, monsieur?

– La même chose.

A nouveau, il se tourna vers elle.

– Excusez-moi. Je bois peu.

– Quelle chance! Espérons que je ne vous entraînerai pas sur la pente savonneuse.

– Je reste sur mes gardes... Ma chère, je dois d'abord vous demander pardon pour la brièveté de ce rendez-vous.

Je suis navré de ne pas avoir le temps de vous inviter à déjeuner...

– Je vous en prie, Howard, c'est déjà plus que gentil de vous être arrangé pour me voir.

Comme il regardait discrètement l'heure, elle remarqua la montre à aiguilles qu'il portait au poignet. Pas le dernier cri du modernisme digital japonais!

– J'ai laissé nos coordonnées au bureau, et il se peut qu'on m'appelle de New York, commenta-t-il. J'espère que non. Bien... Si nous en venions à ce que vous vouliez me dire. Attendez, laissez-moi deviner. Teddy et vous allez vous marier?

Attention, Diane, fais très attention! Ne te mets surtout pas à pleurer.

– Ce n'est pas tout à fait cela, Howard. Ce n'est même pas du tout cela.

– Ah?

Évitant son regard, elle avala une gorgée de bourbon.

– Teddy ne vous a rien dit à notre sujet?

– Pas vraiment. D'ailleurs, nous nous parlons assez peu, tous les deux...

– Quand l'avez-vous vu pour la dernière fois?

– Hier. Non, en réalité il m'a simplement appelé pour me dire qu'il partait.

– Qu'il partait?

– Oui, au Mexique, pour un tournage d'à peu près d'une semaine...

Mais bien sûr! D'un coup, elle comprit. Le travail n'était qu'un prétexte. En réalité, il était allé se mettre au vert, le temps que ses blessures à la tête guérissent.

– A ce propos, je m'installe chez lui pour profiter de la plage pendant le week-end.

– Quelle bonne idée! déclara-t-elle en reprenant son verre pour se donner une contenance.

Saisissant le double *Wild Turkey* que lui tendait le barman, Howard fit le geste de trinquer.

– Portons un toast à vos amours.

A peine avait-il bu qu'il ne put réprimer une légère grimace.

– Bon sang, c'est fort!
– J'aurais dû vous prévenir.
Elle avala une autre longue gorgée d'alcool. Au diable les bonnes résolutions! Cette fois, elle en avait besoin. Pour rien au monde, il ne fallait qu'elle rate l'occasion qu'il venait de lui offrir. Des occasions comme il ne s'en présenterait peut-être plus.
– Howard, le temps nous est compté, aussi j'irai droit au but. Votre frère et moi avons eu une épouvantable dispute... vraiment épouvantable...
– Vous me voyez navré de l'apprendre...
– Pour être honnête, lorsque j'ai appelé votre bureau, j'avais l'intention de vous demander de parler à Teddy, de plaider ma cause, enfin, de faire votre possible pour nous réconcilier parce que je crois que je suis vraiment la femme qu'il lui faut, et que j'étais désespérée...
– Je veux que vous le sachiez, je suis prêt à vous aider dans la mesure de mes moyens, Diane.
– Eh bien, puisque vous me dites que Teddy est absent pour un moment et que vous allez vous installer chez lui...
– Seulement pour le week-end, intervint-il.
– Il y a en effet une chose que vous pourriez faire... enfin, si vous désirez réellement m'aider. Parce que, après tout, c'est votre frère...
– Je vous écoute, Diane.
– J'en reprendrais bien un...
– Mais certainement.
Il héla le barman.
– Un autre verre pour Miss Mac Vorter, je vous prie.
– Bien monsieur. Et vous?
– Oui, je vais lui tenir compagnie.
Il se tourna vers la jeune femme.
– Allez-y, ma chère, dites-moi tout.
– Eh bien, voilà. Hier, j'ai débité des insanités à votre frère par téléphone. Et quand je dis insanités, je n'exagère rien, Howard. Pour toute excuse, si tant est que c'en soit une, il faut dire que je n'étais pas sobre, à ce moment-là.

Impulsivement, elle posa sa main sur la cuisse de Howard – oh, bon Dieu, ce Bourbon lui tourneboulait les esprits! L'espace d'un instant, elle avait oublié que ce n'était pas Teddy qui se tenait devant elle.

– Alors je lui ai dit un tas de choses horribles et, manque de chance (cela devient chronique, ces derniers temps), Teddy a tout enregistré, vous savez, sur ce sacré appareil qu'il utilise pour répondre au téléphone. Il a fait une bande sur laquelle il y a notre conversation et, bien sûr, ces horribles choses que je lui ai dites. Il m'a avertie qu'il allait la mettre de côté pour qu'elle serve de preuve au cas où je chercherais à le tuer, ou même si j'essayais de le revoir un jour...

– Allons, allons, il ne ferait jamais une chose pareille, Diane!

– On voit que vous ne le connaissez pas bien, Howard! Il n'est pas du tout comme vous. Moi qui j'ai eu l'occasion de le voir autrement, je peux vous dire que quand il boit... eh bien... cela m'ennuie de vous parler ainsi, mais il m'effraie... sérieusement...

– Puisque nous en sommes au chapitre boisson...

Du doigt, il lui montra le verre que venait d'apporter le barman.

A nouveau ils trinquèrent et burent, ce que Diane prit pour un encouragement de sa part. Après tout, ce n'était pas un mauvais bougre, juste un peu guindé, pompeux...

– Vous savez, Howard, vous n'êtes pas antipathique.

– Merci.

– Je le dis comme je le pense.

– Je n'en doute pas un instant.

– Alors peut-être accepterez-vous de me rendre un grand service?

– Quel genre, mon petit?

– Me trouver cette affreuse bande. Fouiller parmi ses cassettes, celles qu'il met dans le tiroir, sous le répondeur et d'ailleurs, n'importe où dans la maison, trouver cette horreur où il m'a enregistrée, où il essaye de faire croire que je l'ai frappé à la tête avec un tisonnier et moi, je laisse entendre que je l'ai fait... oh, bon Dieu, qu'on était bourrés tous les deux! Et puis je l'ai engueulé à cause de cette autre nana... Mais laissons ça pour le moment et... Enfin il me faudrait cette bande, Howard, parce que s'il l'écoute encore, il recommencera à me détester et ce n'est pas ce que nous voulons...

– Certainement pas. Nous n'y tenons ni l'un, ni l'autre.

A nouveau, ils burent ensemble.

– Vous ne direz rien de cette conversation à Teddy, n'est-ce pas?

– Il n'en saura rien.

– Jurez-le-moi, Howard.

– Croix de bois, croix de fer...

– Vous allez me la trouver et me la donner, la bande, n'est-ce pas? Pour que je sois certaine que Teddy ne pourra jamais réentendre ces horribles paroles que je lui ai dites.

– J'essaierai, Diane. Je ferai de mon mieux, je vous le promets.

– Oh, vous êtes fantastique, Howard!

Elle était tellement soulagée, à présent, soulagée et dans les brumes de l'ivresse!

– Voulez-vous que je vous accompagne pour vous donner un coup de main?

– Un coup de main?

– Afin de retrouver la bande. Je connais très bien la maison...

– Non, Diane.

– Pourquoi?

– Non, je la trouverai seul, ne vous inquiétez pas.

– Mais je pourrais vous aider.

– Je n'ai pas besoin d'aide.

– Qu'en savez-vous?

– Je ne tiens pas à avoir de la visite ce week-end, Diane.

– Je ne suis pas une visite. Je suis la fiancée de votre frère.

– Désolé, mais je ne serai pas seul. Une amie vient passer ces deux jours avec moi.

– Une petite amie?
– Exactement.
– Et alors? Je ne resterai pas. Je vous accompagne et on fouille tous les tiroirs, voilà tout. Dès qu'on aura la bande, je m'en vais, c'est juré. Vous n'avez pas idée à quel point ça me tracasse, cette cassette. J'en ai la chair de poule... Eh, minute, où allez-vous?

Déjà, il était debout et jetait quelques billets sur le bar d'un air agacé.

– Eh bien, Howard, qu'y a-t-il?
– Je suis en retard. Il faut que je parte.
– Bon, écoutez, Howard... d'accord... je ne vous accompagne pas. Vous avez raison, vous n'avez pas besoin de moi, vous êtes assez grand pour chercher tout seul.
– Au revoir, Diane.
– Attendez!

Elle dut faire un gros effort pour descendre de son tabouret.

– Vous me la trouverez, cette bande, Howard?
– Oui, oui...
– Vous n'avez pas changé d'avis?
– Non.
– Et vous m'appelez dès que vous l'avez?
– Oui.
– Vous ne m'en voulez pas?
– Non, mais je suis en retard.
– Bon. On s'embrasse...

Il effleura sa joue d'un baiser.

– Salut, Howard. Vous êtes super. J'apprécie!
– Au revoir, Diane.

Il la quitta d'un pas si vif qu'elle n'envisagea pas d'essayer de le suivre. De toute façon, il lui fallait un autre verre tout de suite. Elle entreprit de se percher de nouveau sur le tabouret mais, devant l'effort considérable que cela représentait, en abandonna le projet. Accrochée au bar, elle leva la tête vers le serveur qui la dévisageait. L'expression qu'il avait, elle connaissait bien. C'était loin d'être la première fois qu'on la regardait de la sorte.

10.

Ah! Pas désagréable de se retrouver chez soi! Si seulement cette Mme Mahoney de malheur ne devait pas arriver d'une minute à l'autre... Si seulement il pouvait garder le maillot de bain qui symbolisait Teddy, au lieu de réendosser les oripeaux et la cravate qui lui donnaient le look de Howard! Pour la première fois de sa vie peut-être, il s'était merveilleusement senti dans la peau de Teddy Stern, courant à perdre haleine le long de l'océan, brûlé par le soleil et rafraîchi par la brise qui balayait la plage, battant son propre record des huit kilomètres qu'il s'imposait quotidiennement, avant de plonger dans le Pacifique à brasses énergiques et revenir se sécher au soleil. Tout en flânant dans la cuisine, il s'était concocté un sandwich, qu'un soupçon de Tequila avait aidé à descendre. Il cherchait à chasser de son esprit les apparitions du fantôme glacé de Howard, errant dans les limbes séparant son trépas à venir de la mort qui l'avait réellement foudroyé peu de temps auparavant.

Il n'avait risqué qu'un bref regard sur l'énorme congélateur, juste pour vérifier que le cadenas n'avait pas bougé. Après quoi, il s'était efforcé d'en repousser le souvenir; il se réservait d'y repenser lorsque le besoin s'en ferait sentir. Toutefois, c'était surtout le spectre de Diane qui lui avait été le plus difficile à oublier.

Comme il défaisait ses bagages dans la chambre, il remarqua le blazer bleu marine que David Stanner avait choisi pour la réception de Bea Magnin. Voilà donc le costume qu'il devrait arborer pour interpréter le rôle le plus difficile qu'il ait jamais eu à faire, et, pour la centième fois, il se demanda s'il était sage de se rendre à cette soirée, s'il ne valait pas mieux se décommander en invoquant une excuse de dernière minute. En effet, c'était une chose d'imaginer que sa présence chez Bea était l'occasion de prouver à toute la corporation du cinéma et, donc à la *Mutuelle de l'Oklahoma*, que Howard Bluestern était en parfaite santé, je vous remercie, et coulait des jours heureux chez lui, à Bel Air... C'en était une autre de prendre le risque de se mélanger les pédales et de tout gâcher irrémédiablement.

Alors qu'il rectifiait le nœud de sa cravate, sûrement la seule à s'être aventurée sur la plage de Malibu par ce magnifique après-midi, il entendit la mère Mahoney garer son vieux tacot Chevrolet devant le garage. Puis un tintement résonna à la porte de service, indiquant qu'elle pénétrait dans la cuisine.

– Ouh, ouh! appela-t-elle. C'est moi, Mme Mahoney! Vous êtes là, monsieur Teddy?

Il se tut, afin qu'elle trouve d'abord son message et en prenne connaissance. Au bout de quelques instants, il se décida à répondre.

– Je suis ici, madame Mahoney. Howard Bluestern.

Elle surgit sur le pas de la porte de la chambre, le message à la main, sa chevelure grise mal peignée comme à l'accoutumée, son visage ridé moite de transpiration. Sans un mot, elle le dévisagea.

– Je suis le frère de Teddy, crut-il bon d'ajouter.

– Comment ça va, monsieur Bluestern?

Elle s'approcha, l'œil braqué sur lui.

– M. Teddy m'a tout raconté à vot' propos. Enfin, pas tout quand même, mais rien que des choses flatteuses, parce que pour vous admirer, il vous admire, M. Teddy! Souvent, je l'ai entendu parler de vous à M. Kramer, son impresario comme il dit. Mais que je suis bête! Vous devez le connaître. C'est vrai que vous êtes lui tout craché! Notez, moi, ça ne me trompe pas. Non, non, moi, je vois bien que vous ressemblez pas tant que ça à M. Teddy; j' suis pas en peine de voir la différence. Bon, et votre amie, elle n'est pas là? Ça vous embête pas que je vous appelle M. Howard, vu que vot' frère, je l'appelle M. Teddy?

– Pas du tout, madame Mahoney. Appelez-moi donc M. Howard.

Et par la même occasion, si jamais quelqu'un te le demande, souviens-toi bien que c'est M. Howard que tu as vu aujourd'hui.

– Merci bien, répondit-elle. Oui, à propos, je vous demandais, pour votre amie...

– Elle n'est pas encore arrivée.

– Ah bon. C'était juste pour savoir. De toute façon, je me mêle pas des affaires de M. Teddy; encore que ça serait pas mal d'y mettre un petit coup de balai... Alors vous pensez bien que je ne vais pas fourrer mon nez dans les vôtres, hein, monsieur Howard...

Il en eut la chair de poule. Vous êtes trop bonne, Mme Mahoney.

– Vous voulez que je vous prépare un petit quelque chose à manger?

– Non, il est trop tard pour déjeuner.

– Je viens jamais plus tôt, parce que M. Teddy, il a de ces heures pour se réveiller! Et de toute façon, il ne mange rien pour déjeuner. Mais s'il m'avait dit qu'il ne serait pas là et que vous alliez venir et tout, je me serais arrangée...

– Madame Mahoney...

– Oui, monsieur Howard?

– Ne vous tracassez pas. Je ne tiens pas à déjeuner.

– Vous ne voulez rien?

– Rien du tout.

– Un petit jus de pamplemousse? On en a du bon, ici!

– Merci, non.

– Un fruit, alors?

– Sans façons, madame Mahoney. D'ailleurs le dîner approche.

– Vous voulez manger ici avec votre amie, ce soir?
– Non, madame Mahoney, nous sortons.
– Ah bon! Alors, je vais m'y mettre. C'est pas l'ouvrage qui manque! M. Teddy est très fort pour laisser du fouillis partout où il passe.

Le téléphone sonna et, presque comme un adolescent, Teddy sentit monter en lui le fol espoir que ce soit Jo Anne qui appelle Howard, tant son envie d'entendre sa voix était grande. Il décrocha l'appareil, mais il entendit la secrétaire de Sam Kramer enregistrer un message sur le répondeur. Emportant le téléphone aussi loin de Mme Mahoney que le fil le permettait, il interrompit l'enregistrement et prit la communication. Il parlait bas, de sa propre voix et non de celle de Howard.

– Coucou, c'est moi, ma puce.
– Je vous serais reconnaissante de ne pas m'appeler « ma puce », monsieur Stern. Ne quittez pas, je vous passe M. Kramer.
– Mille pardons, Ruth.

Kramer vint en ligne, déjà en plein discours.

– ... ça devient impossible de te joindre. Ça t'arrive de passer chez toi?
– Qu'est-ce que tu racontes, Sam? Tu n'as rien laissé sur le répondeur.
– Je ne laisse jamais de message, sauf si j'y suis obligé. Tu le sais, je ne parle pas aux machines. Ça me rend malade. Pourquoi tu ne te mets pas aux abonnés absents comme tout le monde?
– Et pourquoi tu ne me dégottes pas les mêmes rôles que l'impresario de Redford? Quand on en sera là, on reprendra cette conversation sur les machines et le service des abonnés absents, promis, Sam. Bon, qu'y a-t-il de si urgent?
– Voilà. Je sais que ça ne t'emballera pas, mais c'est bien payé et c'est un petit boulot pas long et pas tuant...
– Arrête les frais. Dis-moi de quoi il s'agit.
– Commence pas à t'énerver, Teddy...
– Qu'est-ce qui te fait croire que je m'énerve? Alors, c'est quoi, ce boulot?

– Un petit rôle dans *Trixie et le sergent*, mais ils sont prêts à aller jusqu'à dix-sept cent cinquante, rien que pour t'avoir trois jours...

– Oh, merde!

– Eh oui, je sais.

– C'est un truc sûr?

– Presque.

– Ça veut dire quoi, presque? C'est sûr ou ça ne l'est pas?

– Eh bien, le réalisateur, Jud Fleming, voudrait te voir d'abord. En fait, ce serait pour cet après-midi. A quatre heures, aux studios *Universal.*

– Autrement dit, il veut me faire passer une audition avant de signer.

– Ne te fâche pas! Tout ce qu'il veut, c'est te voir.

– Écoute, Sam, que toi tu acceptes ce genre de salades, c'est ton problème. Mais, n'essaie pas de me les faire gober à moi.

– Tu y vas ou pas?

– Jud Fleming à quatre heures. Bon, j'y serai.

Adieu le super après-midi sur la plage. Dieu sait s'il en avait besoin. Seulement voilà, il avait aussi bougrement besoin de saisir toute occasion de démontrer que Teddy Stern existait autant que Howard Bluestern. Il se sentait capable de se tirer des pattes d'un ringard dans le genre de Fleming, de manière à revenir dans la peau de son frère en un rien de temps.

– Bon, écoute, Sam, non que ça intéresse grand monde, mais à partir de maintenant, pour le cas où on te le demanderait, à toi ou à Ruth, je ne suis pas en Californie dans les jours qui viennent. Je suis à Mazatlan, au Mexique, sur un tournage de pub pour une boîte canadienne. Vu?

Kramer laissa échapper un hoquet de stupéfaction.

– Voilà autre chose!

– Il faut que je me débarrasse d'une nana qui commence à me fatiguer, mais ça ne va pas être de la tarte!

– Tu n'as jamais pensé à tourner dans un porno?

Comme tu n'arrêtes pas, on pourrait se faire du fric avec ça.

– Je suis ton homme. Trouve-moi le bon coup, mais rappelle-toi : je suis cher.

– Tu crois que je blague, hein?

– Non, répondit Teddy. C'est toi qui crois que moi, je blague.

– Fais le truc de chez *Universal,* et pour les films cochons, on en reparle la semaine prochaine.

– N'oublie pas, Sam... Mazatlan.

– Ne t'inquiète pas, c'est noté.

Après avoir raccroché, Teddy jeta un coup d'œil à sa montre. Allez hop, encore un tour de carrousel infernal!

Il repassa dans la chambre à coucher prendre un blue jean, une chemise western et une paire de bottes qu'il fourra dans un sac de toile, puis revint dans le living où il cria à l'intention de Mme Mahoney.

– Si on me demande, je serai de retour d'ici quelques heures.

– Ne vous pressez pas pour moi, monsieur Howard, lui répondit-elle de la cuisine.

– Soyez gentille de noter les messages.

– Entendu.

Il sortit par le patio, le sac à la main, monta dans la Bentley et fila aussi vite que le permettait la circulation du vendredi jusqu'au parking du *Sheraton Universal Hotel*, à deux pas des studios eux-mêmes. Dans les toilettes, il troqua sa tenue de Howard Bluestern pour celle de Teddy Stern et, après avoir roulé les vêtements de son frère dans le sac en toile, déposa celui-ci dans la voiture. Ensuite, il se dirigea vers les studios et se présenta au bureau de Jud Fleming. Il était quatre heures dix.

– Il vous attend, lui annonça la secrétaire avec réprobation. Entrez, je vous prie.

Fleming ne daigna pas lever les yeux de la paperasse qui encombrait sa table de travail. C'était un type pâlichon, d'une quarantaine d'années, au visage orné d'une paire de lunettes sans monture et d'une grande barbe grisonnante qui, à en croire la rumeur, avait pour objectif de dissimuler une absence totale de menton.

– Vous êtes en retard, Stern, lâcha-t-il, le nez dans ses documents.

– Navré, répondit Teddy avec un sourire confus. Je me suis fait piéger à une audition pour un nouveau feuilleton que va tourner la *Columbia.*

Le réalisateur leva la tête. Il avait un sourire cynique.

– Ah? Kramer m'avait pourtant dit que vous étiez tout ce qu'il y a de plus libre.

– Je n'ai jamais prétendu le contraire.

– Bon. Asseyez-vous.

– Je préfère rester debout. C'est un bon exercice pour garder son équilibre.

– Comme vous voudrez.

– Vous avez déjà été acteur, Fleming?

– Sûrement pas!

– Vous n'avez donc pas la moindre idée du malaise qu'il y a à être examiné comme du bétail.

– Pourquoi? C'est comme ça qu'ils vous regardent, à la *Columbia*?

– Non, mais vous, oui.

– Je ne suis pas en train de vous examiner. Je voulais simplement bavarder un peu.

– A quel sujet?

Saisissant un trombone, Fleming le déplia et entreprit de se curer les ongles.

– Je m'intéresse à un long métrage que les studios dont votre frère est président sont sur le point de tourner; ça s'appelle *Passe-passe.*

– Ouais, j'ai entendu parler de ça.

– Je n'ai encore jamais réalisé de long métrage. Je ne serais pas contre commencer par celui-là.

Sans rien dire, Teddy le dévisagea quelques instants.

– Et je fais carrière avec vous trois jours, à condition d'en glisser un mot à mon frère, c'est ça?

– Pourquoi imaginez-vous qu'on vous propose du boulot, Stern? Vous croyez que c'est pour votre talent?

– J'ai en effet la faiblesse de me trouver assez bon.

– Vous croyez qu'on a besoin d'être bon pour tourner une merde dans le genre de *Trixie et le Sergent*?
– Si c'est tellement mauvais, pourquoi le faites-vous?
– Simplement parce que vous n'avez pas encore vu votre frère.
– Je me demande...
– Vous vous demandez quoi? Pourtant, votre impresario m'avait l'air d'avoir les dents longues! D'ailleurs, j'ai accepté d'aller jusqu'à quinze cents...
– Dix-sept cent cinquante.
– ... ouais, dix-sept cent cinquante, juste pour qu'il ne me claque pas entre les pattes par téléphone.
– Je ne sais pas si...
– Vous le voulez, ce rôle, ou quoi?
– Si je dois vous placer auprès de Howard Bluestern comme réalisateur de cinéma, il faudrait peut-être que je sache ce que vous avez déjà fait à la télé...
– Vous vous foutez de moi!
– Je vous connais de nom, Fleming, pas de réputation.
– Ne charriez pas, Stern!
– Parlez-moi de vous.
– Bon, ça va, vous avez fait votre numéro...
– Et si on choisissait une scène parmi le stock de scénarios qui sont là, et que vous me donniez ici, dans le bureau, un aperçu de votre style de réalisation? Je ferais la caméra.
– Pas la peine de m'appeler, et comptez pas sur moi pour le faire! s'écria Fleming en rassemblant ses papiers.
– Alors, ce rôle, je ne l'ai pas?
– Pas question!

Le temps que Teddy remette les vêtements de Howard et qu'il regagne Malibu dans les monstrueux embouteillages de cette fin d'après-midi, Jo Anne l'attendait déjà, allongée sur une chaise longue, à profiter des derniers rayons du soleil dans le patio.
– Excuse-moi, dit-il en se penchant pour déposer un léger baiser sur ses lèvres frémissantes.

– Ne t'inquiète pas, répondit-elle. Mme Mahoney m'a donné à boire, et j'en ai profité pour me détendre. J'aime bien la maison de ton frère. Elle est ravissante.

– Parfait.

Il s'installa dans la chaise longue voisine. Après l'avoir regardé quelques instants, Jo Anne s'enquit.

– Et toi, ça va?

– Je me suis fait coincer en réunion avec *l'Association des producteurs.*

– Comment ont-ils su où te trouver?

– C'est moi qui ai commis l'erreur de les appeler. Tu as cherché à me joindre?

– Non, dit-elle. Il y a eu un appel de l'extérieur. M. Van Slyke à New York...

Le Président du conseil d'administration? Le Numéro Un en personne?

– Pourquoi ne m'as-tu pas prévenu?

– Son secrétaire m'a précisé qu'il était inutile de te déranger. C'était simplement pour t'informer que le conseil d'administration t'attendait à New York jeudi prochain à midi, afin de discuter des projets de films que tu leur as proposés.

New York... Le conseil d'administration... Oh, bon Dieu...

– M'informer, c'est bien l'expression qu'il a employée?

– Oui, oui. Enfin, pour être tout à fait honnête, il n'a pas dit « discuter » mais « défendre » tes projets.

– Magnifique!

Allez, Howard, avec un peu de chance tu seras mort d'ici jeudi, loin des griffes de Winthrop Van Slyke et de son équipe de membres du conseil d'administration. Mais si, par hasard, tu manquais de chance...?

Il sentit soudain une onde de colère monter en lui. Sans qu'il en ait clairement conscience, il lui sembla que c'était contre Howard et non contre lui-même qu'il s'emportait. Il se demanda par quel mystérieux processus tous les Winthrop Van Slyke de la terre arrivaient à déclencher cette sorte de réflexe atavique de défense, et corollairement d'agressivité, chez ceux à qui ils avaient affaire; agressivité qui pouvait aller jusqu'à se muer en pulsion meurtrière.

Réprimant ces mauvaises pensées, il se leva et se dirigea vers la porte à glissière pour appeler Mme Mahoney qui arriva en trottinant.

– Oh, vous v'là de retour, monsieur Howard! Je vous avais pas entendu.

Lui tendant le verre de Jo Anne, il déclara :

– Miss Kallen en prendrait volontiers un autre. Et pour moi, trois doigts de Tequila dans un grand verre de jus d'orange avec de la glace, si toutefois il y en a ici.

– Et comment! Je dirais même que M. Teddy baigne quasiment dedans.

– Est-il nécessaire de divulguer les petites faiblesses de mon frère, madame Mahoney?

D'un air vexé, elle répondit :

– Pour ça, il s'en charge tout seul.

Là-dessus, elle disparut leur chercher à boire et revint les servir dans le patio. Comme elle ne manifestait pas l'intention de s'éclipser, Teddy l'interrogea du regard.

– Vous voulez rien d'autre, monsieur Howard? finit-elle par demander.

– Non, je ne pense pas. Vous avez fini ce que vous aviez à faire?

– Moi, mon travail, je le termine. C'est pas comme certains.

– Alors il ne nous reste plus qu'à vous souhaiter un bon week-end.

– Merci, monsieur Howard. Mais d'abord, je voudrais vous dire deux mots en privé.

– Miss Kallen fait partie de la famille. Il n'y a aucun secret entre nous.

– Veux-tu que j'aille à l'intérieur? s'enquit la jeune femme, vaguement contrariée.

– Ne sois pas bête. Ne bouge pas. Alors, madame Mahoney, de quoi s'agit-il? Mon frère vous fait des misères, il vous sous-paye?

– Non, monsieur. C'est pas ça, mais... Je m'excuse de vous embêter avec mes histoires, miss...

– Vous ne m'embêtez pas, coupa Jo Anne.
– Voilà, monsieur Howard. Il y a mes deux filles, mes deux gendres et puis mes petits-enfants, cinq ils sont en tout, qui viennent dimanche. On va faire un barbecue. En plus, il y aura sûrement des gosses du voisinage, et ça fait plus d'une semaine que je prépare ça. Seulement tout est fichu si je n'ai pas les deux pièces de bœuf que j'ai commandées voilà un mois chez *Superior,* en ville. Une viande, je vous dis que ça...
– J'en ai l'eau à la bouche, répondit Teddy tandis que ses entrailles commençaient à se nouer.
– Je suis passée à la boucherie mardi dernier, parce que c'est le jour où je fais le ménage chez Mme Black à Hancok Park. Et, comme je viens ici l'après-midi, j'ai mis la viande dans le grand congélateur de M. Teddy, pour qu'elle reste bien fraîche comme il faut pendant que je mettais de l'ordre dans son fouillis. Je lui ai rien dit, parce que vous savez, M. Teddy, lui, pour ce qui est de manger, ça ne l'intéresse pas beaucoup. C'est plutôt boire qu'il aime. Et voilà qu'une fois que j'ai fini, je m'en vais sans prendre ma viande et c'est à la maison que je me rappelle et que je me dis : Mary, ma vieille, t'oublierais ton derrière si tu mettais pas ta robe par-dessus. Oh, je m'excuse, Miss...
– Je vous en prie, répliqua la jeune femme, incapable de réprimer un début de fou-rire.
Teddy, lui, n'avait pas le cœur à rire.
– Dis-moi, mon poussin, si tu allais te préparer...
– Nous ne sommes pas pressés. Excusez-moi, madame Mahoney. Continuez, je vous prie...
– De toute façon, je me dis, c'est pas grave, vu que la viande, elle est à l'abri dans le frigo de M. Teddy. J'aurai qu'à la prendre vendredi. Et aujourd'hui, quand j'arrive, j'y pense même plus; mais il y a pas deux minutes, quand je m'en vais la chercher, voilà que je tombe sur un cadenas qu'il a mis sur le frigo...
– Tiens, tiens! commenta Jo Anne.
– Vous vous rendez compte? Ça fait des années que je viens ici, moi. Alors, nom d'une pipe, pourquoi, d'un seul

coup, il met un cadenas sur le frigo, M. Teddy, alors qu'il me dit toujours : madame Mahoney, pourquoi vous arrêtez pas d'empiler là-dedans tout ce stock de nourriture puisque vous savez bien que je mange dehors? Et moi, je réponds : parce qu'un de ces jours, si les falaises s'écroulent et que vous êtes coincé dans cette maison, vous me bénirez de vous empêcher de crever de faim. Et puis, voilà qu'il met un cadenas sur le frigo et qu'il file je ne sais pas où, et moi, je me retrouve avec tous mes invités dimanche, et mes provisions bouclées dans cet engin. Et comment je vais me débrouiller, moi, monsieur Howard?

L'œil rivé aux cubes de glace qui fondaient dans son verre, Teddy sentait le regard de Jo Anne braqué sur lui.

– Avez-vous inspecté les tiroirs de la cuisine? demanda-t-il. Il a certainement laissé les clefs quelque part.

– Les clefs? Mais, il n'y a pas de clefs. Pas sur ce cadenas-là. C'est une espèce de modèle fantaisie où on tourne des petits numéros pour ouvrir.

– Howard?

Teddy se tourna vers Jo Anne.

– Oui?

– Tous les gens se servent de leur date de naissance comme code, un peu comme sur les valises.

Le visage maussade de Mme Mahoney s'éclaira.

– Vous pourriez pas appeler M. Teddy et lui demander comment ça s'ouvre, ce machin?

– Je ne sais pas où le joindre. Écoutez, il n'y a aucune raison de faire une montagne de cette histoire. Je vais vous donner de l'argent et vous achèterez la viande dont vous avez besoin.

– Oh non, monsieur Howard, impossible. Les boucheries *Superior* sont fermées le week-end, et de toute façon, il faut commander d'avance.

– Vous trouverez bien une grande surface ouverte. Il y en avait pour combien, madame Mahoney?

– Mais, monsieur Howard, vous comprenez pas. Cette viande-là, c'est pas de l'ordinaire. C'est du faux-filet qualité super trois étoiles, ce qu'on trouve de mieux dans toute la Californie. C'est pas du tout le...

– Il y en avait pour combien? répéta Teddy en se levant et en portant la main à sa poche.
– Oh, je me rappelle pas, je vous jure.
Le ton de la femme de ménage exprimait une légère exaspération.
– Dans les quarante-deux dollars pour le premier morceau, il me semble, et quelque chose comme trente-six et des poussières pour l'autre. Mais il y a pas de raison pour que vous fassiez ça, monsieur Howard. Ce serait du gaspillage, oui, c'est le mot, du gaspillage...
– Pourquoi n'essaierions-nous pas de l'ouvrir, cet engin, comme deux gentils perceurs de coffre? intervint Jo Anne.
– Pas question! rétorqua Teddy.
– Allons, mon chéri, c'est peut-être très facile.
Elle se leva, tandis que Teddy commençait à compter les billets de la liasse qu'il avait sortie de sa poche.
– Non, il ne faut pas, monsieur Howard.
– Prenez-les, dit-il. Ne faites pas de manières.
La vieille femme reculait; Teddy la saisit par les épaules.
– Mais, chéri, écoute-moi!...
Jo Anne revenait à la charge.
– J'ai une idée. Quelle est ta date de naissance?
Mme Mahoney se libéra de l'étreinte de Teddy. Ce dernier reporta son regard sur Jo Anne.
– N'en parlons plus, veux-tu? répliqua-t-il d'un ton sec.
– Mais si, tu vas voir. Ton frère et toi, vous avez la même date de naissance, non? Je te parie qu'on peut l'ouvrir, ce cadenas. Viens, allons-y.
Elle amorça le geste de quitter la pièce.
Plantant là Mme Mahoney, d'un bond Teddy fut sur elle.
– Une seconde!
Coupée dans son élan, Jo Anne se tourna vers lui.
– Finissons-en avec cette situation idiote et réglons le problème de cette pauvre femme.
Elle avait un ton apaisant.

– Faisons au moins un essai.
– Je t'ai déjà dit non, reprit Teddy, d'une voix calme.
Il avait l'air si grave qu'elle ne put s'empêcher de rire.
– Mais enfin, chéri, pourquoi pas?
– Si Teddy a décidé de verrouiller cet engin, je suppose qu'il avait ses raisons. Pourquoi nous immiscer dans ses histoires?
– Nous immiscer? Dans un congélateur?
Lentement, son sourire virait à l'effarement.
Mme Mahoney chercha à filer à l'anglaise, en disant :
– Je vais prendre mes affaires et...
Teddy lui barra le chemin.
– Très chère madame, dit-il, avez-vous l'intention de gâcher mon week-end à la pensée de la déception de vos petits-enfants? Sans compter l'embarras dans lequel vous mettrez mon frère lorsqu'il se rendra compte, à son retour, des ennuis qu'il vous a occasionnés? Tenez...
Il glissa quelques billets dans la poche de son tablier.
– Ne discutons plus, voulez-vous? D'ailleurs, je suis plus jeune et plus fort que vous...
– Et plus riche aussi, ça c'est sûr, monsieur Howard. A jeter votre argent par les fenêtres...
Elle eut un faible sourire.
– Bon, d'accord. Au revoir. Je vous souhaite une bonne soirée à tous les deux.
– J'espère que votre barbecue de dimanche sera réussi. J'ai été ravie de vous rencontrer.
Après le départ de la femme de ménage, Jo Anne se tourna vers Teddy.
– Howard?
Mais déjà il quittait le patio. Elle le suivit sans hâte, le vit s'accouder à la balustrade et contempler l'océan obscur.
– Tu ne m'en veux pas, j'espère? s'enquit-elle d'une voix douce.
Il secoua la tête.
– Qu'y a-t-il alors?

– Rien.

Mais il ne se retourna pas.

– Si nous nous préparions?

– Tu as raison.

Elle l'abandonna à ses pensées. Il demeura immobile, sourd au mugissement des vagues, son oreille ne captant que le rire étouffé du fantôme qu'il imaginait dans les ténèbres, rire qui se muerait vite en de tonitruantes exclamations sardoniques.

11.

Voilà qui était fort éloigné de ses habitudes...

Elle avait toujours témoigné le plus grand respect pour la vie privée d'autrui, attitude dont elle exigeait d'ailleurs la réciproque. Au nombre de ses défauts, et Dieu sait si elle en avait, l'hypocrisie n'avait pas droit de cité. L'idée même de faire preuve d'indiscrétion lui était étrangère. Pourtant, à l'instant précis où elle s'était éloignée de Howard, resté dans le patio, elle avait compris que, d'une manière ou d'une autre, elle résoudrait ce qu'elle avait déjà baptisé « le mystère du frigo ». Et ce, avant la fin du week-end.

Agir ainsi contre sa nature tenait peut-être au fait de se trouver dans la maison de Teddy Stern. Le viol qu'elle s'apprêtait à commettre resterait donc impersonnel et ne s'exercerait qu'aux dépens d'un quasi-inconnu. A la limite, cette affaire ne concernait presque pas Howard, mise à part l'étrange nervosité dont il avait fait preuve, et l'étonnant refus qu'il avait opposé à une opération insignifiante. Ce qui l'avait d'ailleurs frappée, c'était la réaction disproportionnée d'Howard. Il n'y avait sans doute rien à découvrir dans ce frigo, pourtant il fallait qu'elle s'en assure, non seulement pour sa propre sécurité mais aussi dans leur intérêt à tous les deux. Tant qu'elle n'aurait pas percé ce secret, il y aurait un mur entre eux.

Profitant de ce que Howard était en communication avec David, son domestique, elle avait entrepris le tour du propriétaire, explorant chaque pièce, s'extasiant devant leur décoration de façon à ce que, tout naturellement, cette visite l'entraîne vers la fameuse véranda. De la chambre d'amis, lui étaient parvenues des bribes de conversation.

– Vous êtes sûr que le secrétariat des studios vous a dit cela? Il veut que je le rappelle chez lui?

Du cabinet de travail de Teddy, elle l'avait entendu composer un autre numéro, s'excuser d'appeler en plein milieu du repas, puis remercier son interlocuteur d'avoir eu la gentillesse de lui transmettre certaines nouvelles alors que le week-end était déjà bien avancé.

– Ah non, là, vous vous trompez, l'entendit-elle poursuivre. Je ne m'en souciais pas le moins du monde. Je me demande d'ailleurs ce qui peut vous faire parler ainsi! Quoi qu'il en soit, je vous remercie encore de m'avoir prévenu avec tant de diligence.

Selon toute apparence, ce second coup de téléphone semblait lui avoir redonné le moral. Heureuse de cette constatation, Jo Anne ne résista pas à l'envie de partager ce regain de bonne humeur et, d'une voix claire, demanda :

– Que se passe-t-il? Tu as gagné aux courses?

– Hélas, non, répondit-t-il en la rejoignant.

– C'était quoi, alors?

Haussant les épaules comme pour minimiser l'événement, il répliqua :

– L'inspecteur d'assurances, tu sais, Gerber, à propos de ma police sur la vie. Il voulait m'avertir qu'il venait de recevoir l'accord du service médical. Apparemment, je ne suis pas encore mort.

– Bonne nouvelle pour les studios!

Après un baiser mutin, elle poursuivit.

– Tu vas te détendre un peu, ce soir?

Soudain grave, il répondit :

– Écoute, je sais que j'ai pu te paraître préoccupé, cet après-midi; enfin, ce n'est pas exactement le mot...

– Disons mélancolique?

– C'est cette fichue réunion du conseil d'administration, à New York. Je me serais passé de ce coup de téléphone de Winthrop Van Slyke. Évidemment, le problème, c'est que ces deux cents millions de dollars par an, les studios en ont besoin pour continuer à vendre des cornflakes...

– Tiens, je croyais que c'était du pop-corn.

– Enfin, ce que tu veux! Mais rien qui ressemble de près ou de loin à des films. Ah, si tu avais été un peu moins précise en me répercutant le message : « défendre mes projets ». Par exemple...!

– Mais, mon chéri, j'ai pensé qu'il était indispensable que tu saches où tu mettrais les pieds.

– Je sais, je sais!

L'embrassant joyeusement sur la joue, elle enchaîna.

– Va donc prendre ta douche, espèce de phallocrate!

Dès qu'elle entendit l'eau couler, elle sut que l'heure était venue de se diriger vers la cuisine... pour boire un verre d'eau, par exemple.

Avant qu'elle l'ait vu, le ronron du gros congélateur lui parvint. Il était aussi épouvantable à regarder qu'à entendre. Pareil monstre n'avait pu être conçu qu'à l'époque où la maison avait été construite. Mais rien n'indiquait pourquoi Howard le surveillait comme s'il s'agissait de Fort Knox et des réserves d'or du Trésor américain. Seuls le cadenas et ses petits numéros brillaient, tache insolite au beau milieu de cet engin vétuste.

Méditative, elle contempla le frigo. Teddy Stern était plutôt le genre buveur, non? Certains collectionnaient des timbres ou des presse-papiers en cristal. Lui c'était peut-être les glaçons qui l'intéressaient? Dans ce cas il devait en avoir une sacrée quantité.

Pas beaucoup plus avancée, mais toujours intriguée, Jo Anne regagna la chambre à coucher.

Howard avait posé son attaché-case sur la table de nuit. Elle eut soudain envie de jeter un coup d'œil sur son permis de conduire, et surtout sur sa date de naissance. Il y avait de grandes chances qu'elle trouve là le sésame aux secrets de son frère. Elle jeta un bref regard à la porte de la salle de bains... et décida de ne pas céder à ses impulsions. Elle risquait trop de se le reprocher par la suite.

Tandis que, confortablement installés dans la Bentley, ils se rendaient à la réception de Bea Magnin, elle ne cessait de penser à son acte manqué.

– Ça va, petit? demanda-t-il.

– Ça va.

– Pas très bavarde!

– Je réfléchis.

– Comment écris-tu ça?

– Je voudrais t'offrir un très beau cadeau, et je me demande ce qui te ferait plaisir.

– Magnifique! J'adore les cadeaux...

Avec un joli sourire, elle s'enquit :

– C'est quand, ton anniversaire?

– J'ai horreur des anniversaires! Choisis plutôt Noël. Si toutefois nous nous voyons encore à ce moment-là...

– Trop risqué! Alors, mon chéri, quand est-ce?

Avec l'ombre d'une hésitation, il répondit :

– Le 3 janvier.

– Attends, laisse-moi deviner... 1943?

– Tu es une vraie sorcière.

– C'est ça?

– En plein dans le mille. Et le cadeau, je peux savoir?

– Tss, tss, c'est une surprise!

– Pas très honnête, tout ça.

– En amour, comme à la guerre, tous les coups sont permis.

L'air grave, il la regarda.

– Les manœuvres tortueuses sur un pauvre type en train de conduire aussi?

Le regard fixé sur la route, elle répliqua :

– Puisque c'est ainsi, tu n'auras rien du tout...

– Bien joué! reprit-il, décontracté. Pour tout t'avouer, mes petites manœuvres à moi, c'est de tricher sur mon âge. A Hollywood, ce jeu fait fureur!

Avec un sourire rentré, elle évoqua l'image de l'attaché-case sur la table de nuit. Dans un avenir plus ou moins proche, sa curiosité serait satisfaite. Et d'ailleurs, pourquoi pas à la fin de cette soirée? Même si, par la suite, elle devait se le reprocher...

Les *Dodgers* menaient par cinq contre un, les deux gosses couchaient chez des amis et sa femme était allée au cinéma avec sa sœur. Malgré ce, Marvin Gerber, affalé devant la télé, un verre de bière à la main, se sentait envahi par un étrange malaise. Pourtant d'habitude lorsqu'il était seul à la maison, c'était un grand moment de sérénité. Et avec la confortable avance qu'avaient prise les *Dodgers*, il aurait dû se sentir euphorique. Mais ce soir, quelque chose le tracassait sans qu'il puisse en déterminer la nature.

Il était là, assis dans la paisible obscurité de la pièce, tous ses sens en éveil. Était-ce son ulcère qui le relançait? Pourtant aucun signe de ce côté. La morosité de sa vie sentimentale?... Ou quoi d'autre? Cela serait-il d'avoir piégé Howard Bluestern, se demanda-t-il, tout songeur? Cela semblait quand même trop beau pour être vrai.

Au cours de ses vingt-cinq années de carrière comme placier d'assurances, un sacrément bon placier entre parenthèses, Gerber n'avait jamais décroché pareille timbale, ni en si peu de temps, ni en déployant si peu d'efforts. Il n'avait même pas eu besoin de relancer son pigeon par téléphone. Tout était passé comme une lettre à la poste, avec un Bluestern doux comme un agneau. Et Gerber n'avait encore jamais placé un contrat aussi important que cette police de cinq millions de dollars signée avec les studios! En y ajoutant les cinq autres millions auxquels Bluestern avait souscrit, ce n'était plus l'apothéose, c'était du délire.

A l'image de la majorité des fanatiques de sport, Gerber était superstitieux et, comme eux, il était persuadé que la victoire recelait plus de périls qu'une bonne défaite, finalement sécurisante. Quand on a perdu, il ne peut plus arriver grand-chose. Donc, finis les tracas... D'ailleurs, quand on s'attend à perdre, c'est qu'on le mérite, qu'on est un minable et qu'on le sait. Mais quand on gagne et quand, en plus, c'est le gros lot, on peut s'attendre à n'importe quoi, à des trucs épouvantables, parce qu'on n'en reste pas moins un minable, qu'on sait que la victoire, on ne la méritait pas, et que tout ce qu'on a cherché, c'est une bonne volée de bois vert pour avoir osé défier les dieux.

Plus il progressait dans sa méditation, plus Gerber se sentait mal. Impossible d'oublier la petite fortune qui, sous forme de commissions, tomberait dans son escarcelle, maintenant que le corps médical avait reconnu Bluestern apte à être assuré. Il fit un saut à la cuisine pour prendre une autre bière, puis revint dans le living. Mais rien à faire! En plus de son malaise, la bière avalée trop vite lui déclencha quelques renvois pénibles. Changeant de camp, il prit le parti de l'équipe adverse, dans l'espoir qu'en s'associant à l'imminente défaite des *Giants*, il se mettrait dans la peau des perdants. Résultat, néant! Sa nouvelle ferveur pour les *Giants* restait impuissante à éliminer le plaisir qu'il ressentait lorsque les *Dodgers* leur rentraient dedans.

Affalé dans le canapé, les pieds sur la table basse, le regard distraitement braqué sur l'écran, il laissa son esprit dériver vers les pensées qui lui tenaient à cœur : le coup de téléphone que lui avait passé Howard Bluestern dans la soirée. Jamais il n'oublierait la sensation fantastique qu'il avait ressentie. Il était sorti de la cuisine où il dînait avec les gosses, avait décroché l'appareil et entendu, au lieu de la voix de son beau-frère, ou encore de celle de Lou Mindlin l'invitant à un petit poker, celle du président de l'une des plus grandes compagnies cinématographiques le demander, en personne, lui, Marvin Gerber!

Et alors? s'interrogea-t-il.

Alors, rien. Une surprise, une bonne surprise.

Mais qu'y avait-il de si extraordinaire à cela? Tu avais bien laissé ton numéro personnel au standard des studios, non?

Oui mais quand même, tu ne t'attendais pas à ce qu'il t'appelle, et si vite en plus. Une surprise, hein?

Alors, qu'est-ce qui te tracasse ainsi après avoir été si agréablement épaté? Qu'avait-il de particulier, ce coup de téléphone, pour que tu t'inquiètes à ce point?

A ce point?

Ne va pas prétendre le contraire!

Oh, allez, ce n'est rien du tout!

Comment cela, rien du tout?

Tu sais bien que c'est à cause de ce cirque qu'a fait Bluestern! Soi-disant, il ne s'inquiétait pas pour sa visite médicale! Tellement pas que voilà qu'il t'appelle en personne, toi, Gerber, et à domicile, encore!

L'inspecteur d'assurances se piquait d'être fin psychologue. Oh, en amateur bien sûr! C'était la moindre des choses pour réussir dans la vente d'assurances. Parce que s'assurer sur la vie, voilà bien un truc auquel les gens se refusent à penser, plus encore à discuter, car ça porte malheur. Par la force des choses, Gerber en était venu à pratiquer en autodidacte l'étude du comportement humain et des mille et une manières de le manipuler. Et s'il y avait un cas que le grand psychologue amateur n'avait jamais cessé d'observer, c'était bien celui-là : dès qu'un type raconte qu'il se fiche du sujet du moment, c'est qu'en réalité ce sujet-là le tracasse.

Alors pourquoi Howard Bluestern avait-il paru si inquiet pendant sa visite médicale? N'aurait-il pas par hasard quelque chose de grave? Se pouvait-il que ce docteur à la noix soit passé à côté d'une maladie cachée? Et si Bluestern avait déjà secrètement un pied au royaume du cancer? Et si le grand triomphe de Marvin Gerber se révélait le plus imminent et monstrueux désastre qu'ait jamais subi la *Mutuelle de l'Oklahoma*?

L'inspecteur d'assurances se leva et éteignit la télé. Le base-ball, il n'en avait plus rien à foutre. De toute façon, il se rongerait les sangs pendant tout le week-end, et dès lundi matin, il foncerait au bureau de Grover Tillock et lui communiquerait son angoisse au point de lui faire regretter d'avoir pris la direction de la division californienne de la *Mutuelle*. Son malaise ne cessait de croître, phénomène auquel sa vessie ne resta pas insensible. Il passa aux toilettes et, curieusement, tandis qu'il éliminait ses deux bouteilles de bière, ses tracas semblèrent disparaître, eux aussi. Un détail lui était revenu. Et ce détail n'était autre que le montant des commissions qu'il allait palper.

Une supposition qu'en collant le trac à Tillock, il le pousse à décider de demander un supplément d'enquête et à bloquer les polices en attendant... Que se passerait-il?

Le gros zéro pointé pour Marvin Gerber, voilà ce qui se passerait.

L'inspecteur sortit des toilettes en se traitant de tous les noms. Cesse de te tourmenter, se dit-il. Cesse d'inventer n'importe quoi pour t'affoler parce que tu viens de décrocher le gros lot.

Et les dieux, je les emmerde!

Non seulement Howard Bluestern était en parfaite santé, mais encore il y avait des chances pour qu'il vive jusqu'à un âge canoniques. N'en demandons pas tant, les cinq ans à couvrir jusqu'à l'échéance des polices seraient suffisants. Ce qui lui arriverait après, Gerber n'en avait rien à faire.

Rasséréné, il ralluma la télé, reprit sa place sur le canapé et attendit que se forme sur l'écran une image sympathique; celle des *Dodgers* en train d'écraser leurs adversaires, par exemple.

Te tracasse plus.

Dix minutes plus tard, il s'exhortait encore à ne pas s'inquiéter.

Rompant le silence de la grande maison, le tintement de la sonnette de la porte d'entrée arrêta net David Stanner en pleine action.

– Oh, merde, qu'est-ce que c'est encore...?

– Non, David, je t'en supplie, ne t'arrête pas, c'est trop bon...

– Mais oui, mon grand, mais oui. Seulement il faut que j'aille ouvrir...

– Regarde dans quel état tu m'as mis, regarde, je n'en peux plus...

– Allons, petit voyou, j'en ai pour une seconde...

– Non, ne m'abandonne pas!

Stanner quitta les lieux du crime au pas de course, enfila sa robe de chambre, traversa le living obscur, se hâta vers le hall d'entrée en répétant : voilà, voilà, j'arrive, au bourdonnement insistant que faisait retentir ce visiteur importun. Après avoir allumé l'éclairage du porche, il regarda à travers le mouchard de la porte; il lui révéla une séduisante jeune femme brune qu'il voyait pour la première fois et, derrière elle, une voiture garée dans l'allée privée de la résidence.

– Qui est là? demanda-t-il.

– Une amie de M. Bluestern.

– M. Bluestern est absent.

– Cela vous ennuierait d'ouvrir?

– Je vous répète qu'il n'y a personne.

– Soyez gentil, ouvrez-moi.

Ah, bon Dieu! Il resserra vivement la ceinture de sa robe de chambre pour dissimuler les traces évidentes de son excitation encore vivace, puis déboucla les divers systèmes de sécurité dont était équipée la porte.

Plantée devant lui, la jeune femme le dévisagea, une ébauche de sourire aux lèvres.

– Je suis désolée, dit-elle. J'espère que je ne vous ai pas tiré du lit

– Pas encore, à cette heure-ci, Dieu merci.

Furtivement, elle jeta un coup d'œil rapide sur la légère bosse qui se dessinait sous le peignoir de David.

– Que puis-je pour vous? reprit ce dernier.

– Je m'appelle Diane Mac Vorter. Je suis une amie de Howard. Et vous...?

– Le domestique de M. Bluestern, David Stanner.

– Puis-je entrer?

– Il n'est pas là.

– C'est dommage. D'ailleurs, je ne pensais pas le trouver. Le problème, c'est qu'il n'est pas dans l'annuaire et que je n'ai pas son numéro. Vous permettez...

– Un petit instant...

Le repoussant sans brusquerie, elle entra dans le hall et ajouta :

– Écoutez, je sais que Howard, enfin, M. Bluestern, passe le week-end chez son frère à Malibu...
– C'est exact...
– Alors j'ai appelé là-bas mais il n'y avait personne. Je me suis donc dit qu'il était peut-être revenu ici...
– Eh bien, non, ce n'est pas le cas.
– ... Ou bien encore, j'ai pensé qu'on pourrait me renseigner sur l'endroit où le joindre...
– Le joindre quand ça?
– Maintenant. Tout de suite. C'est important.
Dépassé par les événements, Stanner ne savait que faire. Tout s'était déroulé un peu vite à son gré. Par ailleurs, cette fille était déroutante, et entêtée; pas du tout le genre habituel de Bluestern.
– Ainsi, vous êtes une amie de M. Bluestern?
Avec un petit rire nerveux, elle répondit :
– En réalité, c'est surtout avec son frère Teddy que je suis liée.
– Je vois...
Elle s'approcha de lui.
– Vous êtes britannique, semble-t-il?
– Ce n'est pas difficile à deviner!
– J'adore votre accent, David.
– Je vous remercie.
– Bien. Savez-vous, par hasard, où se trouve M. Bluestern, David?
– Bien sûr, il est à une soirée, madame.
– A propos, je m'appelle Diane, pour le cas où je ne vous l'aurais pas dit.
– Si, si.
– Une soirée...
– En tout cas, s'il n'y est pas encore, il ne tardera pas à y arriver.
– D'accord. Et vous auriez son numéro de téléphone, là-bas? Si vous le permettez, je pourrais appeler d'ici...
– Eh bien, Miss Mac Cutcheon...
– Mac Vorter, Diane Mac Vorter. Est-il nécessaire que nous restions dans le hall? Vous pouvez aussi fermer la porte.

– Comme vous voudrez.

Sans faire un geste, il attendit quelques instants. Comme elle ne bougeait pas, il se décida à refermer l'entrée avant de lui proposer :

– Nous pourrions nous installer là-bas.

Il la conduisit vers le living dont il alluma l'éclairage indirect.

– Voilà qui est plus sympathique, dit-elle en regardant le téléphone. Bien, alors, ce numéro...

– Je ne crois pas qu'il tienne à être dérangé, Miss Mac Vorter.

– Je vous demande pardon?

– J'ai dit que je ne pensais pas qu'il aimerait être dérangé.

– Que voulez-vous dire? Pourquoi penser que mon coup de téléphone le dérangera? Je vous dérange, moi, David? Répondez-moi, je vous dérange?

– Pas du tout.

– Alors soyez chic et donnez-le-moi, ce numéro.

– Vous ne me facilitez pas les choses!

– Je m'en doute.

– C'est vrai. Vous pourriez appeler M. Bluestern dans la matinée, à la plage.

Le coup d'œil qu'elle lui lança lui flanqua des frissons.

– Vous ne voulez pas me donner ce numéro, n'est-ce pas, David?

– J'ai bien peur de ne pouvoir le faire, madame.

Elle lui tourna le dos.

– Merde!

Elle s'empara d'un paquet de cigarettes sur une petite table ornée d'une lampe, en alluma une et exhala la fumée d'un air furieux.

– Bon. Pourriez-vous quand même me rendre un petit service? Appelez-le vous-même et demandez-lui s'il a trouvé l'objet qu'il devait me donner.

– Cela non plus, je ne sais pas si je peux le faire.

– Quoi? Qu'est-ce que ça veut dire? Vous pouvez me rendre ce service, non? Écoutez, David, non seulement c'est important pour moi, mais ça l'est aussi pour M. Bluestern.

– Je vous crois.

– Alors, pourquoi n'obéissez-vous pas?

– Eh bien, cela ne m'est pas possible...

– Pourquoi donc?

– Parce que je ne peux tout simplement pas.

Il resserra la ceinture de son peignoir.

– Dans une demi-heure, peut-être...

– D'accord, dans une demi-heure, répondit-elle avec impatience. Mais vous le ferez, n'est-ce pas?

– Oui.

– Vous me le jurez?

– Je vous ai dit oui.

– Parfait. Vous me trouverez dans un restaurant de Santa Monica. Au bar. *Pal Joey's*, ça s'appelle...

– Je connais.

– Vous connaissez?

– Très bien.

– Je vous donne le numéro...

– Ce ne sera pas nécessaire. Je sais où c'est.

– Vous en êtes sûr?

– Que dois-je demander à M. Bluestern?

– C'est très simple. Contentez-vous de lui dire : L'avez-vous trouvé?

– Trouvé quoi?

– Posez-lui la question, David. Il sait de quoi il s'agit. L'a-t-il trouvé? C'est tout ce que je veux savoir. Suis-je claire, David?

– Oui, oui.

– J'attends de vos nouvelles.

– Très bien.

Il fit mine de la raccompagner à la porte.

– Au revoir, David.

– Au revoir.

– Diane Mac Vorter.

– Je sais.

– Salut.

Il referma la porte, boucla les verrous, éteignit les

lumières et, dès qu'il entendit la voiture s'éloigner, repartit au galop vers la chambre à coucher, se débarrassa de son peignoir sans interrompre sa course et cria à la cantonade : j'arrive, mon grand, j'arrive!

D'un côté, c'était vrai, de l'autre, hélas, il n'était plus d'humeur à cela, et sa soirée était probablement foutue. Parce que, à présent, David Stanner avait la tête ailleurs. Trop distrait pour faire un bon amant. Rien, pas même les plaisirs d'Eros ne l'empêcheraient de suivre le nouveau cours de sa pensées. Malgré lui, cette nana étrange et quasi-hystérique qui avait forcé la porte avec un tel sans-gêne et qui, à présent, attendait qu'il la rappelle chez *Pal Joey's,* cette nana accaparait toutes ses réflexions.

12.

Sa première réaction fut de trouver normal qu'il éprouve une certaine angoisse, à mesure que la voiture approchait de la résidence de Bea Magnin à Copa de Oro Road. Seul un débile mental serait resté parfaitement détendu. Il n'avait pas la moindre idée des gens qu'il était censé connaître ou, au contraire, rencontrer pour la première fois. Il ne pouvait pas non plus estimer le nombre de ceux qui immanquablement, en le voyant, lui déclareraient : allez, Teddy, arrête tes conneries, cesse de jouer à Howard.

Peu à peu, cependant, il se rendit compte que, plus que de l'angoisse, il ressentait une sorte de chagrin, de peine causée par une perte qu'il avait déjà subie, alors que les autres, les amis de Howard, n'étaient encore au courant de rien. Or il allait les côtoyer, lui, le seul détenteur de ce fardeau accablant qu'il ne pouvait partager. Il allait personnifier Howard, sachant que la fin de son frère était programmée, leur créer à tous des souvenirs qu'ils commenteraient après la mort de son frère, la semaine suivante.

Parce que cette fois, il n'y avait plus à reculer. Cela se passerait la semaine prochaine.

Pourquoi n'avait-il pas réfléchi un peu plus à cette soirée? A dire vrai, il n'y avait pas réfléchi du tout. Comme toujours, il se lançait sans préparation, sans répétition. Jusque-là, il n'avait pas pensé que ce qu'il ferait et dirait ce soir servirait de base aux images posthumes que ses pairs garderaient de Howard. Autrement dit, c'était lui, Teddy, qui allait forger les derniers souvenirs que son frère laisserait aux seules personnes qui aient compté pour lui, à la seule communauté où il ait réussi à être reconnu pendant son bref passage au sein de l'univers.

Comme les contours de l'imposante résidence se dessinaient, brillamment illuminés, Teddy s'adressa à Jo Anne :

– Si j'avais un peu de cervelle, nous poursuivrions notre chemin.

Contrairement à ces sages paroles, il freina, et la Bentley vint doucement s'arrêter devant la longue file de domestiques en livrée rouge, en rangs comme à la parade.

– Il nous reste la ressource de partir de bonne heure, rétorqua Jo Anne, comme les portières s'ouvraient.

– Bonne soirée, madame, monsieur, leur souhaita un domestique en tendant un ticket de parking à Teddy.

Celui-ci suivit Jo Anne sur le chemin dallé qui menait à l'entrée qu'un majordome en grande tenue ouvrit pour eux.

Une foule compacte se pressait dans le grand salon où régnait un vacarme indescriptible.

– Ne m'abandonne pas! dit la jeune femme.

– Dans une foule pareille, on ne se retrouverait jamais.

Du regard, Teddy chercha le bar. Il détestait les maisons qu'il ne connaissait pas. Rien de tel pour se retrouver en état d'infériorité, quand une envie urgente de boire ou de faire pipi vous prenait.

Par-dessus le tumulte, une voix le fit sursauter.

– Tiens, tiens, le voilà!

Il vit alors, fendant la foule dans sa direction, la monumentale beauté brune aux yeux de braise qui se faisait appeler Bea Magnin.

– Howard, mon chou, avant tout, je dois vous annoncer qu'on vous demande au téléphone. Mon Dieu, le temps des puissants de ce monde est toujours compté. Il y a un poste par là.

De la main, elle lui indiqua le fumoir.

– Fermez bien la porte et bouchez-vous l'oreille pendant que je joue les douairières avec cette ravissante jeune fille qui vous accompagne.

Tandis que Teddy s'éloignait, elle se tourna vers Jo Anne.

– Je suis Bea Magnin. Et vous... ne me dites surtout rien! Miss Kallen, n'est-ce pas...?

– Appelez-moi Jo Anne. Je ne sais comment vous remercier de m'avoir invitée à cette soirée. C'est très aimable.

– Mon Dieu, que vous êtes charmante!

Serrant la jeune femme sur son sein, la géante poursuivit :

– Je ne vous connais pas encore, mais déjà je vous adore. Qu'on a donc fait Howard pour mériter vos faveurs?

– A part me planter là pour prendre rendez-vous avec une autre femme au téléphone, je ne vois pas.

Plissant le chef-d'œuvre de chirurgie esthétique qui lui tenait lieu de nez, Bea Magnin plaisanta :

– C'est son domestique, l'abominable David. De ce côté-là, vous n'avez rien à redouter, ma chérie. Dieu tout-puissant, il faut que je vous abandonne! Jo Anne, quel nom ravissant! Mais je n'en ai pas pour longtemps. Ne vous envolez surtout pas.

Elle se précipita vers l'entrée afin d'accueillir de nouveaux arrivants. Jo Anne en profita pour s'approcher du fumoir et ouvrit la porte.

En pleine conversation, Teddy lui fit un signe et lui demanda de l'attendre un instant avant de reprendre son dialogue.

– Ne vous occupez pas de cela. Contentez-vous de la rappeler sur-le-champ. Écoutez bien, David, voilà ce que vous lui direz. J'ai tout mis sens dessus dessous, j'y ai passé la moitié de la journée et je n'ai rien trouvé... C'est cela. Rien. Dites-lui que j'en suis navré, mais que j'ai fait de mon mieux... D'accord. Et dites-moi, David, je souhaiterais qu'elle ne cherche plus à me joindre, ni par téléphone ni à domicile, mais je vous conseille d'y aller sur la pointe des pieds avec cette personne. Vous comprenez?... Très bien, merci... Ne vous excusez pas. Je vous ai déjà dit que vous aviez bien fait.

Après avoir raccroché, il s'approcha de Jo Anne, les sourcils froncés.

– Ah, mon frère et sa clique de dingues! Je souhaiterais presque qu'il soit déjà de retour.

– Miss Mac Vorter?

– Bravo!

– J'ai entendu la fin de ta conversation.

– Cela s'est bien passé avec notre charmante hôtesse?

– J'ai l'impression que les gens la jalousent en raison de sa personnalité, qui est exceptionnelle.

– Tu m'autorises à te citer?

– Auprès de qui?

– Bea Magnin.

– Je t'en prie...

La prenant par la main, il l'entraîna dans la foule.

Une pétulante blonde, à la chevulure chatoyante, les intercepta.

– Vous êtes Howard Bluestern!

– C'est exact.

– Moi, je suis Rona Barrett. Comment allez-vous, Howard?

– Comme quelqu'un qui a soif. Je vous présente Jo Anne Kallen.

– Ravie, répondit la journaliste mondaine. Dites-moi un peu quels secrets vous me cachez, Jo Anne?

– Ma vie est un livre ouvert.

– Ah, ah!

– Miss Kallen est ma promise, intervint Teddy.

Sa blonde interlocutrice ouvrit des yeux ronds.

– Je peux noter vos paroles, ou vous préférerez que je les range dans ma mémoire?

– J'entends par là qu'elle a promis de s'asseoir à mes côtés pour le dîner, rétorqua Teddy.

– Pour couper l'herbe sous le pied d'une honorable travailleuse, vous savez y faire, monsieur Bluestern. Bien si tel est votre désir, permettez-moi de vous réserver deux places à la table de Bea...

– Pourquoi pas?

– J'aurais voulu demander à cette jeune fille ce qu'elle trouve à un homme assez fou pour diriger des studios de cinéma à notre époque. Quant à vous, Howard, j'aimerais comprendre comment vous avez réussi à conserver ce poste depuis déjà trois semaines.

– C'est simple, répondit Teddy, miss Kallen s'occupe de tout.

Rona Barrett se tourna vers Jo Anne.

– Et que faites-vous, ma chère?

– Je suis la secrétaire de M. Bluestern.

La journaliste écarquilla les yeux.

– C'est sérieux?

– On ne le peut plus.

– Sauriez-vous, par miracle, où se trouve le bar? intervint Teddy.

– Ne m'interrompez pas, Howard, il faut que je réfléchisse.

Et Rona Barrett s'éloigna lentement.

– Moi, je l'aime bien, dit Jo Anne.

– Oui, mais toi, tu aimes tout le monde.

Teddy finit par apprendre qu'il y avait quatre bars et qu'il trouverait le plus proche sur la terrasse. A mi-chemin du but, ils se firent à nouveau coincer par une jeune actrice, Samantha Frye, qui n'eut de cesse de leur démontrer, par d'interminables et filandreux développements, en quoi le fait de rencontrer Howard Bluestern n'était tout compte fait pas si important, car ce n'était pas le cinéma qui l'intéressait, mais le théâtre. Et encore seulement si la pièce était montée par le génial Gordon Davidson.

Simulant la plus grande attention, Teddy ne cessait de scruter la foule. Tout à coup, à l'occasion d'un de ces mouvements mystérieux qui font fluctuer les groupes, il aperçut, à une dizaine de mètres, la sinistre barbe grisonnante de Jud Fleming. Plus par instinct de conservation que par logique, il changea de position pour ne présenter que son dos au réalisateur de télé, mais il se rendit compte du coin de l'œil que ce dernier l'avait repéré, et qu'il le dévorait des yeux. Jo Anne, elle, paraissait hypnotisée par la comédienne, aussi Teddy décida-t-il de l'imiter dans l'attente d'un Fleming qui ne tarderait certainement pas à se manifester.

Comme prévu, le réalisateur ne mit pas longtemps à se profiler derrière l'intarissable Miss Frye auprès de laquelle il s'immobilisa. Il fixait Teddy sans vergogne à travers ses lunettes. Un large sourire aux lèvres, manifestement il attendait qu'on l'invite à participer à la conversation. Il avait sans doute réussi à s'introduire dans les réjouissances en cours accroché aux jupes d'une célébrité et, de toute évidence, il avait trop bu.

Profitant que la jeune Samantha reprenait son souffle, Fleming s'interposa, le verbe haut.

– Alors, on s'est invité, Stern?

Lentement, sans un mot, Teddy fit face à son interlocuteur au menton fuyant.

– Vous ne me reconnaissez pas? demanda le réalisateur d'une voix avinée.

– J'ai bien peur que non.

L'homme exhalait une forte odeur de whisky.

– Allons, voilà deux heures, vous étiez dans mon bureau.

– Vous m'étonnez beaucoup.

– C'est une blague? Jud Fleming, vous ne vous rappelez pas?

– Pas du tout.

– Quel sans-gêne! intervint Samantha Frye d'un air outré avant de tourner les talons.

– Vous êtes bien Teddy Stern? insista lourdement Fleming.

D'un signe de tête, Teddy le démentit et ébaucha un sourire avant de répondre.

– La plupart des gens ne s'y trompent pas. Mon frère est bien plus joli garçon et beaucoup plus élégant que moi. Je suis Howard Bluestern, et permettez-moi de vous présenter Miss Kallen.

Ignorant Jo Anne, le barbu poursuivit.
– Allez, allez, Stern! Qu'est-ce que c'est que cette plaisanterie?
– Je ne crois pas avoir entendu le moindre rire, monsieur Fleming.
S'adressant à Jo Anne, il lui demanda :
– On y va?
– J'ai peut-être un peu bu, mais pas à ce point, insista le réalisateur. Votre voix, je ne l'ai pas oubliée, pas plus que les paupières fripées que vous avez à force de dormir au lieu de bosser. Vous m'avez fait un sacré numéro, cet après-midi.
– Je transmettrai vos félicitations à Teddy.
Prenant Jo Anne par le bras, il fit mine de s'éloigner.
– Mes félicitations? Merde, alors! Vous vous êtes couvert de ridicule, mon vieux. Quand on ne comprend pas la plaisanterie...
– Sans vouloir vous vexer, monsieur Fleming, nous étions en route vers le bar.
Il entraîna Jo Anne dans son sillage.
– On se reverra! lâcha le barbu pour avoir le dernier mot.
Le visage de Teddy s'était empourpré.
– Qu'est-ce que c'est que cette histoire? s'enquit Jo Anne d'une voix paisible.
– Un jumeau pèche, son frère paye, semble-t-il.
Ce disant, Teddy n'en menait pas large et ce fut seulement en arrivant au bar qu'il s'aperçut qu'il transpirait.
Se glissant près de lui, Jo Anne s'adressa au barman.
– Je prendrai volontiers un peu de vin blanc, s'il vous plaît.
– Pour moi, ce sera une double Tequila orange.
De la nervosité perçait dans la voix de Teddy.
Le barman leur tendit les boissons. Sous l'œil intrigué de Jo Anne, Teddy sortit son mouchoir et s'épongea le front.
– Tu ne m'avais pas dit que ton frère était parti au

Mexique? demanda la jeune femme. Je comprends mal comment il aurait pu se trouver dans le bureau de ce type, cet après-midi.

– Tu as bien vu qu'il était saoul comme un Polonais! Il disait n'importe quoi. Avec un peu de chance, il s'effondrera et restera dans le caniveau d'où il n'aurait jamais dû sortir.

Sans un mot, elle le dévisagea.

Après lui avoir tendu son verre, il avala une bonne lampée de Tequila, puis ils s'aventurèrent à nouveau dans cette jungle périlleuse. Il aurait voulu que Jo Anne parle... qu'elle dise n'importe quoi... mais, dans le vacarme qui les engloutissait, elle demeurait silencieuse.

Ayant repéré l'un des trois autres bars, Teddy en grava l'emplacement dans sa mémoire. Il aurait sans doute bientôt besoin de s'y rendre.

Ce salaud était encore plus menteur que son frère! Elle l'avait deviné dès l'instant où elle l'avait vu au bar du *Polo Lounge*. Elle avait senti qu'il la menait en bateau, qu'il avait joué le rôle du brave type que ses problèmes à elle avec Teddy tracassaient pour de bon. Tu parles! C'était pour sa peau à lui qu'il se tracassait. Pour devenir un gros ponte, il ne faut pas s'occuper des autres!

C'est pas elle qui avait cafouillé, pas elle qui avait bousillé l'affaire. Non, non, c'était lui qui avait fait en sorte que ça cafouille. Ou plutôt, qui n'avait rien fait. Pas une seconde, il n'avait eu l'intention de la chercher, cette bande. Jamais il ne la chercherait, jamais! Il la ferait lanterner, point final. Seulement voilà, elle, elle ne s'était pas laissé piéger. Sur son tabouret de bar, chez *Pal Joey's*, à attendre que ce faux-cul de domestique l'appelle, elle se blindait contre l'inévitable à coups de *Wild Turkey*, de sorte qu'elle ne ressentit aucune déception, lorsqu'il téléphona. Elle en éprouva même de la satisfaction. Cela prouvait qu'elle ne s'était pas trompée sur le compte de Howard Bluestern.

– J'ai peur de ne pas avoir de bonnes nouvelles à vous annoncer, avait attaqué le larbin. M. Bluestern a fouillé partout et, quel que soit l'objet que vous cherchiez, il demeure introuvable. Monsieur m'a dit qu'il ne pouvait rien pour vous.

– Ben voyons!

– C'est la vérité, madame.

– Bien. Je vais m'en charger, moi, de l'appeler votre pauvre patron surmené. Et pas plus tard que demain. On verra bien s'il a le culot de me dire lui-même qu'il n'a rien trouvé.

– A votre place, je n'en ferais rien, miss Mac Vorter.

– Tiens donc? Et pourquoi?

– Je vous déconseille de chercher à le voir ou même à le joindre.

– Parce que je vous ai demandé un conseil, moi?

– Je vous l'offre, et je me permets de vous prier de croire qu'il est bon, Miss Mac Vorter.

– Vous feriez mieux de vous offrir une autre robe de chambre, persifla-t-elle. Parce que dans celle que vous portiez tout à l'heure, vous aviez tout du larbin... même avec votre trique de taureau en dessous.

– Quelle classe!

– Pour parler de classe, il faut en avoir soi-même...

– Je saisis mal les raisons qui vous poussent à m'en vouloir, miss Mac Vorter. Après tout, je suis un intermédiaire, un messager. En outre, il me semble qu'il est de votre intérêt de m'avoir pour allié, au moins jusqu'à ce que vous soyez certaine que je ne puis vous être d'une certaine utilité.

Elle ne put retenir un ricanement.

– M'aider, vous?

– J'ai bien appelé M. Bluestern, comme vous me l'aviez demandé, n'est-ce pas?

– Ça oui; voyez le résultat.

– Je ne crois pas avoir reçu le moindre remerciement.

– Bon, ça suffit! Je raccroche.

– Si vous m'en disiez un peu plus sur l'objet de vos recherches, je me débrouillerais peut-être pour le trouver moi.

– Vous me prenez pour une débile? En quel honneur seriez-vous prêt à me rendre service, si tant est que vous en soyez capable?

– Personne n'ignore, et mon employeur moins qu'un autre, que j'attends la première occasion de rendre mon tablier pour m'adonner à des activités plus intéressantes et mieux rémunérées. Ceci pour vous dire que je ne laisse jamais passer une chance de jouer les Saint-Bernard; au moins jusqu'à ce que la personne à laquelle j'apporte mon assistance se révèle ne pouvoir m'être utile. Bref, jusqu'à plus ample information vous concernant, miss Mac Vorter, je reste votre humble serviteur. Voulez-vous que nous prenions un verre quelque part, afin de faire le tour de ce problème qui vous occupe tant?

– Stanner?

– Oui, madame.

– Je n'ai pas confiance en vous.

– Comme je vous comprends!

– Pour moi, vous n'êtes qu'un petit salaud.

– Quelle que soit votre opinion, madame, n'hésitez pas à m'appeler si vous changez d'avis.

– Vous savez bien que le numéro n'est pas dans l'annuaire.

– Vous avez un crayon?

– Allez-y.

Elle nota le numéro qu'il lui donnait.

– Il va de soi, ajouta-t-il, que cette conversation reste entre nous.

– Vous ne tenez pas à ce que j'en parle à votre patron...

– Le simple fait de vous entendre évoquer cette possibilité me donne la chair de poule.

– Payez-vous une robe de chambre plus chaude.

– J'attends votre appel.

– A votre place, je ne camperais pas devant le téléphone.

Et elle raccrocha.

Je n'aurai pas tout perdu, songea-t-elle en regagnant le bar; j'ai au moins le numéro de téléphone de Bluestern, même si je ne sais pas très bien pour le moment ce que j'en ferai. Pas question de rappeler ce faux-cul de Stanner.

– Bon, on verra bien.

Elle proféra cette formule définitive à haute et intelligible voix, avant de vider son verre d'une formidable lampée.

– J'ai beau regarder partout, je vois mal ce qu'on verra bien.

Pivotant sur son tabouret, elle dévisagea d'un œil rond son nouvel interlocuteur, une vraie armoire à glace, tellement monstrueux qu'elle avait dû se refuser à le remarquer jusqu'à présent.

– Pourquoi avez-vous un bandeau sur l'œil? Vous vous prenez peut-être pour feu Moshe Dayan?

– Ma douce amie, vous est-il venu à l'esprit que cet œil, je pouvais l'avoir perdu? Et qu'aujourd'hui, je suis un pauvre malheureux qui, par ailleurs, pourrait se choquer d'une telle observation?

– Franchement, non. Mais maintenant que vous le dites... N'empêche que vous ne m'avez pas répondu : à quoi sert ce bandeau?

– C'est une longue histoire, madame, comme le sont d'ailleurs la plupart des histoires passionnantes. Aussi, comme cela nous prendra un moment, il me semble honnête de vous suggérer de m'offrir un verre. Cela me donnerait les forces et le courage de vous conter par le menu les circonstances dans lesquelles j'ai subi cette pénible épreuve.

– J'ai une bien meilleure idée, rétorqua Diane. Vous ne me racontez rien. Cela ne m'intéresse pas. Contentez-vous d'enlever ce bandeau qui vous rend ridicule, et je vous offre un verre pour le plaisir.

Sitôt dit, sitôt fait. C'était un type d'une trentaine d'années, assez beau garçon, lorsqu'il ne souriait pas. En effet, si ses deux yeux, qu'il avait bleus, ne présentaient aucune anomalie, il n'en allait pas de même pour sa dentition, qui eût fait la fortune d'un stomatologiste digne de ce nom.

– Je me sens tout nu, plaisanta-t-il.
– On vous prendrait pour Peter Ustinov. A vrai dire, ce serait plutôt Peter Ustinov double volume.
– Oh, c'est l'affaire d'une cinquantaine de kilos. Scotch sec pour moi. Triple, s'il vous plaît.
– Un instant.
Ouvrant son sac à main, elle évalua du pouce la liasse de billets qu'il contenait.
– Cela devrait suffire.
– A première vue, il y a même de quoi éponger la dette de l'État, commenta-t-il, le regard allumé.
Elle boucla le fermoir d'un claquement sec et héla le barman.
– Un triple scotch pour monsieur – ce que vous avez de moins cher – et pour moi, un double *Wild Turkey*, vierge.
– Vierge de quoi? ricana le barman.
– De la trace de vos sales pattes, riposta-t-elle.
Puis elle reporta son attention sur son nouveau copain. Il portait un tee-shirt noir, un jean blanc, et son épaisse chevelure blonde lui arrivait presque aux épaules.
– Vous n'avez pas trop bu? lui demanda-t-elle.
– Ma situation financière ne me le permet pas.
– N'allez surtout pas vous imaginer que je suis beurrée.
– Si vous mâchiez un peu de chewing-gum, je serais porté à me laisser convaincre.
– Je m'appelle Diane. Et vous, vous êtes ivre!
– Ah non! Moi, c'est Bruce Gottesman.
Ils échangèrent une poignée de main.
– Que faites-vous dans la vie, Bruce?
– Un tas de trucs, tous très utiles. Ces deux dernières années, j'ai été capitaine à mi-temps sur un yacht privé, à Antibes, dans le sud de la France; j'ai fait le garçon de restaurant chez *Félix*, à Cannes; j'ai servi de chauffeur à Peter O'Toole, à Swansea, sur les plages du Pays de Galles; un peu de taule aussi, pour coups et blessures (elle voulait des détails, eh bien, elle était servie!); puis j'ai fini par atterrir ici, en Californie, car je me sens des disposi-

tions pour jouer la comédie, surtout dans des rôles de composition.

– On vous prendrait facilement pour un acteur. J'aime votre façon de baratiner. Ça sonne bidon. Autant que vous, d'ailleurs.

En un large sourire, il exhiba son horrible dentition.

– Vous êtes trop bonne.

– En tout cas, je peux vous dire que vous n'arriverez à rien avec des chicots comme les vôtres.

– Je vous promets de ne plus sourire...

– Il faudrait que je vous présente à Stanley Vogel.

– Qui est-ce?

– Mon dentiste. Il vous referait une bouche de star. Pour le reste, je crois que c'est hélas sans espoir.

– Il est cher?

– Tout est relatif.

Il hocha la tête, l'air découragé.

– Vous pourrez toujours trouver du boulot dans un film d'épouvante, suggéra-t-elle.

Un éclair de rage passa dans son regard.

– Pas drôle.

Le barman leur apporta à boire, et Gottesman reprit :

– Vous disiez quelque chose qui ne s'adressait à personne en particulier... C'était, « on verra bien », si j'ai bonne mémoire. « On verra quoi », si je puis me permettre?

Le dévisageant avec la plus grande attention, Diane répondit :

– Au préalable, laissez-moi vous poser une question. Parmi vos nombreux talents, sauriez-vous par hasard, ouvrir une porte ou une fenêtre d'une maison fermée?

Impassible, il lui rendit son regard.

– Il m'est déjà arrivé de tripoter une serrure ou deux... si on est bien sur la même longueur d'onde.

– Magnifique! s'exclama-t-elle. J'étais en train de me demander si vous pourriez m'aidez à pénétrer chez mon ex-petit ami, à Malibu... Sa maison est cadenassée, mais elle est déserte et ce, pour les deux à trois heures qui viennent.

– Et pour quoi y faire, s'il vous plaît?
– Oh, rien de méchant. Je tiens seulement à récupérer un petit objet qui n'a de valeur que pour moi. Et je voudrais le faire assez vite, pour des raisons qui ne présentent pas le moindre intérêt pour vous.
– Navré, mon chou, mais je dois quand même savoir de quoi il s'agit.
– D'une bande magnétique, Bruce. Une simple cassette.
– Et alors?
– Alors quoi?
– Qu'y a-t-il sur cette bande?
– Vous êtes odieux, Bruce...
Muet, il attendit.
– Bon. Il y a mon petit ami et moi.
– Je vous écoute.
– On fait l'amour.
– Quoi d'autre?
– Je lui dis des trucs, je lui fais des trucs et... oh, bon Dieu... des trucs que personne ne doit entendre, jamais...
Il ne l'avait pas quittée des yeux.
– Et c'est tout?
Elle soutint son regard.
– Vous trouvez que ça ne suffit pas?
Dans les instants de silence qui suivirent, elle eut le sentiment qu'il ne la croyait pas. Mais il reprit.
– Vous n'avez pas la clef?
– Si, j'en ai une, mais je sais qu'elle ne sert plus à rien. Je ne l'avais pas quitté depuis trois secondes qu'il changeait déjà la serrure.
– Qu'est-ce qui vous fait dire ça?
– Oh, je le connais.
– Qui?
– Mon petit ami! Enfin, mon ex.
– Qui ça? répéta-t-il.
– Pour l'amour du ciel, qu'est-ce que vous voulez?
Il ne se donna pas la peine de répondre.
– Teddy Stern, finit-elle par avouer. C'est un acteur.

– Stern, reprit-il... Stern. Mais dites-donc, il n'a pas un jumeau...?

– Si. Bon, alors, vous m'aidez ou pas? Tenez, je vous donne deux cents dollars, c'est tout ce que j'ai sur moi. En échange vous me faites entrer chez ce saligaud.

Après avoir vidé son scotch, il se tint coi, l'air pensif.

Incapable de réprimer sa nervosité, elle le pressa :

– Alors?

– Je sais pas...

– Vous en êtes capable, Bruce. Ce n'est rien du tout.

– Bouclez-la un instant, voulez-vous?

Sans piper mot, elle attendit qu'il reprenne.

– Deux cents?

– Oui.

– Vous avez une voiture?

– Bien sûr. Vous avez besoin d'autre chose?

– Il me faudrait un couteau. Aussi pointu que possible.

– Ne bougez pas.

Quittant son tabouret, elle fendit la foule, piquant droit sur l'office où les serveuses du restaurant entreposaient la vaisselle et les couverts.

Sortie de nulle part, une main l'intercepta, la bloquant tout net dans son élan. Elle tourna la tête et se trouva face au souriant visage bronzé et barbu de Joey Marzula. Sicilien d'origine, il apportait à ce restaurant californien la touche d'exotisme de son pays natal.

– Oh, salut, Joey...

En temps ordinaires, elle avait grand plaisir à le voir.

– Salut, jeune fille, Teddy n'est pas là?

– Et alors?

– Oh moi, ce que j'en disais. A propos, je sais que ça ne me regarde pas, mais le type là-bas... laissez tomber, c'est un conseil.

– Vous savez où vous pouvez vous les mettre, vos conseils?

– Ah bon... enfin, je vous aurai avertie, hein!

– D'accord, Joey. A un de ces jours.

Après avoir fait mine d'entrer aux toilettes, elle se

faufila dans l'office, l'œil aux aguets. Personne. Furtivement elle s'empara d'un couteau de boucher et le glissa dans son sac. Cela fait, elle rejoignit Bruce Gottesman au bar.

– Donnez-moi deux ou trois minutes d'avance, lui dit-elle. Je vous attendrai dehors dans une Datsun rouge.

– Vu.

Elle avala le fond de son verre, posa quelques billets sur le bar et sortit dans la nuit fraîche.

Quelques instants après, la silhouette du mastodonte se profilait à la porte du restaurant.

A cet instant, le gardien arriva au volant de la voiture. Elle prit sa place, claqua la portière. Comme une fusée, elle sortit du parking, vira à droite et vint s'arrêter dans un crissement de pneus devant l'entrée de l'établissement.

– Montez, ordonna-t-elle à Gottesman.

Avec un grognement, ce dernier casa à grand peine son énorme carcasse sur le siège du passager.

Ils s'étaient assis côte à côte à la table d'honneur, au mépris de la proclamation formulée par Bea Magnin, interdisant aux époux ou aux amants de rester ensemble. C'est ainsi que Teddy se trouva coincé, incapable même d'imaginer toute parade, lorsque Jud Fleming, armé d'une monstrueuse platée de victuailles et d'un bon demi-litre de scotch, arriva en titubant vers la seule et unique chaise libre de toute la table, juste en face d'eux.

– Oh, quelle merde! murmura Teddy.

– Je dirais plutôt que c'est du bœuf Stroganoff, plaisanta Jo Anne pour le détendre.

– Vous vous souvenez de moi? lui demanda le réalisateur de télévision, avant de s'asseoir. Le type à la grande gueule de tout à l'heure...

– Quand on meurt de faim, il arrive qu'on l'ouvre un peu trop, marmonna Teddy en attrapant sa fourchette.

– Je peux, Béatrice? claironna Fleming.

– A votre aise, répondit Bea Magnin sans grand enthousiasme, de l'extrémité de la table où elle trônait.

En s'asseyant, le réalisateur déclara :

– La Magnin m'a juré ses grands dieux que vous étiez bien Bluestern.

– Je vous en prie, appelez-moi Howard, monsieur Fleming, répondit Teddy sans lever les yeux de son assiette.

– Avec plaisir. Vous êtes un vrai gentleman, et ce n'est pas courant dans la profession. Je vous présente toutes mes excuses pour l'incident de tout à l'heure. A vous et à votre charmante compagne.

– Vous le voyez, elle n'en est pas morte.

Ils poursuivirent leur repas en silence, dans le brouhaha des conversations. Puis Jud Fleming retrouva sa langue.

– Vous savez qui je tiens pour responsable de toute cette histoire? demanda-t-il à Teddy.

Secouant la tête, celui-ci prit une gorgée de vin.

– Votre acteur de frère. Il m'a tellement perturbé, cet après-midi, que je me suis défoulé sur vous.

– N'en parlons plus.

– Écoutez, insista le réalisateur, vous n'avez pas de raison de payer les pots cassés quand Teddy Stern cherche à se servir de votre notoriété...

– Appelez cela la politique de l'autruche si vous le voulez... Moi, je vous répète que je tiens à clore ce sujet.

– Non, non, écoutez-moi. Il faut que vous entendiez les faits avant qu'il ne vous raconte sa version.

– Désolé, je n'entends plus rien. J'ai mis la tête sous le sable.

– Il a eu le culot de me demander un rôle dans un de mes spectacles en me proposant de vous baratiner pour m'obtenir un long métrage à réaliser pour vos studios...

Jo Anne posa la main sur celle de Teddy, cherchant à calmer la fureur qu'elle sentait monter en lui. Ce fut elle qui intervint d'une voix calme.

– Monsieur Fleming, vous qui avez la tête hors du sable, vous devriez écouter ce que l'on vous dit.

La traitant par le mépris, ce dernier poursuivit.

– Ce que j'en dis, moi, c'est pour votre bien, Howard.

Parce que il est fichu de venir vous trouver avec une version tordue de ce que...

– Vous mentez, Fleming.

Teddy n'avait pas élevé le ton.

Le réalisateur laissa échapper un petit rire.

– Hé, mon vieux! Je ne vous permets pas...

– Vous accusez mon frère d'une faute dont il est innocent, et ce pour brouiller des pistes qui ne vous honorent pas.

Livide, Fleming riposta.

– Dites donc, Bluestern, ce n'est pas vous qui allez me raconter comment les choses se sont passées! J'y étais, moi.

– Vous n'êtes qu'un menteur, poursuivit Teddy à voix basse. Vous n'avez rien à faire ici ce soir. Ni nulle part d'ailleurs. Votre passage à travers ce monde n'est que le fruit d'un triste hasard.

Cramoisi, Fleming entreprit de se lever et Bea Magnin alarmée coupa court à sa conversation avec Rona Barrett.

– Howard, mon très cher...

Teddy se tourna vers elle.

– Je vous demande de congédier ce monsieur.

Fronçant ses merveilleux sourcils, Bea Magnin susurra :

– Le pauvre petit Jud?

– Jamais vous n'auriez dû le recevoir. Il faudra désinfecter la maison pour la débarrasser de son odeur.

– Attention à ce que tu dis, petit branleur!

D'un geste rageur, Fleming envoya le contenu de son verre au visage de Teddy, qui le reçut sur la poitrine.

– Oh, Dieu du ciel! gloussa Rona Barrett.

– Filez, Fleming, avant que je ne vous casse en deux, répliqua Teddy en s'épongeant avec sa serviette de table. Allez, du vent!

– Howard, pour l'amour du ciel...

Bea Magnin s'était levée. Un lourd silence planait sur l'assistance.

Après avoir du regard cherché aide et secours autour de lui, Jud Fleming tourna les talons et s'éloigna en titubant.

Jo Anne demanda alors calmement :
– Veux-tu que nous partions?
– Oui, répondit Teddy en se levant.
En un clin d'œil, Bea Magnin les rejoignit.
– Mes chéris, que s'est-il passé?
– Rien, Bea, dit Teddy. Moins que rien. Jo Anne ne se sent pas très bien, aussi avons-nous décidé de rentrer. J'espère que vous ne nous en voudrez pas?
– Taisez-vous, grand monstre! Vous savez que vous êtes mon Howard préféré et que Jo Anne est mon grand amour.
D'un signe de la main, Teddy prit congé des autres convives.
– Vous êtes prêt à tout pour participer à mon émission, vilain voyou! minauda Rona Barrett.
Prenant Teddy et Jo Anne par les épaules, Bea Magnin les raccompagna à travers la salle.
– C'est ma faute, leur dit-elle. Je n'aurais jamais dû autoriser Blanche à amener ce moins que rien. Jurez-moi de revenir bientôt, en compagnie de votre ravissante amie, Howard.
– Volontiers... si vous êtes encore assez audacieuse pour nous inviter.
– Les commérages iront bon train, vous le savez. Déjà on nous regarde. Vous n'en ignorez pas les conséquences? Vous ne préférez pas rester?
– Merci, Bea, mais je sais m'éclipser quand il le faut. Or, c'est le moment.
En sortant, il prit Jo Anne par la main, et ils s'enfoncèrent dans la nuit, sous le ciel étoilé, vers l'armée des ombres domestiques qui gardaient les voitures. Il y avait une pointe de frustration dans l'atmosphère, et le silence que gardait la jeune femme n'était pas de bon augure. Au-delà des apparences, Teddy devinait des questions qui mûrissaient lentement, et les réponses qu'il était loin de détenir toutes...

Elle avait fouillé partout. Pas un centimètre de cette fichue maison qu'elle n'ait retourné. Il fallait se rendre à l'évidence : la bande magnétique n'était pas là. Il avait dû l'emporter au Mexique. Si incroyable que cela paraisse, c'était la seule explication possible.

– Bruce, appela-t-elle furieuse. Où vous planquez-vous?

– Ici.

– Où ça, ici?

– Dans la cuisine.

– Mais je l'ai déjà fouillée, la cuisine.

– Qui vous parle de fouiller?

– Alors que fabriquez-vous?

N'obtenant pas de réponse, elle traversa l'obscurité du living, lâcha un juron en se cognant le tibia contre la table basse et finit par atteindre la cuisine. Il était tranquillement installé devant une bouteille de scotch.

– Ah non! grogna-t-elle en lui arrachant le flacon des mains, je vous ai pourtant dit que je ne voulais pas qu'il sache que quelqu'un était entré chez lui.

L'œil dans le vague, il rétorqua :

– Il ne va quand même pas contrôler le niveau du whisky, si?

Rebouchant l'objet du litige, elle s'enquit.

– Où avez-vous trouvé ça?

– Dans le bar.

– Remettez-la en place, exactement où elle était.

Il se redressa lourdement, prit la bouteille et repartit vers le living.

Ce qu'il faisait chaud dans cette cuisine! Diane était couverte de sueur, chose qu'elle détestait. Elle avait encore trop bu. Et puis retourner les tiroirs et tout remettre en place n'avait pas non plus été une sinécure. Tant de recherches pour rien! Elle avait lâché deux cents dollars pour ça. Il ne les avait pas encore, mais si elle refusait de les lui donner, il lui tordrait sans doute le cou. Sinon pire!

Déverrouillant la porte de la cuisine, elle sortit sur la petite véranda qui donnait à l'arrière de la maison. La fraîcheur de la nuit la fit frissonner.

Voilà, ça allait mieux.

Tout à coup, sur la droite, elle aperçut les phares d'une voiture qui approchait. Un instant, son cœur cessa de battre. Ce ne pouvait être que Howard Bluestern, rentrant bien trop prématurément se coucher. D'un bond, elle se blottit dans le coin le plus sombre de la véranda pour guetter l'arrivée du véhicule. Mais ce n'était qu'une camionnette qui passa sans ralentir. En quittant sa cachette, elle enregistra du coin de l'œil un reflet inattendu, un petit éclair provoqué par la réfraction des phares du véhicule sur un objet. Machinalement, alors que les ténèbres envahissaient de nouveau la véranda, elle chercha ce qui avait attiré son attention. Comme il faisait trop sombre, elle dut avancer de quelques pas pour découvrir ce que, au cours des semaines passées dans cette maison et pendant ses nombreuses sorties sur cette véranda, elle n'avait encore jamais vu : ce petit truc sur le congélateur, un petit cadenas avec ses minuscules numéros.

Interloquée, insensible au bourdonnement de l'antique réfrigérateur, elle ne parvenait pas à détacher les yeux de ce cadenas flambant neuf. Bruce Gottesman, de retour à la cuisine, la sortit de son hypnose.

– Diane?

– Je suis dehors.

Depuis l'encadrement de la porte, il lança :

– Filons avant qu'il ne soit trop tard.

L'œil toujours fixé sur la grosse carcasse blanche, elle demanda :

– Bruce, ça abîmerait une bande magnétique de la mettre dans un réfrigérateur?

– Comment voulez-vous que je sache?

– Venez donc voir ici.

13.

L'aube n'allait pas tarder à poindre lorsqu'il émergea d'un profond sommeil sans rêves. Sa première réaction fut de chercher ce qui l'avait réveillé, alors qu'il dormait dans son lit habituel. Normalement, seul le soleil le ramenait à la réalité car le mugissement assourdi de l'océan exerçait en effet soporifique, et aucun bruit insolite ne venait rompre l'harmonie de cette paisible rumeur. Alors pourquoi ce réveil?

Puis sa merveilleuse nuit d'amour avec Jo Anne, après la réception, lui revint. Contrairement à ses craintes, la jeune femme ne lui avait pas posé de question. Paresseusement, ses pensées voguèrent vers sa bien-aimée, vers le couple qu'il formait avec elle, et peu à peu ses reins s'embrasèrent du désir toujours plus violent qu'il avait d'elle. La cherchant à tâtons dans l'obscurité, il comprit brusquement ce qui l'avait mis en alerte : le lit était vide, et par la porte de la chambre laissée ouverte ne filtrait aucune lumière, ce qui signifiait qu'elle n'était pas non plus dans le living.

De longs instants, il resta étendu à se demander ce qui l'avait poussée à se lever, se rhabiller et rentrer chez elle. Il cherchait vainement une explication, ses yeux s'accoutumant à l'obscurité de la pièce, quand il remarqua que les vêtements et les collants dont elle s'était débarrassée à la hâte, dans la fièvre de leur désir, gisaient encore pêle-mêle sur la chaise où elle les avait jetés. Il tendit alors l'oreille, et entendit de légers frôlements indistincts venant de la cuisine, ou peut-être de la véranda. Aussitôt il se leva et entreprit de traverser les ténèbres, pieds nus, sachant enfin pourquoi il s'était réveillé brutalement...

Sur le seuil de la véranda, il s'arrêta sans un mot, et fixa la jeune femme. Son air à la fois surpris et effrayé lui inspira un élan de pitié. Agenouillée devant le congélateur ouvert, au beau milieu d'un amas de victuailles éparpillées sur le sol, elle lui rendait son regard, sous la pâle lueur de la petite ampoule qui éclairait la scène; ses longs cheveux en désordre lui couvraient les épaules et la moitié du visage. Elle était si vulnérable qu'il finit par détourner la tête.

– Je me suis servie de la date de naissance de ton permis de conduire, dit-elle d'une petite voix courageuse. C'était bien le sésame.

Puis sa voix se brisa, et elle poursuivit sur un ton plein de remords.

– Oh, j'ai honte, Howard! Je voudrais mourir.

D'un geste vague, il coupa court à l'humiliation qu'elle s'infligeait. Alors elle se leva, attendant que l'orage se déchaîne.

De son côté, au lieu de la fureur qu'il aurait imaginé ressentir, il éprouva aussitôt un soulagement aussi profond qu'inattendu. Il n'était plus le seul détenteur de cet horrible secret.

– Puisque tu as commencé, finis! dit-il paisiblement. Après, rejoins-moi dans la chambre. Il faut que nous parlions.

– Que veux-tu que je finisse? demanda-t-elle d'une voix implorante.

– Tu voulais savoir pourquoi je refusais qu'on ouvre le cadenas, cet après-midi. Alors, vas-y, Jo Anne. Finis ton boulot.

Pour toute réponse, elle referma violemment le réfrigérateur. D'un geste vif, il lui arracha le cadenas et rouvrit l'engin.

– Vas-y, répéta-t-il. Je tiens à ce que tu en finisses.

– S'il te plaît, Howard. Je me suis conduite comme une imbécile. Tu ne veux pas qu'on arrête?

– Toi, si tu veux, mais pas moi. C'est trop grave pour nous deux, aussi je préfère aller jusqu'au bout.

– Mais qu'y a-t-il? Des produits congelés? Je me suis trompée, ce cadenas ne voulait rien dire. Je suis désolée, je te le jure. J'ignore ce qui m'a prise. J'ai horreur des indiscrets... Howard?...

Il ne l'écoutait plus. Penché sur le réfrigérateur, tel un forcené, il le vidait, éparpillant les paquets qui restaient sur le carrelage. Frappée de stupeur, elle le regardait faire sans un geste.

– Qu'est-ce que j'ai fait? Je voulais seulement voir...

– Approche, coupa-t-il.

Elle resta sans réaction.

– Approche, je te dis.

– Howard, qu'est-ce que...?

La prenant par le bras, il l'attira de force et, de la tête, lui indiqua le fond de l'engin.

Le monstre ronronnant ne contenait plus rien sauf une sorte de sac en plastique recouvert de givre, pourvu d'une longue fermeture à glissière.

Regardant à nouveau son amant, la jeune femme demanda :

– Qu'est-ce que c'est?

– A ton avis? rétorqua-t-il d'une voix bizarre.

Les yeux de Jo Anne allèrent du plastique à son compagnon, incrédules.

– Un... porte-vêtements... une housse de voyage?

Il hocha la tête.

– Je ne comprends pas, reprit-elle. Il y a quoi, dedans?

– Ne demande pas quoi, mais qui.

Elle ne put réprimer un petit sourire contrit.

– Howard, je t'en prie...

– De quoi me pries-tu?

Je t'en prie, dis-moi que c'est une plaisanterie, dis-moi quelque chose de drôle. Cette histoire devient démente, et si tu n'arrêtes pas... si je ne peux continuer à en sourire...

– Je t'en prie, Howard, cesse de me tourmenter. Je t'ai dit...

– C'est mon frère, interrompit-il calmement.

– ... que j'étais désolée et je te jure que c'est vrai.

– C'est mon frère qui est dans ce sac, Jo Anne. Il est mort.

Le rire par lequel elle voulut lui répondre se mua en un misérable borborygme. Avec un autre essai à peine plus réussi, elle lui caressa le bras.

– D'accord, tu as gagné. Je ne recommencerai plus jamais. Si on remettait tout en place avant que ça ne pourrisse?

Joignant le geste à la parole, elle s'agenouilla tant pour se mettre en besogne que pour échapper à la sombre lueur qu'elle lisait dans ses yeux.

– Aide-moi, chéri, tu veux?

– Ce n'est pas moi qui l'ai tué, poursuivit-il. C'est quelqu'un d'autre.

– D'accord, d'accord, tu ne l'as pas tué. C'est un autre, d'accord, Howard. Tu veux bien me...?

– Inutile, Jo Anne...

D'un geste, il referma la réfrigérateur.

– Maintenant, ça suffit! dit-elle en se levant.

Il lui prit les mains doucement.

– Écoute-moi bien...

En pleurs, elle s'arracha à son étreinte.

– Mais pourquoi me tortures-tu ainsi?

– J'essaie de te dire la vérité parce que je ne peux plus supporter de me taire. Je vais te faire beaucoup de mal, Jo Anne. Tu me détesteras sûrement après mais il le faut, chérie, il le faut, et je veux que tu m'écoutes, je t'en supplie...

– Assez, assez!

Elle se plaqua les mains sur les oreilles, mais impossible de ne pas l'entendre. Il avait décidé de la torturer, il la tenait maintenant et il allait la punir avec cruauté, avec une telle cruauté! Jamais elle n'aurait imaginé qu'il soit si cruel.

– Howard, je t'en supplie! implora-t-elle.

D'une voix douce, il répondit :

– Je ne suis pas Howard. Je suis Teddy. Et cela depuis le moment où tu es venue avec moi et que nous avons fait l'amour, la première fois.

– Je t'en supplie, arrête!

– Je suis Teddy, répéta-t-il.

Quelle horreur, quelle cruauté impitoyable!

– Oui, Jo Anne, c'est la vérité.

– C'est épouvantable...

– Je suis Teddy. Tu m'entends?

– Arrête. Ce n'est pas vrai, tu n'es pas...

– Mais si.

– Non, sanglota-t-elle.

La voix de son amant s'enfla et il hurla presque :

– Si!

Les yeux écarquillés, elle le dévisagea. Sous la faible clarté de la petite ampoule de la véranda, il était pâle comme la mort, les lèvres décolorées. Sans un mot, elle attendit qu'il mette fin à ce cauchemar. Elle avait l'impression de se dissoudre dans un monde d'angoisse, d'agoniser sans espoir de retrouver le monde des vivants. Il fallait qu'il la sauve d'un sourire, par la parole, qu'il vole à son secours, il fallait, il fallait...

– Howard, l'adjura-t-elle.

– Non!

– Howard...

Ce n'était plus qu'un gémissement.

– Teddy, répliqua-t-il en s'approchant d'elle.

– Ne me touche pas! hurla la jeune femme. Ne me touche pas...

Il voulut la retenir, mais elle s'arracha à son étreinte et, comme une folle, s'engouffra dans la maison, en larmes. Il l'appela tandis qu'elle courait à travers la cuisine, l'entrée, puis le living-room.

– Jo Anne, je t'en supplie! criait-il.

Elle se précipita dans le patio, insensible au sol raboteux qui lui écorchait les pieds, trouva enfin le sable humide et frais, puis la mer dont le mugissement couvrit son halètement. Elle fuyait de toutes ses forces dans les ténèbres, loin de ce cauchemar, loin de Howard, loin de ce monstre qui cherchait à la persuader qu'il n'était pas Howard, qui l'avait obligée à contempler cet énorme congélateur qu'il voulait lui faire prendre pour un cercueil dans lequel gisait son frère, cette étrange housse couverte de givre censée contenir le cadavre de son frère, loin des cris de cet individu qui ressemblait tant à Howard et qui ne cessait de répéter que son frère était mort, que son frère était Howard, que c'était Howard qui était mort et que, lui, il était Teddy.

– Aide-moi, Howard! cria-t-elle encore quand épuisée, elle s'effondra sur la plage, pleurant à gros sanglots. Aide-moi à dissiper ces mauvais rêves, prends-moi dans tes bras, berce-moi, dis-moi que j'ai eu un cauchemar... Je t'en supplie, Howard, viens, viens vite! l'implora-t-elle jusqu'à ce qu'elle entende le bruit de ses pas sur la plage et le son de sa voix dans l'obscurité. Oh merci, mon Dieu, tu es là, tu viens me sauver...

Il la prit dans ses bras, la ramena à la maison, la recoucha tendrement avant d'éteindre la lumière et de s'allonger à ses côtés. Dans le noir, il l'entendit gémir, son visage ruisselant de larmes enfoui au creux de l'oreiller, lovée sur elle-même en une vaine tentative d'échapper au monde extérieur, à la fois proche de lui et aussi éloignée qu'elle le pouvait.

– Je peux te parler, maintenant? ne cessait-il de lui demander, tandis qu'elle restait muette. Si tu préfères, on peut attendre le jour.

Mais elle lui dit que non. A nouveau il lui demanda si elle voulait bien l'écouter et crut l'entendre balbutier oui. Après avoir allumé une cigarette, il entreprit de tout lui raconter, tout ce qui lui revenait en mémoire, tout ce qu'elle devait savoir, même le reste. Il ne cessait de l'épier guettant ses réactions pour savoir quand s'arrêter, quand reprendre son récit, la modération qu'il devait montrer parfois pour l'entraîner peu à peu vers la vérité sans atteindre les limites où la jeune femme n'aurait pu supporter la réalité dans toute son horreur.

Il lui avoua combien il l'aimait, la respectait, l'admirait, la désirait, le culte qu'il lui vouait et l'impérieux besoin qu'il avait d'elle. N'ayant plus conscience de la fuite du temps, il lui raconta, minute par minute, ce qu'il avait vécu, ressenti, depuis la découverte du corps de son frère, depuis leur première rencontre, leur premier baiser, sans crainte de se répéter, oubliant que, depuis longtemps, le jour s'était levé. Immobile, la jeune femme semblait l'écouter, sans un murmure.

– Jo Anne... mon petit?

Pas de réponse. Avec douceur, il posa la main sur son épaule tiède.

– Jo Anne... ma chérie?

Elle respirait avec une grande régularité. Manifestement, elle avait sombré dans un profond sommeil, alors qu'il aurait tant voulu lui en dire plus... Il se glissa sous les couvertures, se tourna sur le côté et ne tarda pas à s'assoupir; il osait à peine croire qu'il avait survécu à ses aveux, que le pire était peut-être passé.

A son réveil, plus tard dans la matinée, elle avait disparu.

Cette fois, pas de message. Il eut beau fouiller toute la maison, rien.

Il l'avait irrémédiablement perdue.

14.

C'était sûrement ce bon Dieu de match qui le mettait dans cet état.

Ces foutus *Dodgers*! Ils ne pouvaient pas perdre au moins une fois, non?

S'ils croyaient qu'il avait le cœur à la rigolade! Il y avait cinquante mille personnes qui hurlaient de joie, et lui, Gerber, était là à se morfondre sur la leucémie de Bluestern. A moins qu'il ne s'agisse d'une tumeur maligne ou Dieu sait quoi; alors, même s'ils faisaient des miracles, les *Giants* ne l'arracheraient pas à ses sombres méditations. En temps normal, devant un score pareil, son fils et lui auraient quitté le stade pour mêler leur voix au concert des klaxons, mais Darryl tenait à assister jusqu'au bout à la mise à mort.

Gerber en voulait aux *Dodgers* d'avoir si bien joué. D'ailleurs, il supportait mal les matches du dimanche en matinée, parce qu'en plein jour il transpirait comme une bête. Ce matin, il s'était réveillé à des heures indues pour un jour de repos, avec le sentiment qu'il aurait fort à faire pour s'éclaircir les idées et se détendre un peu. Sinon ce serait dur d'attendre lundi matin où, une fois au bureau, il pourrait au moins tenter quelque chose, au lieu de rester comme samedi, à se ronger les sangs pour des trucs qui n'existaient sans doute que dans sa tête.

Il avait beaucoup misé sur un match serré, les hurlements de la foule et les commentaires de son fils pour tenir jusqu'à l'heure du dîner, où Hélène prendrait le relais avec ses commérages. Après quoi, deux comprimés de somnifère au lieu d'un, et le tour aurait été joué.

Seulement voilà : les *Dodgers* avaient si bien joué qu'il n'y avait plus de suspense et du coup, il ne pouvait pas s'empêcher de penser à Bluestern. À tort ou à raison, parce qu'il commençait à en avoir marre, il avait fini par se fixer une ligne de conduite. Un samedi merdique, une matinée merdique et un match merdique, ça commençait à bien faire, alors pas question de se taper une nuit blanche. Résultat des courses, il avait pris sa décision.

Dès son arrivée au bureau, lundi matin, il demanderait à sa secrétaire l'adresse du frère de Bluestern – Madeline, pour ça, était très forte – après quoi, il irait traîner dans le quartier de ce Stern pour avoir une petite conversation avec lui et lui tirer les vers du nez sur l'état de santé de son frère; et ce, mine de rien. Il n'avait pas la moindre idée de la façon dont il s'y prendrait, d'autant qu'en principe, tout contact avec le bénéficiaire d'une police d'assurances qui n'était même pas au courant de la chose était à proscrire. Seulement hélas, c'est tout ce qu'il avait trouvé pour se calmer en attendant.

Voir Bluestern, ce n'était pas possible. On ne va pas trouver le client, surtout quand il dirige des studios de cinéma, pour lui dire : bon, mon vieux, blague à part, vous ne seriez pas un peu menteur, des fois? Quant à se renseigner auprès du médecin de la compagnie, pas question. Vu la nature des soupçons qu'il avait, c'était l'arsenal de la recherche médicale nucléaire, les scanners et tout le bataclan qu'il faudrait mettre en œuvre pour chercher des preuves. En plus, il n'entrait pas dans ses intentions de foutre en l'air un super-contrat et les commissions qui allaient avec en mettant la puce à l'oreille de quelqu'un de la Compagnie. Pas tant qu'il resterait une chance que ses doutes ne reposent que sur du vent. Avec un peu de pot, Teddy Stern, il le repèrerait dès demain matin. Après quoi il suffirait de lui tomber sur le poil à l'improviste. Après tout, si Madeline trouvait ses coordonnées...

– Ben voilà, c'est comme si c'était joué, lâcha-t-il d'un ton rêveur.

– Oh, on reste quand même jusqu'à la fin? pleurnicha son fils.

– Mais oui, répondit Gerber. Pourquoi pas?

En cette fin d'après-midi, le soleil ne suffisait pas à faire oublier la brise glaciale qui soufflait de l'océan. Assis au bord de l'eau, Teddy ne regrettait pas d'avoir endossé sa tenue de jogging. Il y avait peu de monde sur la plage pour un dimanche. Heureusement, car il n'aurait pas supporté la foule. Le samedi s'était déroulé comme un cauchemar. Il était resté prostré devant le téléphone muet, se livrant à une sinistre introspection. Aujourd'hui, il s'était autorisé à sortir et avait passé de longues heures assis sur le sable, attendant que son esprit confus, les vagues déferlantes ou même le cri d'une mouette lui apporte la solution, la décision qu'il devrait adopter pour que les choses soient nettes. Le départ de Jo Anne l'avait déboussolé. Les questions et réponses qui se pressaient dans sa tête lui paraissaient sans consistance, aussi déprimantes que dénuées de sens. Quand faudrait-il se débarrasser de Howard? Mardi ou samedi? Quelle importance? Dans le canyon de Malibu, à Oxnard, à Carmel? Quelle différence? D'ailleurs tenait-il tant que cela à régler cette histoire? En admettant qu'il s'en sorte, quel intérêt présentaient dix millions de dollars pour un type pas fichu de se trouver une bonne raison de continuer à vivre?

Non, là il commençait à dérailler! D'un bond, il sauta sur ses pieds. Assez réfléchi. A quoi ça menait, de toute façon? D'être resté si longtemps dans la même position, il avait des fourmis dans les jambes. Il jeta un dernier regard sur la plage. La marée était basse, et le sable s'étendait à perte de vue. Bon moment pour courir quelques kilomètres. Rien de tel que l'effort physique pour chasser l'angoisse. Il avait lu cela quelque part. Lui qui courait tous les jours, il allait vérifier au moins une fois cette année le bien-fondé de cette assertion. Il se tourna vers le Nord, fit quelques mouvements d'assouplissement avant de prendre le départ. Mais sa course s'arrêta là. Changeant d'avis, il fit demi-tour et traversa la plage pour rentrer chez lui.

Inutile de se leurrer. Il ne se débarrasserait pas de Howard en courant. Pour cela, il n'y avait qu'une méthode, et il allait justement s'en occuper. Il aurait d'ailleurs mieux fait de l'adopter en découvrant le cadavre. Ou, compte tenu du choc momentané qui l'avait empêché d'agir normalement, il aurait dû intervenir dès le lendemain. Bien sûr, c'étaient les conséquences probables d'une telle action qui l'avaient effrayé, mais parce qu'il n'y avait pas assez réfléchi. Après tout, les quelques heures qu'il venait de passer sur la plage n'avaient pas été du temps perdu. A présent, il voyait clairement que, une fois le pire passé, le prix à payer ne serait pas si élevé.

En tant qu'acteur, il serait perdu de réputation pour tous les studios et les chaînes de télévision. Mais, de toute façon, où était-elle, sa réputation? Une farce! Il y avait eu crime et il s'en était fait le complice. Après son témoignage, la compagnie d'assurances serait libre de toute obligation financière. Avec un peu de chance, elle ne lui intenterait pas de procès. Dissimuler un crime pendant quelques jours n'entraînait pas une condamnation à perpétuité! Son témoignage contre Diane auprès du District Attorney lui vaudrait, au pire, une peine avec sursis. Et justice serait faite. D'ailleurs, Diane n'en prendrait sans doute pas pour plus de deux ans avant d'être libérée sur parole pour crime passionnel. Et, comme son acte n'avait pas été prémédité, elle aurait des circonstances atténuantes.

Et puis ainsi, Howard aurait au moins une fin décente.

Teddy monta les marches du patio. Déjà il répétait son futur dialogue. Cette scène-là serait difficile, mieux valait l'aborder avec une bonne préparation.

Je m'appelle Teddy Stern. Je suis acteur. J'habite au 1070 Old Malibu Road, et je vous appelle pour vous informer d'un meurtre qui a eu lieu il y a quelques jours... Mon frère, Howard Bluestern, président d'une compagnie cinématographique... C'est bien cela, oui, c'est mon frère.

Il est mort. Je vous attends; le cadavre est dans mon congélateur. C'est moi qui l'y ai mis et gardé depuis sa mort. Écoutez, je vous fournirai toutes les explications dès votre arrivée, d'accord?... Non, je ne suis pas coupable. La responsable est une jeune femme du nom de Diane Mac Vorter, mais là aussi, je vous expliquerai sur place, et vous donnerai l'adresse à laquelle vous la trouverez... Ah, j'aimerais mieux que ce soit une blague, mais si vous ne me croyez pas, envoyez donc une voiture de patrouille tout de suite. Je ne bougerai pas, mon frère non plus, hélas... A tout de suite.

Et voilà, ce n'était pas pire que ça.

En définitive, quoi de plus simple que la vérité? Pas besoin de surveiller ses paroles quand on n'a rien à cacher. C'est un peu comme quand on se déshabille complètement, qu'on se met tout nu...

Il ouvrit la baie coulissante pour pénétrer dans le living où se trouvait le téléphone, le téléphone dont il allait se servir pour appeler la police. Et puis, il n'appela personne.

Car elle était là, assise.

Assise sur son canapé dans son living-room, elle le regardait avancer, l'examinait de ses grands yeux bleus, plus pour tester ses propres réactions à la vue de son amant que pour chercher à évaluer la façon dont lui allait se comporter. Elle comprit alors brutalement que tout recommencerait. Bien sûr, cela ne se ferait pas de but en blanc, il leur faudrait du temps à tous les deux. Mais elle sut que pour elle, l'amour avait triomphé quoi qu'il arrive.

Teddy ne put étouffer un soupir de soulagement.

– Oh, mon Dieu!

Puis elle lui sourit.

Incapable d'articuler un mot, il s'assit près d'elle, la prit dans ses bras et enfouit son visage dans la luxuriance de sa chevelure pour dissimuler les larmes qu'il ne savait plus retenir.

– Teddy, Teddy, murmura-t-elle d'un ton apaisant, l'appelant enfin par son vrai nom, en lui caressant la nuque.

– Oh, chuchota-t-il... oh... je croyais que... oh, mon Dieu, je suis si heureux...

– Je ne sais pas non plus ce qui m'arrive, répondit-elle. Je sais seulement que tu es là, qui que tu sois... et que je ne veux pas te perdre, quoi qu'il arrive.

– Je t'aime, gémit-il d'une voix sourde.

– En plus, tu serais incapable de t'en sortir tout seul.

Il leva alors la tête, et vit qu'elle souriait.

15.

Comme tous les lundis, les studios bourdonnaient telle une ruche, surtout aux étages directoriaux. Installée dans le salon d'accueil, elle se demandait comment Bruce s'en sortait. Il était probablement arrivé à la maison du bord de la plage et s'y était peut-être déjà introduit. Puisqu'elle faisait ici sa part de boulot, pourquoi ne ferait-il pas la sienne?

Installée devant le secrétariat de Howard Bluestern, elle feuilletait le *Times* et *Newsweek*, sans y accorder plus d'importance qu'au fait de voir Howard. En réalité, elle était à l'affût, elle jouait le rôle du système d'alarme pour Bruce Gottesman; son objectif était de vérifier que Bluestern ne quittait pas son bureau pour filer à Malibu et tomber à l'improviste sur son complice.

De son poste, elle observait, pleine d'admiration, la façon dont Miss Kallen, la secrétaire du patron, exerçait ses fonctions dans le calme et la gentillesse sans pour autant y perdre en fermeté. Ce n'était pas vraiment une beauté. D'aucuns ne l'auraient même pas trouvée jolie. Pourtant, elle avait un je ne sais quoi de très féminin. Les cheveux? Les yeux? La bouche? Diane aurait volontiers jeté un coup d'œil sur ses jambes. A l'abri de son bureau, elles restaient invisibles, ce qui accroissait encore son envie de les voir.

Cette fille aurait beaucoup plu à Teddy. Il l'aurait dévorée toute crue... L'évocation de son ex-amant lui fut pénible, mais cette fille l'y avait poussée. Tout ce qui se rattachait au sexe la ramenait à Teddy, et il y avait de fortes chances que ce soit à jamais. Hier après-midi encore, en s'envoyant en l'air avec Bruce Gottesman qui, entre parenthèses, en connaissait un rayon sur la bagatelle, elle avait failli crier son nom en atteignant l'orgasme. Et pourtant il était mort, le pauvre rat! Et c'était même pour cela qu'elle avait cherché l'oubli dans les bras de ce gros porc.

Le remords et la peur la saisirent à nouveau tandis que, dans son esprit, se reformait l'image de sa macabre découverte, vendredi dernier : le cadavre de Teddy dans le fond du congélateur, assassiné par elle et caché par son propre frère. Qui d'autre aurait pu lui répondre au téléphone en se faisant passer pour le défunt acteur? Allez savoir combien de fois ils avaient joué à ce petit jeu de « coucou c'est qui »? Ah, bon Dieu, fallait qu'elle soit idiote pour avoir gobé cette histoire de bande magnétique qui n'avait sans doute jamais existé.

Elle avait craqué sur la véranda, ce fameux vendredi soir. Heureusement, Bruce l'avait remise sur pied à grands coups de bourbon avant de la ramener chez elle, de la mettre au lit et de, mine de rien, s'y glisser lui aussi. En un sens, cela lui avait fait du bien, lui évitant une nuit blanche. Le samedi après-midi, malgré une intéressante gueule de bois, elle avait suffisamment récupéré pour persuader Bruce que l'assassin de Teddy ne pouvait être que son propre frère.

Ce matin-même, après être passée à la banque chercher les mille dollars exigés par son complice, elle lui avait laissé la Datsun et avait pris un taxi pour se rendre aux studios, sans chercher à obtenir un rendez-vous par téléphone. Elle s'était arrangée pour passer sous le nez du gardien, s'annoncer auprès de Miss Kallen et aller, d'une cabine, téléphoner à Bruce que la voie de Malibu était libre puisque Howard était au bureau.

Elle savait que M. le Président prétendrait être trop occupé pour la recevoir. Elle n'en demandait pas plus. Elle n'avait pas envie de le voir, au contraire; elle avait trop peur de se trahir. Elle ignorait encore les conséquences que pouvait entraîner le seul acte de violence qu'elle ait jamais commis, mais mesurait combien il était vital qu'Howard Bluestern ne soupçonne pas qu'elle avait découvert son horrible secret.

Pour la millième fois, elle se demanda ce qui l'avait poussé à se faire passer pour Teddy au téléphone, puis à fourrer son frère dans son congélateur et de l'y boucler à double tour. Pourquoi tenait-il à ce qu'elle croie Teddy vivant? De plus, lorsqu'on utilise un congélateur, c'est dans le but de conserver. Pourquoi cherchait-il alors à conserver Teddy en l'état?

Il n'avait pas averti la police. C'était risqué, non? Que diraient les flics, lorsqu'il se déciderait à les appeler? Il y avait des chances qu'on le soupçonne! Et plus important encore, que lui préparait-il à elle, la meurtrière de son frère? D'autant qu'il était le seul au courant, parce que ça, même Bruce n'en savait rien. Elle avait hélas été claire au téléphone quand il s'était fait passer pour Teddy. Même au *Polo Lounge*, elle avait tout fait pour confirmer ce qu'il savait déjà. Y avait-il seulement une malheureuse petite chance pour qu'il n'ait pas compris qu'elle était coupable? Pouvait-elle encore imaginer qu'il n'avait que des soupçons et attendait qu'elle se trahisse elle-même?

A toutes ces questions sans réponses, elle n'avait su réagir qu'en envoyant Bruce fouiller à nouveau la maison dans l'espoir d'y découvrir une explication au comportement de Howard. Pour le décider, elle avait inventé une histoire mirifique, selon laquelle Howard, pris à la gorge, serait prêt à leur verser des sommes astronomiques pour prix de leur silence. Les yeux de Bruce avaient brillé de cupidité, tandis qu'un vilain sourire découvrait ses dents pourries. Elle en avait profité pour lui faire miroiter l'occasion inespérée de s'offrir une bouche de star, et depuis lors il était prêt au meurtre, sinon pire.

A présent, elle en était réduite à feuilleter des magazines en surveillant du coin de l'œil la blonde secrétaire aux yeux bleus, et se faisait un cinéma qui, de minute en minute, prenait des proportions assez effrayantes. Elle en était à rêver une scène érotique entre lesbiennes lorsque Miss Kallen, quittant son siège, passa dans le bureau du patron. Avant que la porte ne se referme, Diane eut le temps d'apprécier la finesse de ses longues jambes nerveuses et la délicieuse courbe de ses reins. Saisie d'un délectable frisson, elle se dit que Teddy aurait adoré ce spectacle...

Jo Anne verrouilla la porte du bureau désert. Puis elle s'assit dans le fauteuil directorial, décrocha la ligne privée de Howard et forma le numéro de Teddy à Malibu. Après avoir obtenu le répondeur, elle raccrocha, refit le numéro, raccrocha encore et reforma une troisième fois le numéro. Teddy lui répondit aussitôt.

– C'est toi?

– Elle est toujours là...

– Si tu lui faisais payer un loyer?

– Je voulais t'avertir au cas où tu déciderais de passer ici de bonne heure.

– Peu de chance. Gerber n'est pas encore arrivé. Je l'attends.

– Je suis morte de curiosité.

– Je te préfère vivante. Comment ça marche au bureau, en mon absence?

– Navré de te dire que tout va bien.

– Je n'en crois pas mes oreilles.

– En revanche, si tu savais comme tu es occupé ce matin!

– Je t'avais dit combien c'était facile de jouer la comédie.

– Pour toi peut-être. D'autant que tu vas interpréter ton propre rôle, avec Marvin Gerber.

– Tu sais, c'est ce qu'il y a de plus difficile à jouer... être soi-même.

– On redevient sérieux? Il vaut mieux que je raccroche, alors?

– D'accord. Je t'appellerai plus tard. En attendant, occupe-moi bien.

Après avoir raccroché, il jeta un coup d'œil à sa montre japonaise. Gerber était en retard, ce qui n'était pas pour calmer ses inquiétudes. Depuis sa conversation téléphonique avec l'inspecteur d'assurances, il n'avait cessé de s'interroger sur la raison de cette entrevue. Seule certitude : il y avait un rapport avec la police de son frère. Mais quelle idée de prendre rendez-vous avec le bénéficiaire de ladite police?

De son côté, aux studios, Jo Anne consulta quelques documents sans importance sur le bureau de Howard et regagna le secrétariat.

Miss Mac Vorter lui adressa un regard interrogateur.

L'air désolé, Jo Anne lui dit :

– Je lui ai rappelé que vous étiez là, mais il est débordé. Si vous reveniez demain?

Avec un charmant sourire, la jeune femme rétorqua :

– Cela ne me dérange pas d'attendre.

Bruce tenta discrètement de changer de position. En vain. Essayez de vous mettre à l'aise, allongé à plat ventre sous un lit bas sur pattes! Comment avait-elle fait son compte pour se tromper à ce point-là, cette imbécile de Mac Vorter? Peut-être n'était-elle pas encore remise d'avoir vu le cadavre de son ex-petit copain? Quand même, ce dont elle s'était chargée n'était pas la mer à boire! Il avait fallu qu'elle se plante! Il avait eu une trouille noire en entendant Bluestern triturer la serrure de la porte d'entrée, alors que Diane n'avait même pas encore été foutue de l'avertir. Il avait foncé dans la chambre à coucher et s'était jeté sous le lit, implorant les dieux de lui épargner un accès de toux ou d'éternuement. Et voilà que cet enfoiré de Bluestern s'était pointé direct dans la chambre, et s'était posé sur le lit pour se déshabiller et changer de fringues – de son nid de cafards, Bruce avait distingué des bottes de cow-boy et le bas d'un blue-jean.

Ce qu'il avait surpris de la conversation téléphonique, côté Bluestern du moins, ne lui avait pas appris grand chose, sinon que c'étaient les studios qui appelaient et que Bluestern attendait un certain Gerber. Restait à espérer que le mec en question embarquerait Bluestern ailleurs, fût-ce sur la plage, le temps que Bruce s'extirpe de sa cachette et se tire de ce foutu guêpier. Dans des moments comme celui-là, il se demandait s'il était taillé pour gagner sa croûte en jouant à des jeux dangereux. Faire le cambrioleur ou Dieu sait ce que cette cinglée allait encore inventer, je vous demande un peu! La bouffe, la gnôle, les femmes en trimbalant un gros plein de fric sur son yacht à Monte-Carlo, ça oui, Bruce savait faire, et, oui, il prenait son pied, mais ce boulot de merde!... Si seulement on pouvait se passer d'argent dans ce monde à la con!

Les pas de Bluestern qui tournicotait dans le living-room lui parvinrent, puis le tintement des glaçons dont il garnissait son verre avant de le remplir, et enfin le bruit caractéristique du cadran de téléphone.

– M. Kramer, s'il vous plaît. Teddy Stern à l'appareil...

Tiens, cet accent bidon, Diane lui en avait parlé. Celui qu'il avait utilisé pour la pigeonner sans doute, ou alors c'est lui qui rêvait? Quand elle lui avait raconté ça, il n'en avait pas cru un mot. Faut dire que c'était dur à avaler. Mais, à présent qu'il était témoin de l'imitation à laquelle se livrait son tortionnaire en se faisant passer pour Teddy Stern, il commençait à croire que ce n'était pas des salades. Pendant ce temps, l'autre continuait.

– Salut, Ruth! Je peux lui parler?... Si, si, c'est moi. Je viens de rentrer... « En réunion », ça veut dire qu'il ne veut pas qu'on le dérange... Faut pas vous affoler ma petite Ruthie... Non, pas la peine. Je vais ressortir. J'appelais pour dire bonjour et, ah oui, autre chose: pour Jud Fleming chez *Universal*, la réponse est non. M'intéresse pas... C'est ça. Un niet pur et dur. Vous n'oublierez pas, hein?... merci, Ruth.

Coincé sous le lit, Bruce commençait à en avoir marre. Après son petit numéro, Bluestern se croyait peut-être malin, mais pour lui, le cinéma « c'est mon frère qui parle », ça lui faisait plutôt mal aux reins!

Repensant à Diane, il chercha encore à la situer. A ses fringues, à la façon dont son appartement de Brentwood était meublé et la facilité avec laquelle il lui avait extorqué mille dollars ce matin, elle aurait du mal à faire croire qu'elle était dans la misère. En tout cas, pas au point de vouloir coincer Bluestern pour le rançonner. Bruce n'arrivait pas à mettre le doigt dessus, mais quelque chose n'était pas net dans cette combine. Pendant le trajet, il avait gambergé, et les conclusions auxquelles l'avait amené ce comportement bizarre le tracassaient. Mais avec le coup de massue qu'elle avait pris en découvrant le corps – et ça, c'était pas du bidon – puis la crise d'hystérie qu'elle avait piquée juste après, ses conclusions n'étaient peut-être pas les bonnes. D'ailleurs, cette nana n'était pas son genre. Rendre un mec dingue, d'accord, mais lui péter le crâne, non!

La sonnette de la porte d'entrée... Et Bluestern filait vers le hall.

Le dit Gerber, peut-être...

Graham Gerber?... Hymie Gerber?... Gerber von Furstenberg?

Rien à foutre du moment que c'était quelqu'un, et qu'il allait provoquer quelque chose. Cela lui ferait quand même un bout de conversation à écouter, au lieu de s'obséder sur Diane.

N'oublie pas qu'il t'a déjà vu, Howard. En revanche, c'est la première fois qu'il te rencontre en tant que Teddy. Alors, pas de blague. Ne te trompe pas de personnage. C'est avec la *Mutuelle de l'Oklahoma* que tu la joues, cette partie. Tu risque d'y paumer tes billes.

En ouvrant la porte, il ne fut pas déçu par l'expression de Gerber. Abasourdi, troublé, intrigué, commençant à comprendre, curieux, un peu effrayé, épaté et enfin prêt à admettre la chose. Tout cela, en succession quasi instantanée.

Le sourire aux lèvres, Teddy lui tendit la main.

– Laissez-moi deviner. Vous êtes Marvin Gerber.

– Sans aucun doute.

Encore désorienté, le petit bonhomme lui serra la main avant de poursuivre :

– Et vous êtes Teddy Stern?
Il n'avait toujours par l'air d'y croire.
– C'est bien mon drame. Mais on n'y peut rien. Entrez donc.
Refermant la porte, Teddy pilota Gerber vers le living.
– Je vous offre à boire?
– Merci, non.
– Alors installez-vous pendant que je me sers une petite recharge.
Échappant à l'œil inquisiteur de l'inspecteur d'assurances, il alla au bar remplir son verre de Tequila, tandis que son interlocuteur s'asseyait en allumant un cigare.
– La fumée ne vous dérange pas, j'espère?
– Le cigare? Non! Ça pue déjà tellement ici que votre truc ne peut qu'améliorer les choses.
Levant son verre, Teddy ajouta.
– A votre santé, Marvin.
Gerber fit mine de trinquer avec son cigare.
– A la vôtre, Teddy.
– Bon. Qu'y a-t-il?
– Si j'ai eu l'air un peu surpris, c'est que votre frère a omis de me préciser que vous étiez jumeaux.
– Ah bon! Vous connaissez Howard?
– En effet. Ma secrétaire n'a pu laisser qu'un bref message sur votre répondeur, et lorsque vous l'avez rappelée, elle a surtout cherché, selon mes instructions, à vous faire accepter ce rendez-vous.
– Eh bien, nous y voilà, monsieur Gerber...
– Marvin...
– ... Elle a réussi. Elle m'a eu. Vous aussi. Le seul problème, c'est que je ne vois pas ce que ça vous rapportera. A mon avis, rien.
– Rien?
Gerber n'avait pas l'air ébranlé.
– Vous êtes de la *Mutuelle de l'Oklahoma*, non?
– Voilà plus de vingt ans que j'y travaille.
– Et vous êtes ici pour me placer une assurance?
– C'est en général ainsi que je gagne ma vie. Par ailleurs, j'adore rencontrer des gens.

– Vous ne m'en voudrez pas si je nous évite de perdre du temps?

– Je vous en prie... Je ne doute pas que vous soyez fort occupé.

– Les pépites d'or, il faut que la roche s'y prête. Ici, c'est fauché et compagnie. Vous voyez ce que je veux dire?

Avec un large sourire, l'inspecteur rétorqua :

– Comment cela? Vous voulez me faire croire que les acteurs de Hollywood ne roulent pas sur la cocaïne?

– Ne vous laissez pas impressionner par ce petit palais de bord de mer. C'est un cadeau de mon frère... ou plutôt, un prêt à fonds perdus.

– Vous êtes un veinard, Teddy! Tout le monde n'a pas un frère si généreux...

– Sans blague! Ses largesses sont déductibles de ses impôts!

Manifestement, le petit bonhomme guettait ses réactions. Alors allons-y, donnons-lui ce qu'il attend : pas de réaction du tout, pour lui prouver que Howard Bluestern n'avait pas soufflé mot de son contrat d'assurances à son frère.

– Vous ne voulez vraiment rien boire?

Gerber secoua la tête.

– Pour moi, l'alcool et les affaires ne font pas bon ménage.

Teddy se dit qu'il était temps d'activer un peu le débat.

– En vérité je ne suis pas convaincu que vous êtes ici pour me vendre une assurance...

Sur ce, il avala une lampée de Tequila.

– Ça ne serait pas plutôt rapport à Howard?

S'enveloppant d'un épais nuage de fumée, l'inspecteur biaisa.

– Vous buvez ce truc-là comme du petit lait, n'est-ce pas?

– Le lot quotidien d'un acteur au talent modeste, monsieur Gerber... oh, excusez-moi, Marvin... cette vie, seul un océan de Tequila la rend supportable. Avec l'océan qui baigne les alentours, ça fait deux, encore que Howard ait acheté cette baraque surtout comme couverture fiscale... et aussi un peu pour servir de couverture à son petit frère, si vous voyez...

– Pas excellent pour la santé néanmoins, poursuivit son interlocuteur. Et c'est l'opinion de quelqu'un qui travaille tous les jours sur des statistiques.

– Vous vous plantez, Marvin. Parce que l'océan fait office de station thermale vingt-quatre heures sur vingt-quatre.

– Oh, mais ce n'est pas de cet océan-là dont je parlais, Teddy.

Soulignant son discours d'un geste de son cigare, il ajouta.

– L'alcool, eh oui, l'alcool!

Le sourire de Teddy s'élargit encore.

– Vous êtes gonflé, mon vieux. Et votre cigare, il est inoffensif sans doute?

– C'est vrai, je creuse ma tombe avec. Mais quelle importance? Moi, je n'ai pas un frère qui vient de s'assurer sur la vie pour cinq millions de dollars et qui m'a institué seul bénéficiaire. Alors je n'ai pas autant de raisons de vivre que vous, si vous voyez ce que je veux dire?

Devant un Teddy abasourdi, il entreprit d'épaissir encore le nuage de fumée qui planait sur la pièce.

– Cinq... millions... de dollars?

– Avec double indemnité. En termes clairs la prime pourrait s'élever à dix millions.

– Vous vous foutez de moi, Gerber?

– Si vous révélez ce que je viens de vous apprendre à quiconque et en particulier à votre frère...

– Pourquoi vous m'en avez parlé, alors?

Teddy semblait furieux.

– Ce n'est pas mes oignons, cette affaire!

– Je suis trop bavard. C'est une de mes faiblesses, comme vous la bouteille...

Secouant la tête, le comédien reprit :

– Alors vous avez vendu à mon frère une assurance

de cinq millions de dollars dont je suis le bénéficiaire?

Gerber rétorqua, résigné :

– Pourquoi vous raconterais-je des histoires?

Teddy regarda son interlocuteur dans les yeux.

– Vous me mettez dans une drôle de situation, mon vieux. Je ne sais que dire! Faudrait peut-être jouer cartes sur table. Pourquoi être venu me raconter tout ça?

Contemplant le bout incandescent de son cigare, Gerber déclara :

– Je vous aurais cru heureux d'apprendre que votre frère, qui m'a paru peu expansif, éprouvait à votre égard une chaude affection...

– Tu parles, Charles! Pas convaincant, votre raisonnement! Qu'est-ce que ça peut vous foutre de me faire plaisir? Ma personne, vous n'en avez rien à abattre, vous le savez, et moi aussi.

Sans s'énerver, l'inspecteur s'obstina :

– Je pensais vous faire plaisir en vous annonçant une chose dont votre frère ne vous avait peut-être jamais parlé, à savoir que vous ne serez pas condamné à coucher sous les ponts dans le cas où, Dieu l'en préserve, il lui arriverait malheur un jour...

– Un jour?

Teddy semblait avoir du mal à ne pas éclater de rire.

– Malheur à lui, un de ces jours...?

– Je vous ai choqué...?

– Non, vous continuez à vous payer ma tête, Gerber.

– Vous préfèreriez que je précise ce que j'entends par là...?

– Arrêtez vos âneries!

– Et si, à la place de malheur, je disais leucémie? Ça vous plaît, ça, la leucémie?

– J'adore!

Cette fois, Teddy rigolait.

– Le cancer alors, reprit Gerber sans le quitter des yeux.

Son interlocuteur lui rendit son regard, un peu ébahi.

– J'ai dit cancer, répéta l'inspecteur d'assurances.

– J'ai entendu. Cancer de quoi? Quel cancer?

– Une tumeur maligne.
– Quelle tumeur?
– Celle de votre frère...
Teddy explosa de rire.
– Celle qu'on a trouvée sur ses radios...
Une fraction de seconde le cœur de Teddy cessa de battre puis retrouva son rythme normal. Quelles radios? Il ne s'était pas fait radiographier...
– ... juste après que la police ait été acceptée.
Il discerna vite la petite lueur calculatrice dans les yeux de Gerber et qui, sans conteste, le trahissait. Soulagé, Teddy partit d'un nouvel éclat de rire.
– Et ça vous fait rire! Vous ne savez donc pas que votre frère a un pied dans la tombe?
L'inspecteur écumait de rage.
Teddy secoua la tête, incrédule.
– Vous ne vous voyez donc jamais? poursuivit Gerber, irrité. Vous n'avez jamais l'occasion de vous parler?
– Si, répondit Teddy, cherchant à reprendre son sérieux.
Il eut alors l'impression que le type des assurances était vraiment en rogne. Bon, doucement, petit père, tu vas un peu loin, tu commences à prendre un peu trop ton pied à lui jouer ton numéro. Alors, calmos, mon petit Stern.
– Marvin, je dois vous le dire : vous avez été extra. Même moi je ne m'en serais pas mieux tiré et pourtant, en principe, l'acteur c'est moi...
Vexé, l'inspecteur ne le regardait plus.
– Vous vouliez voir comment je réagirais, hein? Vous cherchiez à savoir si j'étais au courant de quelque chose de moche chez Howard, que vos médecins auraient loupé. C'est ça?
– Je n'ai rien à vous répondre.
– Pourquoi vous boudez? Vous devriez être ravi au contraire. Ce sont de bonnes nouvelles que je vous donne là, mon vieux. Votre client, mon frère, l'assuré, comme vous dites, n'a pas du tout l'intention de casser sa pipe. Il ne boit pas, il ne fume pas, je me demande même s'il baise. Il passe son temps à bosser et à faire de la gym, ce

qui explique peut-être pourquoi il n'a pas vu un toubib depuis des années, alors que moi, pardon! Pourquoi croyez-vous que je picole comme ça, Marvin? Et encore, ne me demandez pas de vous raconter mes histoires de nanas, parce qu'alors là! Vous savez, des jumeaux, c'est des drôles de bestiaux. Mon truc à moi, c'est de récolter tout ce qui vous bousille la santé. Ainsi, Howard est peinard. Je m'arrange pour faire assez de conneries pour mon frère et moi à la fois. Mais regardez-moi, bon Dieu...

– Pas la peine, j'ai déjà vu. C'est vrai que vous n'avez pas l'air très en forme.

– Non, ça c'est le boulot de Howard. C'est lui qui a la forme pour nous deux...

– Vous auriez peut-être intérêt à arrêter.

Gerber avait pris un ton protecteur.

– Pourquoi donc? Comme remontant, il n'y a pas mieux.

D'une gorgée, Teddy vida ce qui restait de Tequila dans son verre.

– Howard mène sa vie comme il l'entend, et moi aussi.

D'un air compassé, l'inspecteur d'assurances observa :

– C'est peut-être pourquoi votre frère s'est décidé à souscrire cette police en votre faveur. C'est sa façon de... de vous rembourser de ce que vous avez fait pour lui... et en même temps contre vous.

– Je vais vous dire, Marvin, je crois que j'ai un peu trop bu pour suivre vos élucubrations. Si on remettait la suite à un de ces jours?

– Je sais que je suis parfois obscur pour certains.

Sur ce, Gerber se leva, regagna l'entrée en poursuivant :

– Les gens pensent que je me contente de placer des assurances, mais je m'intéresse à la psychologie. Si, si, croyez-moi.

– Je vous crois, opina Teddy en lui ouvrant la porte. Multiples sont les facettes de votre talent, Marvin.

– En tout cas, comme acteur je ne vaux pas grand-chose.

Ils se serrèrent la main.

– Multiples, oui, répéta Teddy en le regardant filer vers sa voiture.

Le comportement de ce type, jusqu'à l'expression qu'il avait arborée sur le pas de la porte avant de vider les lieux, tout indiquait que ses soupçons s'étaient envolés et qu'il repartait tranquille comme Baptiste, mission accomplie. Teddy regardait s'éloigner un inspecteur d'assurances certain que sa compagnie avait passé contrat avec l'individu le plus sain de la terre. Et il ne se trompait pas, à part un petit détail : l'individu en question présentait l'inconvénient d'être déjà mort.

Surmontant sa répulsion, Teddy passa sur la véranda, déboucla le congélateur et finit par repérer les deux pièces de bœuf qu'y avait entreprosées la mère Mahoney. Il les rapporta à la cuisine, et les plaça dans le petit réfrigérateur après quoi, il régigea un mot à l'intention de la femme de ménage : « Ma chère madame M. – Je viens de rentrer (lundi), mais demain (mardi), je serai absent. Vos pièces de bœuf sont dans le réfrigérateur. Mon frère m'a dit combien vous étiez contrariée. J'en suis désolé. Bonne journée (mardi) – M. Teddy. »

Puis il regagna la chambre à coucher, s'assit sur le lit et entreprit une fois de plus de changer de vêtements pour redevenir Howard. Il se sentait encore imprégné par la singularité de la scène dont Gerber et lui avaient été les acteurs - Howard y avait curieusement été très présent. En se rhabillant, il eut l'étrange sensation que son frère était quelque part dans la pièce. L'espace d'un instant, toujours assis sur le lit, il crut même l'entendre respirer.

16.

– Ici le secrétariat de M. Bluestern.
– Je pars tout de suite, dit Teddy.
Baissant la voix, Jo Anne reprit :
– Comment ça s'est passé?
– Je te le dirai quand on se verra. La voie est libre?
Après un rapide coup d'œil à la pièce, la jeune femme déclara :
– Pas vraiment.
– Tu peux t'en occuper?
– Tu n'as rien à lui dire?
– Rien du tout.
Et il raccrocha.
Se levant, Jo Anne s'approcha de Diane Mac Vorter.
– Je suis désolée, une réunion de direction de dernière minute vient de démarrer.
Un éclair passa dans les yeux de son interlocutrice qui se contenta de répondre :
– Tant pis, j'attendrai.
– Hélas, j'ai peur qu'il ne revienne pas, en tout cas pas aujourd'hui.
– Qu'il ne revienne pas?
Le visage de Diane s'était assombri.
– Qu'il ne revienne pas d'où?
– Eh bien, de l'Association des Producteurs. A Hollywood.
– Mais enfin, comment est-ce que...? Je ne l'ai même pas vu...

– Il est sorti par son ascenseur personnel.

Se levant d'un bond, Diane se précipita vers le bureau dont elle ouvrit la porte afin d'en inspecter les recoins.

– Pourriez-vous repasser demain? suggéra Jo Anne.

– Et si on n'en parlait plus? fulmina la jeune femme en filant vers la cabine téléphonique à l'autre bout du couloir.

Elle dut se contenter du répondeur et du message que Howard Bluestern y avait enregistré en imitant de façon ringarde la voix de son frère. Il prenait les gens pour des crétins, celui-là! Après avoir refait plusieurs fois le numéro, elle se résolut à abandonner. Bruce avait vidé les lieux. Peut-être même n'était-il pas allé là-bas. Pas allé? Qu'est-ce qui pouvait lui faire penser un truc pareil? Il n'avait pas intérêt. Mieux valait pour lui qu'il ait visité la maison et qu'il ait des choses importantes à lui raconter.

En prenant l'ascenseur, elle était d'humeur massacrante. Ainsi Howard Bluestern avait disparu sans la voir! Qu'il ait quitté le bureau sans qu'elle s'en aperçoive la rendait folle. Elle avait besoin de boire un verre en vitesse pour se calmer. Et ce serait une manière anticipée de fêter les bonnes nouvelles que Bruce Gottesman ne manquerait pas de rapporter dans sa giberne. Il avait drôlement intérêt...

A cent vingt à l'heure, la Porsche jaune aborda la route littorale. Tôt dans la matinée, Jo Anne s'était chargée de la récupérer au parking de l'aéroport, preuve supplémentaire de son amour pour Teddy. Plus il pensait à sa bien-aimée, plus ce dernier accélérait, tant il avait hâte de la rejoindre. De temps à autre, il jetait un regard sur le rétroviseur. Pour le moment, pas de flics sur la route. Par contre, à cinquante mètres de lui, une Datsun rouge lui filait le train sans le lâcher quelle que soit l'allure à laquelle il roulait. Un instant, l'idée folle que Diane le poursuivait lui traversa l'esprit, mais il se rappela qu'elle avait planté sa tente devant son bureau, aux studios. En regardant mieux, il distingua un homme au volant, mais pas de passager à la place du mort. Haussant les épaules, il s'efforça de ne plus y penser.

Il se gara le long de la Bentley qu'il avait laissée en stationnement près de la plage. Après avoir verrouillé la petite voiture de sport, il réintégra la grosse dans laquelle son costume gris trois-pièces, chemises et cravate, retrouvèrent leur environnement naturel, tandis qu'il redevenait lui-même le patron de l'importante compagnie cinématographique qu'il dirigeait. Cette fois, en dépit des apparences d'un népotisme de mauvais aloi, il faudrait que Howard Bluestern, en homme d'affaires avisé, s'occupe des talents d'acteur d'un certain Teddy Stern qui, selon toute vraisemblance, semblait fort capable d'accéder au rang de star. A en juger par ses toutes dernières prestations, en l'occurrence l'interprétation de son propre personnage, l'intéressé en avait dans le ventre.

Pas nécessaire de le suivre davantage. Ce qu'il voulait voir, il l'avait observé d'ici même, garé devant la pizzeria en face du parc de stationnement de l'autre côté de l'autoroute. Ainsi il avait vu Howard Bluestern abandonner la petite Porsche pour filer dans la Bentley. Ajouté à ce qu'il avait entendu tout à l'heure, caché sous le lit, c'était suffisant. En vérité, rien ne l'avait surpris. Comme dans un puzzle, toutes les pièces s'emboîtaient, surtout le truc de la police d'assurances. Restait à décider l'usage qu'il ferait de cette information toute neuve et, entre autres, à déterminer s'il devait ou non en parler à Diane.

S'il gardait tout pour lui et jouait bien son jeu, pourquoi la mettrait-il dans le coup? D'autant que, par la suite, il n'aurait plus besoin d'elle ni de personne. Malheureusement il n'avait pas encore les reins assez solides pour faire cavalier seul. La voiture, il en avait besoin; l'appartement de sa complice aussi. Sa piaule d'hôtel à lui, c'était un peu léger. Quant aux mille et quelques dollars qu'il avait en poche, ils suffiraient à peine à ouvrir le coup. Toujours pareil, dès que tu veux jouer autre chose que des allumettes, c'est problèmes et compagnie!

Pris soudain d'un appétit monstrueux, il entra dans la pizzeria, s'assit au comptoir et se commanda la pizza la plus chère du menu ainsi qu'une bonne bière. Cela fait, il récapitula :

Primo, Bluestern se faisait passer pour feu son frère, plus de doute.

Secundo, ce brave jeune homme était branché sur un super-coup qui devait rapporter cinq millions de dollars. Il lui faudrait seulement continuer à jouer le rôle de Teddy Stern et convaincre ainsi la compagnie d'assurances que le cadavre était celui de Howard.

Tertio, là c'était tellement évident qu'il y avait de quoi se marrer! On ne tarderait pas à assister à un superbe accident, quelque chose de spectaculaire, à l'issue duquel il serait impossible d'identifier le corps.

Quarto, une petite question : comment s'y prendrait-il? Un accident de la route? Possible mais pas facile à réaliser. Un bon incendie avec le corps dans la maison? Pas mal, mieux, même.

Enfin cinq, quand? Bonne question mais pas de réponse. Quelles probabilités? On pouvait seulement présumer que Bluestern conserverait le cadavre en hibernation jusqu'à ce qu'il soit prêt à agir.

Conclusion : il suffisait de le laisser croire que son secret était bien gardé et son congélateur cadenassé, aussi inviolable qu'une chambre forte.

A part ça, il faut te remuer mon pote. Tu as le choix entre deux possibilités : Gerber, le mec de la compagnie d'assurances, ou Bluestern. A toi de voir ce qui est le plus rentable, le moins dangereux, ce qui demande le moins de temps et après, fonce! Si Diane peut te servir, profites-en, sinon, au panier. Mais ne fais pas l'imbécile, mon gars, pour une fois, ne fais pas l'imbécile.

Quittant son tabouret de bar, il héla le garçon.

– L'addition, s'il vous plaît!

S'il l'avait voulu, Marvin Gerber aurait pu être au bureau depuis longtemps. Seulement voilà, il n'était pas pressé de rentrer. Il ne cessait de retourner dans sa tête les étranges cheminements par lesquels la roue de sa fortune avait tourné aujourd'hui. D'abord, mauvais augure, typique chez lui. Et puis, d'un coup, la super bonne série. Et ça, ce n'était pas le genre de truc sur lequel il fallait s'endormir.

Avant d'appeler Teddy Stern, il avait fait un tour au service informatique de la compagnie d'assurances et s'était branché sur le *Bureau d'Information Médicale* à Greenwich, dans le Connecticut. Tout en sachant que le service médical de la *Mutuelle* l'avait déjà fait, il avait quand même redemandé le dossier de Bluestern. C'était sans surprise qu'il avait lu sur l'écran du terminal que le président des studios, à l'instar d'environ deux cents millions d'américains, ne figurait pas sur les fichiers du dit Bureau.

Comme prévu, avait-il constaté sans se départir de sa morosité.

Changeant de code, il s'était alors branché sur la *Société de Crédit à la Consommation* d'Atlanta, en Géorgie, sans savoir exactement ce qu'il recherchait. Il savait seulement qu'il y trouverait forcément quelque chose sur Howard Bluestern. Ils avaient quelque chose sur tout le monde parce que, en Amérique, il n'existe personne qui n'ait jamais fait appel au crédit. L'ordinateur lui avait donc craché un petit rapport sur l'intéressé. Naturellement, il était on ne peut plus favorable à son client, hormis deux divorces qui n'avaient rien à voir dans l'affaire.

A présent, en roulant sur la route de Malibu, Gerber se disait qu'il avait peut-être décroché la timbale.

Il avait eu la veine d'assurer la moitié d'une paire de jumeaux ayant une très forte espérance de vie, tandis que l'autre moitié, en l'occurrence bénéficiaire de la police, avait toutes les chances de se retrouver avant peu six pieds sous terre.

C'était trop beau pour être vrai.

De retour à son bureau, la première chose sur laquelle il tomba fut ces maudites polices, toutes belles et toutes neuves, en double exemplaire, une pour les studios et une pour Howard Bluestern. Un mot de Stigman les accompagnait : « Pour satisfaire à votre demande, j'ai fait aussi vite que possible. » J'aimerais autant que tu sois un peu moins serviable la prochaine fois, grommela Gerber. Décidément, cette fichue planète vivait à un rythme trop rapide à son goût.

Décrochant le téléphone, il demanda à Madeline de joindre le secrétariat de Bluestern. Lorsqu'il eut la secrétaire en ligne, il lui annonça :

– Veuillez lui dire que j'ai quelque chose pour lui que je désire lui remettre personnellement et dont il sera très satisfait. J'en aurai pour cinq minutes seulement.

Elle lui demanda d'attendre un instant, puis reprit la communication : s'il pouvait passer d'ici une heure, elle s'arrangerait pour l'introduire dans le bureau de M. Bluestern.

– Je vous remercie, c'est très gentil de votre part.

Les yeux bleus de la jeune femme lui revinrent en mémoire. Jolie fille. Séduisante. Sa secrétaire à lui, Madeline, était plutôt du genre fadasse. Et tant mieux : il avait bien assez d'ennuis comme ça.

L'interphone sonna.

– Un certain Bob Gehringer voudrait vous voir, lui annonça la dite Madeline. Il n'a pas de rendez-vous, mais prétend que c'est important.

– Bob Gehringer? Jamais entendu ce nom-là.

– Je lui ai demandé de quoi il s'agissait, mais il préfère vous parler lui-même.

– Qu'en pensez-vous?

– Bof, répondit Madeline.

– Bon, faites-le entrer. Mais arrangez-vous pour que je puisse filer d'ici un quart d'heure.

Gerber n'aimait pas du tout les hommes gros et grands. Il détestait encore plus les chevelus blondasses qui sentent la sueur. A cela près, il ne trouva rien à reprocher à son visiteur, au moins pendant les deux premières secondes de leur entrevue.

– Asseyez-vous, monsieur Gehringer.

– Merci.

L'individu eut quelques difficultés à insérer son énorme carcasse dans un fauteuil prévu pour quelqu'un de normal.

– Que puis-je pour vous?

– Rien. C'est plutôt le contraire, monsieur Gerber.

L'air dégoûté, l'inspecteur d'assurances dévisagea son interlocuteur.

– Si vous cherchez à vous assurer, je suis l'homme qu'il vous faut. Si c'est pour un emploi, vous perdez votre temps.

– En fait, monsieur, je ne cherche rien de particulier.

Bruce ébaucha un vague sourire, évitant de découvrir ses dents, avant de poursuivre.

– C'est vous qui avez besoin de moi.

Allons bon, un petit malin!

– Et en quoi donc? Pour vous demander l'adresse de votre coiffeur peut-être? Ou celle de votre diététicien?

– Vous allez surtout avoir besoin d'un détective privé...

– Tiens, tiens! Un détective privé, pas la police?

– Non. Mais ne cherchez plus, vous m'avez trouvé.

– Je m'en félicite. C'est mon jour de chance.

– Permettez-moi aussi de vous en féliciter, monsieur.

– Je vous en prie. Et pourrais-je savoir pourquoi j'aurais besoin d'un détective privé?

– Certainement : afin d'obtenir des informations confidentielles qui pourraient se révéler précieuses pour votre compagnie et vous-même.

– Donc selon vous, j'ai grand besoin de ces renseignements.

– Je le crois, monsieur, et j'ai l'impression que vous aussi.

Sentant son estomac se nouer, Gerber pria le ciel que ce ne soit qu'une petite indigestion.

– De quels renseignements confidentiels s'agit-il, monsieur Gehringer?

– Ceux qui éviteraient à votre compagnie d'avoir à débourser dans un proche avenir cinq millions de dollars sinon dix.

Là, plus question d'indigestion...

– *La Mutuelle de l'Oklahoma* s'enorgueillit des sommes qu'elle dépense chaque année en faveur de ses assurés. Alors, cinq ou dix millions de plus ou de moins!

Avec un haussement d'épaules, le gros type répliqua.

– Ça vous regarde.

– Oh, pas seulement moi. Dieu aussi a un droit de regard sur de tels événements.

– Possible. En tout cas je pensais que ça vous intéresserait d'économiser cinq ou dix millions, mais ce que j'en dis, après tout...

Sans répondre, Gerber le dévisagea un bon moment.

– Qui êtes-vous?

– Moi? Personne, monsieur.

– Auriez-vous un lien de parenté avec *Charley* Gehringer?

– C'est qui, ça?

– Vous n'avez jamais entendu parler de Charley Gehringer des *Detroit Tigers*, un des plus grands joueurs de base-ball de tous les temps?

– Je vais vous en raconter une encore meilleure : je n'ai jamais entendu parler de Bob Gehringer.

Gerber ne put s'empêcher de ciller.

– Oh, je vois...

Cette conversation commençait à lui déplaire. Il en était d'ailleurs à se demander pourquoi il ne l'interrompait pas.

– Écoutez, je suis assez occupé. Alors, que voulez-vous?

– Je vous l'ai déjà dit, c'est vous qui avez besoin de moi, mais ce que j'ai à vous donner... vous coûtera deux cent mille dollars en liquide.

Avec un petit rire sinistre, l'inspecteur d'assurances répliqua.

– Cinquante dollars, ça vous irait?

– Alors, c'est oui ou non, Gerber?

– Oui ou non pour quoi? Je ne sais même pas de quoi il s'agit.

– Oh si, vous le savez!
– A quoi jouez-vous, mon vieux? Répondez-moi ou allez-vous-en et fichez-moi la paix.
– Je vous ai déjà dit de quoi il s'agissait, et vous le savez foutrement bien. Je vous répète donc que ça vous coûtera deux cent mille dollars.
Décrochant le téléphone, Gerber appela le secrétariat.
– Voudriez-vous faire monter les vigiles, s'il vous plaît?
– Inutile, je m'en vais.
Le gros type se leva avec difficulté.
– Laissez tomber, Madeline.
– Voilà ce qui s'appelle perdre du temps. Je n'aurais jamais dû venir vous voir...
– Profitez-en pour aller chez le coiffeur.
En route vers la porte, Bruce répliqua :
– Vous ne pourrez pas dire que je ne vous ai pas averti.
– Des salades, tout ça.
– Il s'est bien foutu de vous, ce matin, et vous continuez à vous faire avoir...
– Qui donc?
– Allez vous faire cuire un œuf, Gerber.
– Eh, une seconde... qui ça?
Mais le gros filasse était déjà sorti.
Se levant d'un bond, l'inspecteur d'assurances se précipita à sa suite aussi vite que ses jambes ankylosées le lui permettaient. Personne dans le hall, les portes de l'ascenseur s'étaient déjà refermées.
Précipitamment, il revint dans le bureau de Madeline.
– Appelez l'accueil. Demandez-leur de noter le numéro d'immatriculation de la voiture de l'homme qui vient de sortir.
– Je vous avais dit de ne pas le recevoir.
– Faites ce que je vous dis!
Il repassa dans son bureau et s'affala dans son fauteuil. Il tremblait, et le dos de sa chemise était humide de transpiration. Il avait agi avec trop de précipitation, bien

sûr, mais comment faire? On n'allait pas se mettre en affaire avec des escrocs pareils! On n'aurait jamais dû le laisser pénétrer dans l'immeuble. D'habitude, c'est par courrier ou par téléphone que ces dingues-là se manifestaient. Des lettres de maniaques, des accusations, des tuyaux bidons, des dénonciations d'amis ou de parents, anonymes, toujours sous forme anonyme. C'était bien la première fois que Gerber en recevait un dans son bureau. En plus, il allait s'interroger longtemps sur le pourquoi de cette visite.

Quoi que ce type ait pu savoir – probablement rien que d'extravagantes suppositions, comme la plupart de ces gens-là – il y avait quand même un quelconque lien entre lui et la seule personne au monde qui, en dehors de Marvin Gerber, soit au courant des soucis que l'inspecteur d'assurances avait à propos de la police de Bluestern.

Teddy Stern.

Parce que lui, Gerber, il n'en avait parlé à personne, de ses doutes, pas même à sa femme.

Teddy Stern, donc!

Le gros mec était un ami ou une relation de l'acteur, et il avait frappé si près du but parce que Stern lui avait raconté l'essentiel de leur conversation à Malibu. Pire, ces révélations, il les avait confiées tout de suite après le départ de Gerber.

Ou alors, ce type s'était trouvé là-bas en même temps que Marvin. Peut-être dans la pièce voisine, d'où il aurait entendu la conversation et décidé de faire cracher l'inspecteur d'assurances en lui fichant la trouille.

C'était peut-être un plombier, un électricien, ou un dépanneur de téléphone qui travaillait là-bas quand il était passé voir Stern.

Et si c'était... ah, non, il fallait être fou pour imaginer un truc pareil! Pourtant, les paroles de l'acteur lui revenaient en mémoire : fauché et compagnie, c'est bien ce qu'il avait dit, non?

Alors, si Teddy Stern lui-même s'amusait à ce petit chantage par personne interposée?

Il n'avait pas été malin de dévoiler ses angoisses devant

l'acteur. A présent, les vautours s'abattaient sur lui et il était la risée de ces deux-là. Ce gros tas avec ses cheveux filasse ne s'était pas privé de le traiter comme un moins que rien. S'il était trop tard pour ne pas s'angoisser, au moins qu'il profite de la leçon et ne se laisse plus piéger la prochaine fois.

Il fallait donc qu'il se remette en selle en appelant Teddy Stern. Parce que, hélas, il devait avoir une nouvelle conversation avec l'acteur aujourd'hui même.

Mais pas tout de suite.

Il avait d'abord une autre visite à rendre : au second jumeau du tandem infernal.

Il enfouit dans la poche de son veston la police de Howard Bluestern. Apporter lui-même le document à son destinataire pourrait avoir d'heureux effets thérapeutiques, et Dieu sait s'il en avait besoin. Il vérifierait ainsi la fermeté de la poignée de main du président des studios, ainsi que sa bonne mine. Après tout, il l'avait à peine entrevu lors de la visite médicale. En tout état de cause, Gerber prenait toujours plaisir à s'entretenir avec ceux qu'il avait assurés sur la vie pour une forte somme. Au moins, tant que vous étiez avec eux, vous pouviez constater qu'ils étaient bien vivants.

La sonnerie retentit et il décrocha le téléphone.

– Il conduisait une Datsun rouge, lui annonça Madeline.

– Ils ont relevé le numéro?

– Oui, c'est...

– Transmettez-le aux *Transports* et demandez-leur d'appeler le service des cartes grises à Sacramento. Il me faut le nom du propriétaire, et vite.

– Certainement, monsieur.

Il raccrocha et laissa errer son regard aveugle sur le paysage qui s'étendait sous les fenêtres.

Deux cent mille dollars...

Pour apprendre quoi?

Ridicule, allons!

Des cinglés... tous autant qu'ils étaient...

Enfin, espérons.

17.

A peine arrivé aux studios, Teddy mit Jo Anne au courant de la séance d'espionnage à laquelle Marvin Gerber s'était livré à Malibu. En fait, il ne lui en donna qu'une version abrégée, entrecoupée de baisers et de caresses troublantes qu'ils échangeaient sur le canapé.

– Mes mains refusent de m'obéir dès que tu es là. Curieux non? murmura-t-il.

– Parce que tu es mal élevé, tu n'as aucun savoir-vivre.

– Je t'emmène à Bel Air ce soir.

– Pourquoi donc?

– Il faut qu'on parle, qu'on réfléchisse, qu'on décide quand et où cela aura lieu. A mon avis, le mieux serait pendant le week-end prochain, dès mon retour de New York.

Elle s'écarta de lui.

– New York...

Il confirma d'un signe de tête.

– Donc, tu y vas?

– Oui.

Le regard vague, elle poursuivit :

– Et pendant le week-end nous...

– Oui.

A nouveau, elle le dévisagea.

– Pourquoi pas ce soir ou demain?

– Nous ne sommes pas prêts.

– Ce n'est pas dangereux de trop attendre?
– Si.
– Chaque instant qui passe accroît les risques d'être découvert, non?
– Tu as raison.
– Alors, pourquoi New York, Teddy?
Il plongea les yeux dans les siens.
– Il faut que j'y aille.
– Pour te frotter à Winthrop Van Slyke et à son conseil d'administration qui ne pensent qu'à te dévorer tout cru?
– En effet.
– Sans compter le rôle que tu devras jouer là-bas... Ce sera une grande première.
– Je suis capable de m'en sortir.
Elle le dévisagea.
– Qu'est-ce qui te pousse à agir ainsi?
– Je ne sais pas trop. Honnêtement, je n'y ai pas réfléchi mais je sens qu'il le faut. Je crois que c'est... je crois que c'est pour Howard. Howard n'aurait sans doute pas reculé devant ces gens, au risque d'être descendu en flammes. Et il se serait bagarré jusqu'au bout.
Jo Anne garda le silence un moment avant de reprendre :
– Je pars avec toi.
– Si tu ne viens pas, j'en serai incapable.
– En cas d'échec, nous plongerons tous les deux.
– Je sais.
– Et tu veux quand même aller à New York?
– Sauf si tu m'en empêches.
D'un mouvement vif, elle tourna la tête.
– Là, tu me prends en traître.
– Je n'ai jamais prétendu être régulier. Je pensais que tu l'avais remarqué. D'ailleurs, si je l'étais, crois-tu que je me serais fourré dans une histoire pareille? Et toi, que fais-tu là-dedans?
– Peut-être vaudrait-il mieux tout avouer.
Elle parlait si bas qu'il distinguait à peine ses paroles.
– Tu n'y penses pas vraiment.
– Qu'en sais-tu?

– Je commence à entrevoir ce qui nous arrive... à tous les deux.
– J'aimerais en être sûre, Teddy.
– Sûre? Qui te parle d'être sûr? Ça, c'est trop demander. Au début, c'est quelque chose que j'ai pour ainsi dire subi, une sorte d'accident. En tout cas, c'est comme ça que j'ai vu les choses. Et puis tout le reste, je l'ai fait pour surnager, poussé par la terreur que quelqu'un ne découvre la vérité, toi surtout...
– Moi?
– Évidemment. Peu à peu, je me suis persuadé que si je devenais riche, je serais tranquille pour le reste de ma vie. Mais à présent... eh bien... je commence à comprendre qu'une situation pareille n'arrive qu'une fois. Et que nous y soyons plongés tous les deux m'excite presque autant que de chercher à nous en sortir. Tu me comprends?
– Oui.
– Le risque, bien sûr, c'est de bâtir un château de cartes.
– En effet.
Haussant les épaules, il poursuivit :
– Il me semble en tout cas que personne ne laisserait en plan un truc pareil, non?
– Sauf si quelque chose de plus excitant se profile?
Elle le regarda bien en face.
– C'est cela, Teddy?
– En effet. Je n'ai rien à ajouter. Bon... et toi, qu'en penses-tu?
– Moi? Tout ce que j'ai fait, c'est pour toi... pour t'aider, pour être avec toi, sur le même bateau, quitte à couler... Ce n'est pas plus compliqué que cela.
– Mais si, ma chérie.
– Pourquoi?
– Ce n'est pas si simple.
– C'est-à-dire?
– Tu oublies une chose : tu t'es toujours conduite comme une petite fille modèle...
– Viens donc dormir avec moi un de ces jours!
– Ce n'est pas cela dont je parle. Tu en connais

beaucoup, toi, des jeunes filles ayant reçu la même éducation que toi qui se jetteraient tête première dans une escroquerie aussi monumentale?

Cette fois, elle parut surprise.

– Comment as-tu deviné que, moi aussi, ça m'excitait?

– Autre chose encore. Tu sais très bien que tes parents ne seront jamais heureux dans leur petite baraque de quatre sous; mais si tu avais les moyens d'y mettre disons cinq, six, sept cent mille dollars? Ça serait le paradis pour papa et maman, hein?

– Je suis certaine de n'avoir jamais abordé ce sujet avec toi... je me trompe?

– Ne t'inquiète pas, tu ne parles pas pendant ton sommeil, ma douce; mais moi, je t'écoute dans la journée, et il m'arrive d'entendre des choses que tu ne dis pas.

Un sourire s'épanouit sur le visage de la jeune femme.

– Va à New York, monstre. Tu es imbattable.

– Alors, on ne dissout pas l'équipe?

– Non.

– Bon, il ne reste qu'à gagner. Trouver la botte imparable dans les dernières secondes.

– En attendant, enlève donc ton armure, preux chevalier. J'ai envie de t'embrasser.

Il dut la jeter dehors pour pouvoir rappeler Edgar Seligman et se préparer à recevoir Jeff Barnett et Larry Hough. Sans oublier Marvin Gerber qui était probablement déjà en route.

– Bonjour, Scotty. Comment ça se présente? s'exclama-t-il lorsqu'il eut Seligman en ligne.

– Le week-end a été bon, Howard?

– Paisible. Je me suis installé au bord de la mer chez mon frère et j'ai passé deux jours et deux nuits à lire environ quatre mille manuscrits.

– Pas toujours merveilleux d'être patron, commenta le juriste avant de poursuivre : Howard, j'ai de bonnes nouvelles qui ne vous étonneront sans doute pas, d'ailleurs. Votre police d'assurances a été acceptée et a, d'ores et déjà, pris effet.

– En d'autres termes, pour les studios, je serais plus rentable mort que vif.

Avec un petit rire étouffé, Seligman rétorqua :

– Certainement pas, ou alors, je revends les actions que j'ai dans la maison.

– Quoi de neuf pour Marty Wallach et Liam O'Toole?

– Ils ont débarrassé le plancher, Dieu merci. J'ai l'impression que leurs avocats nous contacteront avant la fin de la journée. Je vous tiens au courant?

– Inutile. Ce sont vos problèmes. J'ai assez des miens. A ce propos, comment cela s'est passé avec Stan Howe?

– La corvée terminée, je préfère l'oublier. C'est la première chose que j'ai faite ce matin. Problème réglé. Toutefois, à votre place, j'éviterais de lui demander le moindre service dans les semaines qui viennent.

– Vous pouvez compter sur ma reconnaissance éternelle.

– Je ne sais même plus de quoi vous parlez.

– Ciao.

Teddy raccrocha et appela Jo Anne.

– Deux choses, lui annonça-t-elle. D'abord Barnett et Hough sont là, et puis il y a eu un appel de Sam Kramer sur ton répondeur à Malibu. Il te demande de le rappeler dès que possible.

– Je m'en occupe. Tu peux me garder les deux clowns un moment?

Décrochant la ligne privée, il composa le numéro de son impresario.

– Mon beau Sammy? C'est Teddy. Tu m'as téléphoné?

– Il y a pas de beau Sammy, aboya Kramer. Où es-tu?

– A Malibu. Que se passe-t-il?

– Qu'as-tu dit à Jud Fleming?

– Ses manières m'ont déplu alors je l'ai envoyé paître.

– Qui t'a dit de faire un truc pareil?

– Pas besoin qu'on me le dise, Sam.

– Ah ouais? Je l'ai dans le baba, maintenant. Il ne veut plus de mes comédiens, pas seulement toi, tous les autres, t'entends? Il veut me faire mettre sur la liste noire! Si un boulot t'embête, tu ne le prends pas, mais tu n'as pas besoin d'insulter le client, ni d'en parler à ton frère pour qu'il l'humilie en public. Tu as perdu les pédales, ma parole...

– Oh, oh, petite seconde, tu veux? Laisse-moi quand même te raconter comment ça s'est passé.

– Ça ne m'intéresse pas. De toute façon, je le sais déjà. Je sais aussi ce qu'il a fait, ton frère. Ah, tu m'as bien eu, Teddy, ça oui. Toi et ton frangin, vous êtes pareils! Dingues, mon pote, tous les deux, complètement frappés...

– Sam, tu veux la boucler une seconde? Que veux-tu que je fasse? Que je le prenne, ce boulot?

– Ça, tu peux faire une croix dessus...

– Tu veux que je m'excuse, hein, c'est ça?

– Non, pas toi... Howard.

– Tu veux que Howard présente ses excuses à Jud Fleming?

– Exactement!

– Allons Sam, ne charrie pas.

– Je ne charrie pas. Il n'y a pas d'autre solution, Teddy. Vous m'avez bien eu, toi et ton frère...

– Mais que lui a-t-il fait, Howard, à ce Fleming?

– Va le lui demander! Et profites-en pour lui dire de s'excuser... ne serait-ce que pour moi.

– Enfin Sam, tu n'y penses pas?

– Si, Teddy! Il faut que tu appelles Howard...

– Tu sais combien j'ai horreur de lui demander un service...

– Tes scrupules, carre-les-toi où tu veux. Fais-le, point final.

– Bon, d'accord!

– Tout de suite?

– Ouais, je l'appelle, mais je ne te garantis pas qu'il s'en occupera dans les deux minutes. Quand même, Sam!

– Bon, je raccroche et tu l'appelles.
– D'accord.
Teddy se leva, le dos moite.
Qu'est-ce que tu lui as dit à ce Fleming, Howard? Est-ce bien raisonnable de foutre la pagaille comme ça? Tu ne te souviens donc pas que tu es mort? Tu m'écoutes, Howard? Tu vas m'obéir? Téléphone à Jud Fleming et excuse-toi.
Tout de suite?
Oui, tout de suite.
Bon, si c'est toi qui le dis.
Merci, Howard. Tu es devenu conciliant ces derniers temps.
Parce que j'ai le choix?
Par bonheur, Fleming était sur le plateau, prêt à tourner un plan, donc pas le temps de louvoyer. Primo : ce fameux vendredi soir, Howard Bluestern était en état d'ébriété avancée et regrettait profondément de l'avoir insulté. Excuses acceptées. Secundo : le même Howard Bluestern sélectionnait justement des réalisateurs possibles pour le prochain tournage d'un film dont le titre provisoire était *Passe-passe.* Fleming accepterait-il de déjeuner avec lui la semaine prochaine, si son tournage actuel ne le prenait pas trop?
Même à distance, Teddy ressentit l'extrême méfiance de son interlocuteur.
– Vous n'êtes pas sérieux, Howard, n'est-ce pas?
– Mais si, Jud, je vous assure.
– Eh bien, je ne sais que vous répondre...
– Dites oui... à moins que vous ne soyez trop occupé ou que le film ne vous intéresse pas?
– D'une part, je suis intéressé, et d'autre part, on finit le tournage vendredi.
– Alors, rappelez-moi la semaine prochaine, si vous voulez bien.
– Mon Dieu, Howard... je... vraiment...
– Rappelez-moi.
– Certainement, avec grand plaisir. Saluez Teddy de ma part.

– Je n'y manquerai pas, répondit ce dernier en raccrochant.

Un rendez-vous la semaine prochaine?

Il faudrait que Howard vive jusque-là.

En attendant, il avait encore bon pied bon œil, et ce n'était pas le moment de flancher. En tout cas, pas avant qu'on ait mis en boîte la dernière séquence.

Ouvrant la porte de son bureau, il lâcha un « Allons-y, les gars » et s'effaça pour laisser passer ses assistants de direction.

Ils s'affalèrent tous les deux sur le canapé, frimeurs comme toujours, encore plus bronzés qu'à l'accoutumée.

– Ne vous mettez pas trop à l'aise, les avertit Teddy sans s'asseoir. Nous en avons pour un instant.

– Qui vous dit que nous sommes à l'aise? s'enquit Larry Hough.

– Oh, oh! Des ennuis?

– Wallach et O'Toole, répondit Jeff Barnett. Ils répandent partout le bruit que nous les avons poignardés dans le dos.

– Même si nous étions capables d'une chose pareille, poursuivit Hough, rouge d'indignation, c'est dans les tripes qu'ils l'auraient pris, le poignard.

– Mais non, Lawrence, le reprit Barnett, sous la cage thoracique plutôt.

Ils se mirent à ricaner en chœur.

– Un peu de sérieux, s'il vous plaît, intervint Teddy.

– Vous croyez qu'on n'est pas sérieux?

– Je vais à New York jeudi.

Le silence s'établit aussitôt dans la pièce.

– Winthrop Van Slyke et son foutu conseil d'administration m'ont invité à venir me traîner à leurs pieds pour leur faire accepter la liste des films que je leur ai proposés pour cette fin d'année. Il y en a six, si mes souvenirs sont bons.

Un bref échange de regards, mais Barnett et Hough ne soufflèrent mot.

– Voici donc mes instructions : examinez immédiatement tous les projets en détail, faites-moi le catalogue des critiques dont chacun d'entre eux risque d'être l'objet, et préparez-moi par écrit une ligne de défense intelligente et décisive sur chacun des points litigieux.

– Tu y vas? demanda Jeff à Larry.

Hough lui renvoya la balle.

– A toi de jouer.

Réajustant ses lunettes de soleil, Barnett se leva.

– Nous avons déjà travaillé dessus tous les deux. Nous avons tout examiné dans le plus grand détail, samedi au bord de ma piscine et dimanche au bord de celle de Larry. Je voudrais vous dire une chose : que nous n'ayons pas été consultés sur le choix que vous avez fait n'a rien à voir avec l'opinion que nous avons tous les deux sur...

Les lèvres serrées, Teddy le coupa.

– Allez-y, je vous écoute...

– J'ai peur qu'un mot suffise : indéfendables.

Sans broncher, Teddy demanda :

– Tous les six?

– Perdus d'avance, répondit Barnett.

– Tous les six? répéta Teddy.

– Le désastre sur toute la ligne.

Se tournant vers son second assistant, figé sur le canapé, Teddy questionna.

– Larry?

– Sur toute la ligne, confirma Hough d'un air accablé.

Teddy se mit à arpenter le bureau et reprit d'une voix calme :

– Vous êtes extraordinaires! Je suis sincère. Je ne mérite pas de vous avoir avec moi, mais grâce à Dieu, vous êtes là. Alors je vais vous donner ce que vous méritez. Pendant deux jours – trois si on compte aujourd'hui – à n'importe quel prix, faites interdire de séjour Ziggy au *Polo Lounge* si c'est nécessaire pour qu'il vous accorde toute son attention, bouclez Sue Mengers à *Ma Maison*, enfermez Stan Kamen dans son bureau... Il me faut en tout cas six nouveaux projets, avec tous les accords conclus, six projets qui feront un triomphe – scénario, réalisateur, une ou deux vedettes – six projets tellement brûlants que la T.W.A. hésitera à me les laisser emporter dans l'avion. Je vous demande l'impossible?

Après un coup d'œil à Hough, Barnett dévisagea Teddy.

– Pour ce qui est des difficultés, on s'en occupe aujourd'hui. Pour ce qui est de l'impossible, on a déjà vu ça avant-hier. Lawrence?

Tel un diable de sa boîte, Larry Hough jaillit du canapé.

– J'arrive, Mère!

– Si vous avez besoin de moi, ajouta Teddy, vous pouvez m'appeler vingt-quatre heures sur vingt-quatre.

– A bientôt, répondit Barnett.

Et ils quittèrent précipitamment le bureau.

Par la porte ouverte, Teddy aperçut Marvin Gerber.

Bon Dieu, même pas d'entracte! Le spectacle permanent! Ça commençait à suffire!

Il fit entrer le petit bonhomme des assurances, et se livra sans grande conviction à quelques plaisanteries douteuses, tandis que son interlocuteur le contemplait comme si ses yeux avaient émis des rayons X. Après tout, qui s'en serait étonné après le grand numéro auquel l'acteur s'était livré ce matin même à Malibu! Seule défense possible : baisser le rideau de sa bonne santé apparente et de son dynamisme de surface. Mis ainsi dans l'incapacité de sonder plus avant son client, Gerber n'eut d'autre ressource que de se lancer avec volubilité dans la présentation détaillée de la police d'assurances qui motivait sa visite. Il n'en continua pas moins à guetter tout signe d'éventuelle défaillance chez son interlocuteur, sans doute pour y trouver de quoi alimenter ses nuits blanches et empoisonner ses jours.

Afin de ne pas trop frustrer le petit bonhomme, Teddy examina le document avec le soin que toute personne normalement constituée aurait apporté à contempler ses premiers dix millions de dollars – les plus durs à gagner, à ce qu'on prétend. Puis, ne voulant pas forcer la dose, il reposa les papiers sur son bureau en désordre et sourit à l'inspecteur.

– Bonne chose de faite, commenta-t-il.
– Vous produisez des films, moi mon produit c'est cela, répliqua Gerber avec une pointe de vanité.
– La différence c'est que le cinéma, c'est du quitte ou double. En revanche, qui a jamais entendu parler d'une compagnie d'assurances perdant de l'argent?
Gerber toucha le bois du bureau de façon symbolique. Teddy, lui, jeta un bref coup d'œil à sa montre, ce que l'inspecteur d'assurances fit mine de ne pas remarquer en reprenant la parole.
– A propos, j'ai eu le plaisir de rencontrer votre frère, annonça-t-il négligemment, guettant la réaction de son interlocuteur.
– Teddy?
Je vais te montrer qu'on peut faire encore plus désinvolte, mon gars.
– Oui.
– Quand cela?
– Ce matin même.
– Ce matin? Impossible. Il est en voyage.
– Je vous assure que non, monsieur Bluestern. Je l'ai vu chez lui, à Malibu.
– Oh, je vous crois sur parole, monsieur Gerber. Voudriez-vous m'excuser un petit instant...
Il brancha l'interphone.
– Jo Anne, pourriez-vous joindre mon frère, je vous prie?
Un silence étonné lui répondit. Il reprit alors.
– Oui, c'est cela, chez lui.
Ceci fait, il se tourna à nouveau vers l'inspecteur d'assurances.
– Mais pourquoi vous a-t-il contacté?
– C'est moi qui l'ai appelé. Pour tout vous dire, j'ai aussi cherché à lui placer ma marchandise de façon à ménager une sorte de réciprocité familiale en matière d'assurance sur la vie.
Il ne se débrouillait pas mal, comme menteur.
– Conclusion, qui est votre meilleur client?
– Vous, sans conteste, monsieur Bluestern.

La sonnerie du téléphone les interrompit. A l'autre bout du fil, Jo Anne demanda :
– Cela t'arrangerait que je sois censée avoir pu joindre ton frère?
– Oui, répondit-il, avant de poursuivre d'un ton jovial : Teddy? Quand es-tu rentré?... Oh, je vois. Comment ça s'est passé?... Parfait, parfait... Non, j'ai juste... je ne savais pas que tu étais de retour. Imagine-toi que j'ai M. Marvin Gerber dans mon bureau... exactement... oh tu sais, c'est toujours le frère qui est le dernier au courant...
L'inspecteur d'assurance leva une main.
– Je peux vous interrompre un instant?
– Ne quitte pas, Teddy.
Du regard, il interrogea Gerber.
– Pourriez-vous lui demander s'il reste un moment chez lui? J'aurais quelques mots à lui dire.
Et allez donc, on veut recommencer à cuisiner Teddy Stern. Pourquoi pas? Si Howard Bluestern est capable de te bluffer, alors son frère aussi, et plutôt deux fois qu'une...
– Teddy, M. Gerber voudrait te joindre. Tu seras là?... oui... oui... oui... attends, je lui demande...
A nouveau, il se tourna vers son vis-à-vis.
– Il est sur le point de sortir. Serez-vous à votre bureau, cet après-midi?
– Jusqu'à six heures.
– Il y sera jusqu'à six heures, annonça Teddy à une Jo Anne muette. D'accord, mon petit vieux. Je suis content de te savoir de retour. Un travail fou... ah, toi aussi.
En raccrochant, il dit à Gerber.
– Il vous appellera.
– Je vous remercie.
D'un air embarrassé, l'inspecteur d'assurances poursuivit :
– Monsieur Bluestern, je... euh... je vous dois des excuses...
– Vraiment?
– A propos de votre frère... je ne sais comment cela

s'est enchaîné... En fait, cela s'est en quelque sorte glissé tout naturellement dans notre conversation, ce matin.

Teddy laissa s'écouler quelques instants.

– Vous voulez sans doute parler de la police d'assurances?

Le rouge au front, Gerber acquiesça.

– Ne vous en faites pas, je lui en aurais parlé de toute façon.

– Ce qui aurait été votre droit. Quant à moi, vous me voyez navré...

– N'en parlons plus.

– Je dois toutefois vous dire que votre frère était très ému, vraiment très ému. Vous êtes quelqu'un d'extraordinaire à ses yeux.

– J'en ai autant à son service, même si je ne le montre pas toujours.

Il sentait que Gerber cherchait à l'entraîner sur une nouvelle piste. Seule attitude possible : attendre.

– Il est dommage qu'il ne suive pas votre exemple, attaqua l'inspecteur d'assurance.

– Teddy? Je le vois mal assumer des responsabilités administratives.

– C'est sa santé dont je voulais parler.

D'un air désolé, Gerber hocha la tête.

– Je me mêle sans doute de ce qui ne me regarde pas, mais je pense qu'il faudrait intervenir.

– Comment cela?

– En l'envoyant chez votre médecin habituel.

– Mais je n'ai pas de médecin habituel.

– Non?

– Absolument.

– Alors, trouvez quelqu'un que vous avez déjà consulté?

– Impossible. Navré, mais le corps médical et moi...

– Voilà qui renforce encore ce que je vous disais.

Tout en se pénétrant de la douce sensation de chaleur qu'il avait cherchée jusque-là, l'inspecteur d'assurances poursuivit :

– Si vous pouviez le persuader d'adopter un mode de vie calqué sur le vôtre...

– Oh j'ai déjà essayé, répliqua Teddy d'un air résigné. Sa façon de vivre le regarde...

A nouveau, il consulta sa montre.

– Quant à moi, je ne vois pas en quoi le fait d'être submergé de travail comme je le suis est un gage de bonne santé.

Se saisissant de la police d'assurances qui traînait toujours sur le bureau, il la tendit à son visiteur.

– Vous êtes certain de ne pas vouloir récupérer ce document?

Gerber eut un sourire poli.

– Certainement pas. J'adore vivre dangereusement, comme vous d'ailleurs, monsieur Bluestern. Sinon, pourquoi serais-je dans les assurances?

– Évidemment. Eh bien, comme il vous plaira.

Teddy se leva, imité par Gerber. Ce dernier se sentait plus léger qu'à son arrivée aux studios. Bluestern dégageait une aura de sécurité dont son acteur de frère était totalement dépourvu. Cette histoire de ne jamais consulter le corps médical, par exemple. Dans la version Stern, cela faisait bidon, comme si l'acteur avait cherché à lui raconter des salades. Pour Bluestern, en revanche, le fait d'avoir un bilan de santé quasi parfait semblait naturel. Incroyable comme ces deux-là pouvaient à la fois se ressembler et s'opposer diamétralement sur de nombreux points.

Ils se serrèrent la main.

– Je vous renouvelle tous mes remerciements, monsieur Bluestern.

– C'est moi qui vous remercie.

Du pouce, il désigna son bureau.

– Vous voyez de quoi je veux parler?

– Je vous souhaite la meilleure santé du monde, dit encore Gerber avec un grand sourire.

Après son départ, Teddy réintégra son fauteuil, l'air soucieux. En finirait-il jamais avec ce type?

La porte livra passage à Jo Anne.

– C'était quoi, ce numéro au téléphone? demanda-t-elle.

Il lui raconta l'histoire. Elle l'écouta d'un air soucieux qu'il chercha à apaiser en l'embrassant. En vain.

Changeant alors de sujet, il annonça :

– Je vais téléphoner à David pour lui dire de prendre sa soirée.

– C'est déjà fait! répondit-elle.

– Tu ne manques pas d'aplomb, toi! commenta-t-il.

18.

Sacré nom de Dieu, où était-il donc passé?

Elle était trop crevée pour ressentir de la colère. Elle avait passé ce stade.

Elle était si merveilleusement bien en arrivant à l'appartement! Toutes les horribles pensées que Howard lui avait fourrées dans le crâne s'étaient envolées! Parfaitement à l'aise après quelques verres, elle s'attendait à trouver Bruce persuadée qu'il lui révélerait tout ce qu'il fallait pour qu'elle s'en tire, certaine qu'il ne la laisserait pas tomber. Qui d'autre pouvait la sortir de cet épouvantable pétrin? Si seulement il avait su à quel point c'était important pour elle... Mais voilà, pas question de le mettre au courant. Devoir se fier à un type comme lui était déjà assez moche. Lui révéler en plus qu'elle avait tué Teddy? Ça jamais...

Mais enfin, bon sang, où s'était-il planqué?

Pourtant cette interminable attente ne l'avait pas démolie. Elle avait peu à peu sombré dans une sorte de léthargie. Elle était restée seule trop longtemps et avait trop réfléchi. Le côté désespéré de sa situation l'avait à maintes reprises submergée, malgré ses efforts pour oublier. L'euphorie trompeuse dans laquelle l'avait plongée l'alcool s'était évaporée depuis longtemps, la laissant sans défense contre l'insistante vérité. Il ne lui restait qu'un sentiment de lassitude irrésistible, contre lequel elle renonça finalement à lutter. Elle gagna la chambre et s'allongea sur le lit. Que vienne le sommeil, souhaita-t-elle, ou mieux encore, le sommeil éternel de la mort...

La housse à vêtements n'avait posé aucun problème. Il avait vite trouvé ce qu'il cherchait chez *Sears Robuck* : un grand truc en vinyl, dans les tons brunâtres avec des rayures rouges, vertes et jaunes, le modèle susceptible de contenir trois costumes ou un cadavre congelé, au choix. Pour les récipients à glace, pas de problème non plus. Il en avait acheté six. En revanche pour le congélateur, cela avait été une autre histoire, et pas évidente!

Il en avait trouvé un qui aurait convenu chez *Sears,* un gros Kelvinator. Seulement ils en avaient un seul qui servait pour les démonstrations. Au mieux, on lui avait proposé de le livrer sous dix jours. Et le billet de cent dollars agité sous le nez du vendeur n'avait rien déclenché d'autre que la courtoise suggestion d'aller voir chez *Carlson,* un peu plus loin dans la Cinquième rue. C'est ce qu'il avait fait.

Là, il n'avait pas retrouvé son modèle. En revanche, ils avaient un énorme engin de chez *General Electric*, horizontal, super profond et sans aucun accessoire susceptible de gêner le passage du corps. Mieux encore, on lui avait promis de livrer le lendemain vers midi. Piochant dans les mille dollars qu'il avait extorqués à Diane, il avait réglé en espèces. A présent, il regagnait l'appartement, le bidule en vinyl et les bacs à glace bouclés dans le coffre de la voiture. Restait à attendre le congélateur.

Vu l'heure, Diane était sans doute complètement ivre. Mais tant pis. En plus, comment aurait-il deviné qu'il se planterait avec le mec des assurances? L'idée lui avait paru astucieuse : le truc vite fait bien fait, qui évitait de mettre cette idiote dans le coup. De toute façon, il n'y avait rien à regretter parce que s'il n'avait pas essayé du côté de Gerber, il s'en serait toujours voulu. Maintenant, plus de doute, c'était niet et rien d'autre. Restait plus qu'à foncer dans la bonne direction.

Si Howard Bluestern voulait se sortir d'affaire, il devrait en lâcher une sacrée pincée à Bruce Gottesman...

A présent, il fallait faire patienter Diane. Pas question de lui en dire trop, ni de s'engueuler avec elle, au moins jusqu'au lendemain. D'ici là, il trouverait bien un truc pour la calmer.

Après avoir stocké la housse et les bacs à glace dans le cagibi attenant au parking, il prit l'ascenseur. Arrivé à l'étage, il appuya avec rage sur la sonnette. Pourquoi ne lui avait-elle pas filé une clef, cette folle? Pas de réponse. Cette fois, il riva son doigt sur le bouton, bien décidé à attendre le temps qu'il faudrait.

Au bout d'une éternité, il entendit le cliquetis de la serrure et la chaîne de sûreté qui sautait. La porte s'ouvrit, et il se trouva nez à nez avec sa complice. Pieds nus, elle ne portait qu'un chemisier et une jupe. Elle avait le visage tout fripé, avec de grandes traînées de rimmel, comme si elle avait pleuré. Stoïque, il attendit l'engueulade. A sa grande surprise, elle l'accueillit d'une voix morne.

– C'est toi...

– Tu croyais que je m'étais envolé? plaisanta-t-il en pénétrant dans la pièce.

– Non, plutôt que tu avais fauché la voiture. Ça ne m'aurait pas étonnée.

Elle semblait complètement apathique.

Il se dit alors que la meilleure défense était l'attaque, et elle le méritait bien.

– Pourquoi tu ne m'as pas prévenu qu'il arrivait? Je me demande encore comment j'ai réussi à me sortir de ce coup. T'étais censée faire le guet, non?

– Ah bon, il est allé là-bas?

On aurait dit que cela ne l'intéressait pas.

– Ben oui! Que s'est-il passé?

– Il a été plus malin que moi. C'est sans importance.

Elle tourna les talons et se dirigea vers le living.

– Où vas-tu?

– Me chercher à boire.

Il lui emboîta le pas.

– J'ai l'impression que t'as déjà pas mal bu, non?

– Que devais-je faire en t'attendant... te préparer un gâteau, peut-être?

Elle se versa une énorme rasade de bourbon d'une main pas très ferme. Il n'aimait pas la façon dont les choses s'enclenchaient. Il faudrait se méfier. Elle risquait de lui attirer des ennuis. Les planches pourries, c'est dangereux.

– Je te remercie, rien pour moi, persifla-t-il, parce qu'elle ne lui proposait rien.

– Tu es assez grand pour te servir, non?

Elle se posa avec son verre sur le canapé et le dévisagea.

– Bon, je t'écoute.

– Dis donc, t'as plutôt l'air mauvaise.

– Je n'ai jamais prétendu qu'on était copains. Un ami, ça ne te pique pas deux cents dollars pour te rendre service et encore moins mille dollars pour continuer à t'aider. Nous deux, ça n'a rien à voir avec l'amitié, c'est une affaire. Alors, parlons, tu veux?

– Oh la la, tu t'es levée du pied gauche...

– Ça vaut mieux que de coucher avec toi, si tu vois...

– Pourquoi tu râles? Tu as pris ton pied deux fois, et moi, que dalle.

– Tu veux peut-être que je te rembourse?

S'asseyant près d'elle sur le canapé, il allongea les jambes sur la table basse.

– Ote tes pieds de là-dessus, tu veux?

Secouant la tête, il obéit. Elle reprit :

– Alors?

– Par quoi tu veux que je commence?

– Tu as découvert quelque chose?

– Non.

– Rien?

– Rien.

Elle le dévisageait à nouveau. Sa bouche était agitée de tics. Il se demanda si elle allait fondre en larmes, mais non.

– Où as-tu passé la journée? reprit-elle.

– La plus grande partie, dans la baraque à Malibu. Pourquoi? Qu'est-ce que tu t'imagines?

– Et après?

– Il y a une putain de circulation sur l'autoroute, tu sais...

– Vraiment?

– J'ai déjeuné. Ça prend du temps, tout ça...

– Et nous, on perd du temps... beaucoup trop même. Après déjeuner?

– J'avais des courses à faire.

– Des courses?

– Oui, à Santa Monica.

– Quel genre?

– Des trucs dont on aura besoin.

Il baignait dans son jus.

– Je te raconterai ça en temps voulu. Te casse pas la tête, je m'occupe de tout. J'ai quelques petites idées, là...

– Ça je m'en doute, et ça me coûtera encore du fric.

Après avoir bu une longue gorgée de bourbon, elle contempla le fond de son verre et poursuivit :

– Tu es allé ailleurs?

– Ailleurs? Je sais plus. Je me suis arrêté dans une pizzeria sur l'autoroute.

– C'était pour déjeuner, ça?

– Non, avant.

D'un bond il se leva.

– Qu'est-ce que tu fabriques?

– Je vais prendre une douche.

– Tu ne sens pas plus mauvais que d'habitude.

– T'es vraiment pénible, Diane.

– Assieds-toi. Il faut que je récupère mes billes. Sur mille dollars, il en reste, non?

Il se laissa retomber sur le canapé, tandis qu'elle avalait une autre lampée de bourbon.

– Alors comme ça, tu n'as rien trouvé, hein? Tu es resté tout ce temps-là à Malibu et tu n'as rien trouvé...

Détournant les yeux, il répondit :

– Rien de rien.

Sans un mot, elle le fixa jusqu'à ce que qu'il craque.

– Bon. Qu'est-ce que je devais découvrir? gronda-t-il. Tu m'envoies chercher des indices sans même savoir ce que tu cherches. T'as pas la moindre idée de ce que je suis censé trouver. C'est peut-être pas vrai, ce que je dis hein?

– Si, répliqua-t-elle sans le quitter des yeux.

– Et qui te dit qu'il y a quelque chose à découvrir, là-bas? Après tout, il n'habite même pas là. Pourquoi on fouille pas chez lui, chez Bluestern? Ça serait peut-être plus payant.

Avant d'avoir terminé sa phrase, il comprit qu'il aurait mieux fait de la boucler.

– D'accord, répondit-elle d'un ton incisif. On y va... ce soir.

Tel un diable, il bondit sur ses pieds.

– Dis donc, c'est un peu risqué, non?

Malgré lui, il avait pris un ton geignard.

– Tu as peur? Retourne donc faire le pompiste ou les petits boulots de merde que tu pratiquais quand je t'ai rencontré chez *Joey*. C'était mon jour de chance, ce soir-là!

– Bon, on y va ce soir, marmonna-t-il en se dirigeant vers la salle de bains.

Bien fait pour lui! Mais s'il voulait en savoir plus sur Bluestern, fallait qu'il se décide à aller chez lui, même si ça n'était pas du gâteau. Et puis, s'il refusait, elle chercherait à savoir pourquoi. Or il avait encore besoin de sa bagnole, de son appartement et, qui sait, d'une petite rallonge de pognon. Il l'enverrait aux pelotes quand tout serait fini, pas avant.

– Bruce...?

Stoppé dans son élan, il se tourna.

– Tu es un fichu menteur.

Elle n'avait pas haussé le ton. Se forçant à sourire, il répondit.

– Allons, allons, mon chou...

– Je suis sûre que tu me caches plein de trucs.

– Tu ferais mieux de finir ton verre.

– Howard Bluestern, comme hypocrite on ne fait pas mieux. Un certain nombre de mes meilleurs copains mentent comme des arracheurs de dents, à commencer par ma mère. Mais toi, tu les enterres tous!

L'air affligé, il entra dans la salle de bains prendre sa douche. Diane se rassit sur le canapé, liquida son bourbon et tenta de lire son avenir dans le fond de son verre. Seule consolation avec une ordure comme Bruce : il n'y avait rien à en attendre sauf le pire et sur ce chapitre on était rarement déçu.

Cela dit, elle n'avait pas l'intention de finir en prison.

Ce fut seulement après une demi-heure de méditation sur ce sujet que David Stanner lui revint soudain en mémoire.

A cinq heures moins vingt, dans son bureau, Gerber n'était pas loin de bouillir. Pourquoi se ronger les sangs? Après tout, Teddy Stern était très occupé. Tu parles... En ce moment même, il devait l'être à se verser un verre, à le boire, ou encore à liquider ce qui en restait. En tout cas, rappeler Marvin Gerber ne devait pas trop le tracasser.

Miraculeusement trois minutes plus tard, le téléphone sonna.

– Vous l'avez sur la deux, lui annonça Madeline.

Se branchant sur la ligne, l'inspecteur d'assurances attaqua.

– Ne vous en faites pas, je ne veux rien vous vendre.

– Ça tombe bien, je ne suis pas acheteur, rétorqua l'acteur. Que puis-je pour vous?

Il semblait d'assez mauvaise humeur, ce dont Gerber prit note.

– Voilà, ce ne sera pas long. Votre frère m'a demandé à brûle-pourpoint si je vous avais mis au courant pour sa police et je n'ai pu que lui avouer la vérité. Il a eu la gentillesse d'accepter mes excuses, mais je tenais à ce que vous le sachiez.

– Très bien. Ne vous faites pas de bile, Marvin. Pas de quoi fouetter un chat!

– Tout de même, c'est plus grave que vous ne le supposez, Teddy. Votre frère est mon client, et nos affaires sont couvertes par le secret professionnel.

– Bon, vous vous êtes excusé, et lui, il a accepté? Ça ne vous suffit pas?

– Pour moi, c'est réglé. Toutefois il y a des gens sur lesquels je n'ai aucun pouvoir.

– De qui voulez-vous parler?

– Eh bien, de vous par exemple. Vous vous rappelez certainement que je vous avais recommandé de n'en souffler mot à quiconque...

– C'est ce que j'ai fait.

– A personne?

– Personne.

– Y avait-il quelqu'un chez vous ce matin, quand je suis passé vous voir?

– Non.

– Pas de dépanneur, de réparateur...?

– Je vous ai dit que non. Hé, Gerber, que signifient ces salades?

– Rien, rien. J'aurais dû me taire. Mais voyez-vous, je suis un grand nerveux et je dois avoir des visions. Imaginez-vous qu'en partant de chez vous, ce matin, j'ai cru voir quelqu'un qui filait par la porte de service ou l'arrière de la maison...

– Ça ne va pas, la tête! Il n'y avait personne. Et à quoi, il ressemblait, votre gars?

– Un grand gaillard, un bon mètre quatre-vingt-dix, quasiment obèse, dans les cent vingt kilos, pas loin. Le genre d'individu que j'hésiterais à assurer même pour dix dollars; les cheveux longs, le teint brouillé...

– Vous ne manquez pas d'imagination, Marvin.

– Heureux que vous vous en soyez aperçu.

D'un coup, il se sentait soulagé. Son maître-chanteur présumé n'était donc qu'un bluffeur sans envergure.

– C'est préférable pour vous aussi, Teddy, parce que si cet individu s'est introduit chez vous, ce qui ne semble pas être le cas, il n'a emporté que des mots, des bribes de conversation, sinon vous vous en seriez aperçu, non?

– Oh moi, je ne m'inquiète pas, mais vous... N'ayant même pas l'excuse de boire, vous ne devriez pas avoir de visions! A ce propos, ça me rappelle qu'il ne va pas tarder à être l'heure...

– Je vous mets en retard, n'est-ce pas?
– C'est-à-dire que...
– Bien sûr.
Gerber éprouvait un tel soulagement qu'il remarqua à peine le mot que Madeline lui avait glissé; il contenait les renseignements qu'il lui avait demandé d'obtenir du service des cartes grises à Sacramento. Il y jeta un bref regard avant de lancer son dernier coup de sonde.
– Pendant que nous y sommes, Teddy, le nom de Diane Mac Vorter vous dirait-il quelque chose, par hasard?
Le silence qui suivit sortait-il encore de son imagination?
– Pourquoi me posez-vous cette question? finit par interroger l'acteur.
Très vite, Gerber échafauda une explication.
– Je lui ai placé une police; plus précisément, un de mes représentants a assuré sa voiture cet après-midi, une Toyota ou une Datsun, je crois, et il me semble bien, mais je peux me tromper, qu'elle lui a donné votre nom comme référence, à moins que ce ne soit celui de votre frère, ou encore que ma mémoire me joue des tours.
– Je ne m'inquiète pas pour votre mémoire, répliqua Stern d'un ton égal.
Gerber poursuivit.
– Mais cette Diane Mac Vorter, vous la connaissez?
Il eut encore l'impression que Teddy hésitait à répondre.
– J'ai dû la rencontrer... une fois il me semble... oui.
– Ah bon, alors celle-là, je ne l'ai pas inventée! claironna jovialement Gerber. Une sacrée coïncidence quand même!
– La vie en est faite!
– C'est pour cela que je me suis permis d'en parler. Bien, je ne vous mets pas plus en retard. Prenez soin de vous, jeune homme.
– Vous aussi, Marvin.
En raccrochant, Gerber éprouva un plaisir pervers. L'obèse aux longs cheveux, le bluffeur, conduisait donc

une voiture appartenant à une femme que Teddy Stern avait déjà rencontrée une fois dans sa vie. Si ça n'était pas une coïncidence, il faudrait inventer un autre mot. Alors, si l'envie lui en venait, Gerber pourrait toujours retrouver ce type par l'intermédiaire de l'ex-petite copine de Teddy Stern.

David Stanner s'aspergea les aisselles de déodorant, se frictionna tout le corps avec de l'eau de Cologne et se talqua délicatement l'entrejambe. Même averti si tard qu'il disposait de sa soirée, il ne négligerait rien pour en profiter pleinement.

D'un côté, cette liberté inattendue le plongeait dans des abîmes de délices anticipées. Mais de l'autre, l'irréductible utopiste qu'il était regrettait de ne pas rester là, avec eux, même s'ils ne voulaient de lui à aucun prix et que tout ce qui risquait de lui échoir était la douce et lancinante douleur du désir inassouvi.

Ses pensées vagabondèrent vers la délicieuse Jo Anne, et il crut l'entendre comme lorsqu'elle l'avait appelé cet après-midi pour lui communiquer les instructions de Bluestern, l'entendre aussi comme lorsqu'elle avait clamé son bonheur en gémissant sous ce toit même, quelques nuits auparavant. Curieusement, cette manifestation du plaisir féminin ne lui était pas indifférente, au moins dans la mesure où Jo Anne en était le sujet.

Sa toilette terminée, David enfila une paire de légers mocassins, une chemise bleue échancrée jusqu'au nombril, des poignets de force en cuir noir, et s'orna le cou de quelques chaînettes et babioles en or. Mettant la touche finale à sa coiffure, il s'admira, vêtu de son bermuda, dans le miroir fixé sur la porte de sa petite salle de bains ridiculement minuscule.

Sans commentaire, mon chéri. Tu es irrésistible.

La sonnerie du téléphone le ramena sur terre.

Il faillit céder à la tentation de laisser les abonnés absents prendre le message, puis se décidant à gagner son salaire, sa maigre pitance plutôt, il prit l'appel sur le poste près de son lit.

– Ici la résidence de M. Bluestern.
– C'est vous, David?
Un instant il crut que c'était la « délicieuse » qui rappelait, puis hélas, trois fois hélas, il reconnut une voix tristement familière.
– Moi-même.
– Vous vous souvenez de moi? Diane Mac Vorter.
– Comment vous aurais-je oubliée, miss Mac Vorter? Il n'est pas encore rentré.
– Ce n'est pas à lui que je veux parler, David, mais à vous, comme vous me l'aviez proposé. Vous avez un instant?
– Sans doute, répondit-il avec circonspection.
Incroyable. Il avait fini par se persuader qu'il n'entendrait plus parler d'elle.
– Écoutez, j'ai quelqu'un avec moi en ce moment.
Elle avait baissé la voix.
– Je ne m'éterniserai donc pas...
– Je comprends vite, madame...
– Pitié, je vous ai déjà dit de m'appeler Diane.
– Oui, Diane.
– La dernière fois, vous m'avez proposé de m'aider à résoudre certains petits problèmes personnels, et vous avez émis l'idée que nous nous retrouvions pour boire un verre.
– En effet.
– Bon, écoutez-moi bien, David, et tâchez de comprendre ce que je vais vous dire.
Elle semblait à présent choisir ses mots avec le plus grand soin.
– Supposons que nous décidions de nous voir et que je vous demande si, à votre avis, le comportement de M. Bluestern ne vous paraît pas bizarre... mystérieux... ces derniers temps, votre réaction serait-t-elle de me répondre « je ne vois pas ce dont vous parlez »?
– Je ne vous ferais certainement pas ce genre de réponse.
Il réfléchissait à la vitesse grand V.
– Je serais même enclin à vous dire que mes observations m'amènent à des conclusions similaires.

– Vraiment?
La surexcitation qu'elle montrait le surprit un peu.
– Mais oui, je vous assure.
– Alors il faut qu'on se voie. Vous ne perdrez pas votre temps.
David sentit que le poisson était ferré. Il ne restait qu'à remonter la ligne en douceur.
– Pourtant, si j'ai bonne mémoire, vous aviez repoussé ma proposition, la dernière fois.
– Oh, David, il m'arrive d'être un peu brusque parfois. Mais il faut qu'on se voie et j'ajouterai : le plus tôt sera le mieux. Quand terminez-vous votre service?
– Aujourd'hui, je dispose de ma soirée...
– Magnifique. Voulez-vous que nous...
– Ah, diable! Ne quittez pas, je vous prie.
La sonnette de la porte d'entrée retentissait.
– David...?
– Vous pouvez attendre un instant?
– Que se passe-t-il?
– On sonne à l'entrée. Il faut que j'aille ouvrir.
Et vas-y que je te sonne, là-bas!
– Mais, David...
– Je reviens.
Qui donc se présentait? Il n'avait pas entendu de bruit de voiture.
Reposant l'appareil, il passa sa robe de chambre et se précipita vers l'entrée.
La sonnette retentit à nouveau.
Traversant le hall, il déverrouilla la porte et l'ouvrit.
Bluestern!
A cette heure-ci?
Il avait les bras chargés de bouquins et de documents divers. Pénétrant maladroitement dans la pièce, il aboya :
– Où étiez-vous donc passé?
– J'étais au téléphone, monsieur. Puis-je vous aider?
– Non, je me débrouillerai.
Passant dans la pièce la plus proche, Stanner reprit la communication sur le poste qui s'y trouvait.

– Dites-moi, ma chérie, je vous rappellerai.
Il parlait le plus bas possible.
– Eh, minute. Quand?
Elle avait l'air affolée.
– Dès que je pourrai.
– Mais je croyais qu'on devait...
– Je dois raccrocher.
– Je ne bouge pas. Vous me trouverez dans l'annuaire. A Brentwood.

Il coupa la communication et retourna dans le hall où il trouva Bluestern toujours occupé à chercher où déposer son stock de paperasses.

– Heureux de vous voir, monsieur. Je vais vous débarrasser.

Mais Bluestern recula instinctivement, refusant de rien lâcher.

En voilà encore une histoire! Il ne cherchait qu'à se rendre utile!

Son patron pénétra dans son cabinet de travail, laissant derrière lui un sillage de nervosité quasi palpable. Sans doute les résultats d'un vendredi difficile aux studios, d'un week-end peu reposant à Malibu et d'un lundi à problèmes mal résolu? Voilà qui cadrait mieux avec le Howard Bluestern habituel, celui à propos duquel il s'était posé tant de questions. Mais ce n'était pas exactement le même. Où donc était le changement?

Les mains libres, son patron émergea du bureau. Il avait sans doute déniché un coin pour y cacher son attirail. Stanner en éprouva une vague indignation : le soupçonnerait-on de vouloir fureter dans les papiers personnels de Bluestern? Encore un détail à ajouter à son comportement bizarre. A présent, David était impatient d'entendre ce que la petite Mac Vorter avait à lui apprendre...

– Avec qui parliez-vous au téléphone, David?

Bon Dieu, il était télépathe, ce type!

– Avec un ami, répondit précipitamment Stanner avant de sourire. Je m'attendais à ce que miss Kallen vous accompagne, monsieur, mais je suis ravi de vous revoir après ce long week-end.

– Elle ne tardera pas.
– Votre frère a appelé. Il est de retour.
– Je sais...
– David, asseyez-vous un instant, je vous prie?
– Moi, monsieur?
– Oui.

Le ton de Bluestern ne lui plaisait pas. Trop sérieux à son gré. Qu'y avait-il encore? S'installant sur une des chaises cannées du hall, il lui adressa un regard interrogateur.

– Répondez-moi sans détours, cette fois, reprit Bluestern. Et ne changez pas de sujet!
– Comme vous voudrez, monsieur.

A la barre des témoins, ni plus ni moins.

– Vos amis... L'un d'entre eux par hasard ne serait pas allé fourrer son nez dans mes affaires récemment?
– Quels amis, monsieur?
– Les vôtres. Ces individus que vous rencontrez dans des bars. Ces gens à qui vous parlez au téléphone, comme celui avec lequel vous étiez en ligne justement...
– Vous entendez, des hommes, monsieur?
– Pas forcément.
– Des femmes?
– Oui, des femmes.
– Monsieur, vous n'êtes pas sans savoir que j'entretiens peu de rapports avec les femmes...
– Je le sais. Mais à qui parliez-vous donc?
– Monsieur, je ne comprends pas.
– Disons les choses autrement. Et regardez-moi quand je vous parle...!
– Excusez-moi, monsieur.
– Qui était cette femme à qui vous téléphoniez?
– Quelle femme?
– Celle que vous appeliez « ma chérie ». Vous croyez peut-être que je suis sourd?

Sur le point d'expliquer qu'il avait coutume d'appeler bien des hommes ma chérie, voire mon amour, Stanner se ravisa en voyant l'expression qu'arborait son patron.

– Je cherchais à vous éviter des contrariétés, monsieur.

Je ne voulais pas vous ennuyer avec des problèmes que vous m'aviez chargé de régler, auxquels je me suis attelé et dont je m'occupe toujours. Je veux parler de cette fille. En tout état de cause, vous pouvez compter sur moi, soyez-en sûr.

– Diane Mac Vorter?

Bluestern avait veilli de dix ans, soudain.

– Elle-même, monsieur. Mais n'y pensez plus. Je contrôle la situation. Chaque fois qu'elle appelle, je lui sers la même réponse... Vous n'avez rien trouvé, vous avez fait de votre mieux, qu'elle n'en attende pas plus. Je lui répète qu'elle perd son temps, et le vôtre par la même occasion, qu'il vaut mieux qu'elle n'appelle plus et, peu à peu, elle se pénètre de cette idée. Je pense que bientôt nous n'en entendrons plus parler. A mon humble avis, c'est déjà sans doute le cas. Voulez-vous boire quelque chose, monsieur?

Il se leva et se trouva face au doigt menaçant que Bluestern pointait sur lui.

– Je vous ordonne de ne plus jamais vous occuper de mes affaires personnelles, pas plus que de celles de mon frère, surtout avec des tiers, c'est compris?

– Les affaires de votre frère...?

– C'est compris?

– Ça l'a toujours été, monsieur.

– Ce que je vous dis vaut également pour tous ces petits jeunes gens que vous draguez sur les trottoirs.

– Quels jeunes gens?

– Comment le saurais-je?

– Je ne vois pas à qui vous faites allusion, monsieur.

– Contentez-vous de ne plus avoir le moindre contact avec cette Mac Vorter. Si elle rappelle, raccrochez. C'est clair?

Comme frappé par la foudre, Stanner le contempla d'un air peiné.

– Je saisis mal pourquoi vous me parlez sur ce ton, monsieur.

– J'ai mes raisons, voilà qui devrait vous suffire.

– Vous semblez sous-entendre que je commets des indiscrétions...

– Je n'ai jamais dit cela.
– ... ou que je bavarde avec des inconnus...
– Qui parle de cela?
– Vous l'avez quand même insinué.
– Je n'ai rien fait de tel.
– J'ai pourtant l'impression... d'être agressé... soupçonné.
– Vos sentiments de culpabilité vous regardent.
– Vous comprenez ce que je veux dire, monsieur?
– Ce n'est pas mon problème.

Cassant, le Bluestern. Très désagréable.

– Contentez-vous de m'obéir.
– Mieux vaut peut-être que j'aille achever de m'habiller pour sortir.

Stanner ne pouvait s'empêcher de chevroter. D'un coup, il était déprimé.

Après une volée de bois vert comme celle qu'il venait de prendre, pour rien au monde il ne contacterait Diane Mac Vorter. L'expression de Bluestern, quelle horreur! Jamais il ne l'avait vu se comporter ainsi. Manifestement il y avait anguille sous roche. Non moins manifestement, la donzelle était dans le coup.

Si seulement il avait pu en savoir davantage sans risque...

– A propos, reprit le patron, plus calme, je vais à New York mercredi prochain. Réunion du conseil d'administration. Je serai de retour vendredi.
– Très bien, monsieur.

A cinq mille kilomètres d'ici? Pour deux jours?

Du calme, Stanner, du calme.

– Et vous David, vous découchez cette nuit?

Un léger tic aux lèvres, ce dernier répondit :

– Si vous le souhaitez.
– Ne me faites pas dire ce que je n'ai pas dit. Je vous pose une question, c'est tout.
– Quand jugez-vous bon que je rentre, monsieur?
– A votre guise. Demain midi, ce serait parfait.
– Bon. Il faut voir. Tout dépend de... il faut voir.
– Bonne soirée.

– Sur cette formule de politesse dont il ne pensait pas un mot, Bluestern tourna les talons pour aller dans sa chambre.

– Vous aussi, répondit Stanner d'un ton sinistre.

Seul le claquement de la porte lui répondit.

Abandonné à lui-même, le domestique se sentait au trente-sixième dessous. La sonnerie du téléphone retentit soudain. Il se précipita pour décrocher.

– Allô...? Allô, David? C'est vous...?

– Ne vous avisez plus de jamais m'appeler ici, répliqua-t-il âprement.

– Mais je croyais que...

– Jamais! hurla-t-il en raccrochant brutalement.

Puis, l'échine basse, il se dirigea vers sa misérable chambrette afin d'achever de se préparer.

Il aurait besoin d'une sacrée remise à neuf, ce soir.

Ils avaient garé la Datsun rouge à une dizaine de mètres de la résidence de Bluestern, de sorte à surveiller la porte d'entrée, le garage et la rampe de sortie sans que leur présence attire l'attention. De leur cachette, ils distinguaient la Bentley grise du maître de maison et, rangée près d'elle, une Volkswagen noire. On n'avait pas encore allumé les lumières en cette fin d'après-midi, ce qui les empêchait de voir, à travers les rideaux tirés, ce qui se passait à l'intérieur.

– On perd notre temps, murmura Bruce. Je n'ai pas encore compris pourquoi t'as joué les fusées pour venir ici. T'avais peur qu'elle s'envole, cette baraque?

– Tu as autre chose de super-important à faire?

Diane s'était accoudée au volant pour mieux observer la maison à l'aide d'une paire de jumelles.

– On aurait pu se taper un bon steack quelque part.

Baissant ses jumelles, la jeune femme le foudroya du regard.

– Pourquoi tu me regardes comme ça? s'enquit-il.

– Je te laisse seul juge, mon vieux.

Qu'avait-elle encore, celle-là! C'est lui qui avait pris la douche, mais c'est à elle que ça avait profité! Et ce, probablement parce qu'elle n'était plus bourrée. Il avait déjà remarqué que, quand elle ne buvait pas, il était difficile de la dominer. C'était peut-être aussi à cause du coup de téléphone qu'elle avait passé. A sa mère, elle avait dit, ce qui était quand même un peu étonnant vu l'état dans lequel elle se trouvait! D'un autre côté, qu'en savait-il lui? Sa mère, il l'avait jamais connue. Pas plus que son père, d'ailleurs. Raison pour laquelle il était toujours de bonne humeur.

Sauf en ce moment.

– Il y a deux trucs qui m'embêtent, grommela-t-il, tandis qu'elle reprenait sa surveillance. D'abord me passer de bouffer et ensuite mettre les pieds dans cette taule s'il y a quelqu'un.

Diane resta muette.

– T'as entendu?

– Je ne sais pas ce qui est le pire, écouter les informations ou entendre tes âneries.

– C'est mon estomac que tu vas entendre dans pas longtemps.

– Regarde là-bas, coupa-t-elle sèchement.

Une Toyota marron prenait le virage au ralenti avant de s'engager dans l'allée privée de la résidence de Bluestern devant laquelle elle s'arrêta. Il en descendit une jeune femme à la chevelure de miel.

Se penchant davantage, Diane ajusta ses jumelles.

– Je la connais. C'est sa secrétaire, Miss Kallen.

– Elle apporte quelque chose?

– Tu parles! Le cadeau, c'est sûrement elle. Bon, elle entre.

– La baraque est pleine à craquer. Je ne joue plus. Foutons le camp, tu veux?

Diane modifia son angle de vue.

– On dirait que quelqu'un sort.

En effet, une silhouette venait d'apparaître au coin de la maison, se dirigeant vers le garage.

– Bluestern?

– Non, son domestique, David Stanner, la petite frappe, murmura la jeune femme.

Le moteur de la Volkswagen démarra bruyamment. Puis, à reculons, la petite voiture sortit du garage pour s'arrêter près de la Toyota. David Stanner en sortit, monta dans la Japonaise et la rangea à la place qu'il venait de libérer. Après quoi, il enclencha le mécanisme de fermeture et, dans un fracas de tous les diables, le rideau de fer s'abaissa.

– C'est bien le larbin, répéta Diane, l'œil rivé à ses jumelles. Tout pomponné pour aller se faire sauter.

– En tout cas, je peux te garantir que Bluestern et sa nana, eux, ils y sont pour la nuit. Sûr qu'il va les héberger, sa bagnole et elle.

Au volant de la Volkswagen, David Stanner faisait demi-tour. Ayant rejoint la route, il prit à droite et s'éloigna.

Diane posa ses jumelles, mit le contact et la Datsun fit un bond en avant.

– Qu'est-ce que tu fabriques? demanda Bruce.

– On le suit.

– Pour quoi faire?

– Je veux voir où il va, dit-elle en s'engageant dans Beverly Drive.

– Qu'est-ce qu'on en a à foutre?

– Tu verras bien.

– Encore une de tes salades?

– Tu avais la trouille d'entrer chez Howard, alors ne râle pas. Ça devrait te faire plaisir!

– Ralentis, bon Dieu!

Elle accéléra, cherchant à prendre le feu de vitesse.

Il saisit le volant.

– Arrête! Tu veux nous tuer? glapit-elle.

– Je veux seulement savoir ce que tu manigances.

– Je l'ignore encore.

Le feu de Sunset Boulevard passa au rouge.

– David Stanner sait des trucs, et probablement plus qu'on ne croit, sur son patron. A mon avis, il est sur le point...

– Qu'en sais-tu?

– Je viens de l'avoir au téléphone...

– Je croyais que c'était ta mère.
– Ce que tu crois, on s'en fout. Je l'ai appelé. Il sait des trucs, mais à moi, il ne les dira pas. En revanche, peut-être se confierait-il à un inconnu, surtout dans l'intimité. A toi de jouer, Bruce...
Elle piqua résolument vers l'Est, sur Sunset Boulevard.
Les sourcils froncés, il lui jeta un regard mauvais.
– Eh, je ne suis pas de ce bord-là, moi.
– Tu n'en mourras pas.
– Ça va pas, la tête!
– Tu crois?
Après tout, elle avait peut-être raison. En tout cas, il y aurait moins de risques. Mais admettre qu'elle avait vu juste lui faisait mal.
– T'aurais quand même pu me mettre au courant de tes projets? râla-t-il.
– Parce que, toi, tu me racontes tout?
– Je ne vois toujours pas pourquoi tu ne le rencontres pas toi-même, s'il te connaît.
– Combien de fois il faudra te le répéter? Il ne veut pas entendre parler de moi. On dirait qu'il a la trouille... Ne lui parle surtout pas de moi, hein? Tu ne sais pas que j'existe.
– Je voudrais bien, crois-moi...
Suivant la Volkswagen jusqu'à Hollywood, ils la pistèrent le long du Strip, puis par Holloway Drive, finirent par atteindre Santa Monica Boulevard. La petite voiture s'engagea alors dans un parc de stationnement jouxtant une invraisemblable boîte disco au nom bizarre de *L'Association des Plombiers*. Ils immobilisèrent la Datsun au coin de la rue, et regardèrent Stanner verrouiller sa portière, prendre un ticket de parking, se diriger vers l'entrée du bar, jeter un coup d'œil sur le boulevard et enfin entrer dans la boîte.
– Allez, vas-y! dit Diane. Sois mignon. Fais-toi draguer. Rappelle-toi comment tu t'y es pris avec moi.
Au supplice, Bruce grogna :
– Et merde! J'avais besoin de ça.

– Avec un peu de pot il t'emmènera dans sa chambre. Ça serait un bon moyen d'entrer chez Howard.

Du regard, il balaya les environs comme s'il cherchait une issue.

– Et toi, qu'est-ce que tu fais?

– Je t'attends. Si t'es pas de retour dans dix minutes, je comprendrai que ça marche. Alors, à la maison et au lit devant la télé.

Avec angoisse, il examina l'entrée du bar. Evidemment, c'était moins risqué qu'une effraction, mais quand même...

– Et comment je rentrerai, moi?

– Il a une voiture. Peut-être que si ça lui a plu, il t'en fera cadeau après.

Il la dévisagea d'un air mauvais.

– Tu seras toujours une belle garce, toi!

– Tire donc le meilleur de tes dons, mon joli.

Elle se pencha, lui ouvrit la portière.

– Allez, au boulot maintenant. Tu n'as rien fichu de toute la journée.

Il en avait autant à son service, mais au bout du compte, il jugea préférable d'extraire son énorme carcasse de la voiture.

– Je ne te souhaite pas bien du plaisir! persifla-t-elle.

Lui claquant la portière au nez, il piqua sur *L'Association des Plombiers* dont il franchit la porte sans se retourner.

19.

Il y a des moments dans la vie où, lorsque l'on fait le point, on peut se dire : voilà c'est là, à cet instant précis, en prenant cette décision, que tout ce qui s'est passé par la suite s'éclaire. Quant à l'événement lui-même, il peut avoir été si insignifiant qu'on ne l'ait pas remarqué sur le moment.

Lorsque, par la suite, Teddy repenserait à toute cette période, il vérifierait le bien-fondé de cette observation. Toute sa vie en aurait été modifiée, celle de Jo Anne aussi. Quant au défunt, son destin eût été tout autre si Teddy avait choisi de rappeler son ami Joey Marzula quand lui fut transmis le message de ce dernier.

A peine arrivée à Bel Air en cette soirée qui apparaîtrait ultérieurement si capitale, Jo Anne l'avait mis au courant des appels reçus aux studios avant de lui transmettre textuellement le message qu'elle avait relevé sur son répondeur à Malibu : « Mon petit Teddy, ici Joey, Joey Marzula. Rappelle-moi, veux-tu? Ça pourrait t'intéresser. Et ce serait encore mieux que tu passes, si c'est possible. »

D'un signe de tête, Teddy la remercia.

– Qui est-ce? Ton ramasseur de paris clandestins?

– Non, c'est un mec très chouette, un excellent copain, propriétaire d'un restaurant, le *Pal Joey's*. Tu dois être la seule créature que je n'ai encore jamais amenée là-bas.

Avec une petite moue, elle répliqua :

– C'est bien ma chance!

Il l'embrassa.

– Tu ne le rappelles pas?

– On joue dans la même équipe de handball. C'est sans doute pour ça qu'il téléphonait. Il n'y a pas le feu.

Et voilà.

Son seul désir était qu'ils soient seuls tous les deux. Pour le moment, rien d'autre n'importait. Ce soir au moins, toute autre préoccupation avait disparu. Plus de Stanner, de Gerber, de Diane ni de tous ces fantômes qui l'avaient hanté jusqu'à présent. Ils allaient être l'un à l'autre... dès qu'ils auraient résolu le problème numéro Un, celui de l'organisation du décès officiel de Howard. Pour cela, il fallait se plonger dans le stock de documents que Teddy avait rapporté à la maison et sur lequel ils comptaient s'appuyer pour trouver une solution.

– Si on s'en occupait plus tard? murmura-t-il. On verra ça tout à l'heure. La nuit est à nous...

– Mon chéri, tu es impossible...

– Bien pire, mon petit lapin... bien pire...

La sagesse de Jo Anne ainsi que le bien-fondé de ses arguments l'avaient plongé dans le ravissement, tandis qu'il l'entraînait vers d'autres horizons. Bien sûr, elle avait raison, et lui faisait l'imbécile. Était-ce sérieux de l'attirer traîtreusement vers la chambre à coucher, insensible à la justesse des faibles protestations qu'elle lui opposait, tandis qu'il se hâtait de la déshabiller dans la pénombre avant de se débarrasser de ses propres vêtements pour que le merveilleux contact de leurs corps nus abolisse la raison, la sagesse, le bon-sens, change le discours de la jeune femme en gémissements d'extase et que, insensiblement, il l'attire dans ses filets? Son amour pour elle s'accrut encore devant sa grâce à se laisser séduire, ses petits cris plaintifs, ses soupirs désespérés quand elle lui permit de l'étendre sur la couche, ses yeux rivés aux siens, son regard où il lut clairement la montée du désir, et la certitude que le rituel de sa danse de séduction avait pris fin, qu'ils étaient à présent tous les deux sur le même terrain mouvant de l'acte suprême, de l'impulsion d'amour qui les engloutirait, qui la poussait implacablement à s'ouvrir à lui, à le recevoir, tandis que sa bouche cherchait avidement la sienne, impérieuse, le guidant vers l'extase, annihilant le monde qui les entourait...

– Mon chéri, mon chéri...

Telles furent les dernières paroles qu'il distingua avant que la réalité n'explose pour leur dévoiler l'amorce du long chemin enchanteur qui s'élevait vers le bonheur.

Diane aurait été bien incapable de dire pourquoi elle agissait ainsi. Après avoir déposé Bruce, elle avait eu la ferme intention de rentrer chez elle. Puis l'idée de se retrouver seule l'avait effrayée. Bien sûr, elle aurait pu se noyer dans l'alcool, mais elle n'y tenait pas. Lorsqu'elle avait ignoré l'embranchement de Brentwood, sa première impulsion avait été de se rendre à l'aéroport et de s'envoler à bord de son Cessna, pour une ballade aérienne le long de la côte ou au-dessus de la vallée. Puis, chemin faisant, elle songea à aller voir sa mère, ce qui était ridicule, parce que sa mère, à part aggraver les choses et lui mettre les nerfs en pelote, il n'y avait rien à en attendre. Mais elle avait quand même envie de la voir.

A mille six cents mètres d'altitude, cap sud-est, la nuit était claire et les étoiles brillaient avec la même netteté que les petites lumières sur le plancher des vaches. Elle n'aurait aucune peine à revenir à Santa Monica avant la fermeture de l'aéroport et serait de retour chez elle avant Bruce. Comment se débrouillait-il celui-là? Elle n'en avait rien à faire pour l'instant; tout ce qu'elle voulait c'était voir sa mère. Avec un peu de chance, maman la prendrait dans ses bras et chasserait toutes les horreurs dans lesquelles elle se débattait.

Il faisait une chaleur de tous les diables lorsqu'elle posa l'appareil peu après. Les fois où elle avait atterri à Palm Springs, elle ne les comptait plus, et c'était toujours la même agression torride, dont elle se remettait d'ailleurs rapidement. En se dirigeant vers la station de taxis, elle éprouva une sorte de soulagement. Comme si ses ennuis s'étaient évaporés. Comme s'ils étaient restés là-bas, derrière les montagnes rougeoyantes qu'on aurait dit plantées pour assister au triomphe des stars hollywoodiennes et protéger les habitants de Palm Springs des démons tapis dans la région de Los Angeles.

Elle donna l'adresse de sa mère à Palmetto Drive mais, quand elle vit qu'aucune lumière ne brillait au fronton de la maison, elle demanda au chauffeur de faire demi-tour. Sa mère ne pouvait être qu'à son club.

En effet, elle la trouva installée au bar, seule devant un scotch, en conversation décousue et forcée avec le jeune et patient serveur mexicain. Tout de blanc vêtue, épaules et bras nus, la jupe largement fendue sur les côtés pour exhiber ses cuisses bronzées... Encore une fois, Diane fut stupéfaite de l'incroyable sensualité que dégageait sa mère, en dépit de ses cinquante-cinq ans. Comme toujours, elle eut la conviction qu'elle passait le plus clair de son temps à forniquer avec tout ce qui portait pantalon, à condition que ce soient des joueurs de golf occupant leurs soirées à boire plus que de raison et cherchant à satisfaire leurs appétits de luxure sans que cela aille trop loin. Depuis longtemps déjà, Diane avait remarqué les capacités de sa mère à deviner le désir chez les mâles. Elle en avait conçu de la jalousie, une envie qu'elle éprouvait encore aujourd'hui, à évoquer toutes les expériences sexuelles qu'avait connues cette femme, par ailleurs indifférente aux sentiments de son époux, aujourd'hui décédé, ainsi qu'aux manques d'affection dont son enfant unique, sa fille, avait été la victime.

En la voyant, sa mère eut une expression de surprise mêlée de contrariété.

– Di, mon petit, ça alors...!

Diane l'embrassa et sentit quelques relents d'alcool qui lui rappelèrent Teddy, la plongeant aussitôt dans un abîme de tristesse.

– Je suis ravie de te voir débarquer, reprit sa mère. Pourquoi ne m'as-tu pas prévenue?

– Ça m'a prise d'un seul coup, maman.

Elle se hissa sur le tabouret voisin.

– J'ai sauté dans l'avion pour venir te dire un petit bonjour et voir si tu allais bien.
– Moi? Tu me connais. Tu m'as déjà vue déprimée?
Son dentiste n'était pas étranger à l'éblouissant sourire qu'elle lui adressa.
– Serais-tu seule, ce soir?
Après un bref coup d'œil vers l'entrée du club, Mme Mac Vorter reporta son regard sur sa fille.
– Et toi, ma chérie, tout va bien?
– Bien sûr. Pourquoi?
– Je me demandais simplement ce qui t'amenait ici alors que je te croyais avec Teddy?
– On a rompu.
Sa mère la dévisagea un moment avant de boire une gorgée de scotch. Puis elle s'adressa au barman.
– Vous connaissez ma fille Diane, n'est-ce pas, Manuel?
Avec un sourire, le Mexicain répondit :
– Bonsoir, miss.
– Salut.
– Qu'est-ce que tu prends? s'enquit sa mère.
– Rien. Je pilote.
– Bon... tu n'as pas l'intention de passer la nuit ici...?
– Non. Il faut que je rentre.
– Pourquoi?
– C'est comme ça.
– Je vois.
Se tournant vers le barman, elle reprit :
– Manuel, voulez-vous servir un Perrier à ma fille?
S'adressant à nouveau à Diane, elle poursuivit :
– Tu n'as pas l'air très en forme, mon petit?
– Je sais.
– Viens donc plus souvent. Avec l'air conditionné à la maison, c'est formidable. Ta chambre t'attend toujours. Deux ou trois jours, ça te ferait du bien.
– Je viendrai. Dans pas longtemps.
Le barman lui apporta son Perrier. Elle n'y toucha pas. De l'eau gazeuse pour ce qu'elle avait? Elle contempla sa

mère qui buvait son scotch en hochant la tête comme si elle approuvait le discours d'un interlocuteur invisible.

– Ton histoire avec Teddy, tu ne veux pas en parler?

Oh si! pensa Diane en silence. Il est mort. Je l'ai assassiné. Ta fille est une meurtrière. Tu te rends compte du désastre? Peut-être qu'aucun homme ne voudra plus te voir après cela...

– Comme tu préfères, commenta sa mère.

– Il n'y a pas grand chose à dire. Les couples durables, ça ne l'intéresse pas beaucoup.

– Tu veux parler de mariage?

– Entre autres.

– Ça, il y a longtemps que j'aurais pu te le dire, Diane.

– Tu aurais pu, tu aurais pu, tu parles! Tu n'as jamais cessé de me le rappeler...

– J'avais tellement tort?

– Pas une fois je ne t'ai entendu dire quelque chose de gentil sur lui.

– Bien, alors c'est fini, à présent

– Pas tellement pour moi, mais pour lui... oui.

– De toute façon, je n'ai jamais cru que ce garçon avait beaucoup d'avenir. Si cela avait été le cas, on le saurait déjà...

Sans ambage, Diane la coupa.

– Tu as un avocat à Los Angeles?

Sidérée, sa mère la dévisagea.

– Un avocat? J'en ai un ici, Paul Schreier. A Los Angeles, je n'ai plus personne. A quoi cela me servirait-il, maintenant? C'est du passé.

– Crois-tu que M. Schreier connaîtrait quelqu'un à Los Angeles?

– Aucune idée. Je peux lui poser la question. Tu veux faire un procès à Teddy?

– Non.

– Tu n'es pas enceinte, au moins?

– Non.

– Tu peux tout me dire, tu sais.

– C'est ce que je viens de faire.

– Y a-t-il la moindre chance de réconciliation?
– Sûrement pas.
– C'est vraiment définitif, alors?
– Bien pire.
Se tournant vers le barman, Diane brandit son Perrier.
– Mettez-moi donc une goutte de bourbon là-dedans, je vous prie.
Le Mexicain lui prit le verre des mains.
– Tu crois que c'est raisonnable, Diane?
– Non, mais c'est nécessaire.
De son sac à main, sa mère sortit un petit carnet d'adresses qu'elle feuilleta. Puis elle se leva.
– Je reviens tout de suite.
– Qu'est-ce que tu fabriques?
– Je vais téléphoner à Paul Schreier. Il se peut qu'il soit chez lui.
– Une petite seconde. Que vas-tu lui raconter?
– Que ma fille a des ennuis et qu'elle a besoin d'un bon avocat à qui elle acceptera peut-être de se confier. Ne bouge pas.
Elle se dirigea vers la cabine téléphonique.
Diane en profita pour rappeler le barman.
– Mettez m'en encore une rasade.
– Bien, Miss.
A distance, la jeune femme entendit le cliquetis de la pièce de monnaie que sa mère insérait dans la fente de l'appareil. D'un coup, elle se demanda où en était Bruce et ce qu'elle faisait ici. Le Mexicain lui apporta son verre qu'elle attaqua sans plus attendre.
– Pourriez-vous m'appeler un taxi, s'il vous plaît?
Le serveur décrocha le téléphone derrière le bar.
Là-bas, dans la cabine, Diane entendit sa mère former un autre numéro. Elle avala quelques gorgées de bourbon-Perrier.
– M. Schreier ne répond pas, dit sa mère en se hissant de nouveau sur son tabouret. Je rappellerai demain. Tu seras chez toi?
– Oui.
Manifestement, sa mère ne cessait de surveiller l'entrée.

– Tu attends quelqu'un?
– Je ne comprends pas...
– Tu as rendez-vous avec quelqu'un, ce soir?
– Eh bien... oui.
– Qui?
– Un vieil ami.
– Quel vieil ami?
– Jack Sobel. Mais tu ne le connais pas. Il habite à Tamarisk.
– Marié?
– Je ne le lui ai pas demandé.
– C'est lui que tu étais en train d'appeler pour lui dire de ne pas venir avant que tu te sois débarrassée de moi?
– Diane, ne sois pas ridicule, je t'en prie.
– Tu vas le ramener à la maison?
– Écoute, je peux tout annuler si tu veux passer la nuit ici.
– Non, non. C'était juste par curiosité.
– C'est pour cela que tu es venue? Pour voir avec qui je sors? Alors, ne t'inquiète pas, je suis assez grande pour...
– Je ne me tracasse pas de ce côté-là.
– J'aimerais en dire autant à ton sujet...
– Même si c'était le cas, je suis sûre que tu n'en ferais rien.
– Tu crois que je suis heureuse de voir ma propre fille dans l'état où tu es en ce moment, de la voir me sauter dessus à l'improviste, puis se refuser à me raconter quoi que ce soit? Il faudrait que j'en sois ravie, Diane?
La jeune femme la regarda dans les yeux.
– Ça m'ennuie beaucoup de devoir filer. J'aurais adoré vous regarder en pleine action, Jack Sobel et toi. Je suis sûre que tu es un coup terrible. Vous faites juste l'amour tous les deux, ou bien cherchez-vous d'autres partenaires?
– Tu es abominable!
Sa mère s'était exprimée d'une voix rauque.
– Et papa, tu l'invitais à venir te voir à l'œuvre ou bien il a fallu qu'il découvre tout tout seul?

Sans un mot, sa mère descendit du tabouret de bar et fila vers la salle de restaurant, roulant des hanches.

Diane se tourna vers le barman qui se faisait tout petit à l'autre bout du comptoir.

– Et vous, vous la sautez aussi?

Le Mexicain fit mine de n'avoir pas entendu.

Ayant épuisé son fiel, la jeune femme se leva à son tour et quitta l'établissement.

Un taxi l'attendait devant la porte.

Ce fut seulement sur la route de l'aéroport qu'elle comprit pourquoi elle était venue. La seule chose bizarre, c'est qu'elle ait mis si longtemps à s'y décider.

20.

Timide n'était pas vraiment le mot. En tout cas peu approprié pour un colosse comme lui. Ambigu peut-être? Vous en avez déjà vu, vous, des pachydermes ambigus? A vrai dire, il était plutôt hésitant. Voire réservé.

– Vous êtes du genre réservé, Bruce? demanda Stanner. Il avait élevé la voix pour couvrir le vacarme qui régnait dans la boîte, tandis qu'ils évoluaient face à face au gré des incessantes variations rythmiques qui leur fracassaient les oreilles.

– Je me réserve pour vous, David, barrit l'intéressé.

Stanner planta son regard dans les yeux de son colossal partenaire qui évoluait avec une grâce et une légèreté assez inattendues chez quelqu'un de sa corpulence.

– Je suis touché par cette profession de foi et le monopole qu'elle sous-entend, mon grand. Je voulais dire, en fait, que je sentais en vous une certaine retenue, peut-être due à l'ambiance particulière qui règne ici.

Avec un sourire contraint, son partenaire répliqua :

– C'est la musique qui vous empêche de me dire ce que vous avez derrière la tête?

– Quoi donc, mon grand?

Pirouettant sur lui-même, Stanner effectua une figure rythmique qui s'acheva face à son interlocuteur en temps voulu pour lui permettre d'entendre sa réponse.

– Pas facile de n'utiliser que des mots qui collent avec le tempo, hein?

– Et si on attendait que la musique s'arrête?
– Elle n'arrête jamais, ici.
– Alors, c'est moi qui vais le dire à votre place, répliqua Bruce, marquant le rythme d'un claquement de doigt, son énorme bassin ondulant avec la souplesse d'une ballerine. Vous cherchez à savoir si le vieux proverbe du cochon qui sommeille en chacun de nous reste toujours valable. Je brûle, David; en tout cas j'approche, n'est-ce pas?
Posant les mains sur les hanches de son partenaire, Stanner se laissa bercer par leur lente ondulation jusqu'à ce que son propre corps se mette au diapason.
– Pour être proche, vous êtes très proche en effet, mon grand. Mais pour moi, vous ne le serez jamais assez.
– C'est gentil, soupira Bruce. J'espère que c'est sincère. Si vous me le permettez, je suis prêt à vous en donner la preuve.
Joignant le geste à la parole, il étreignit passionnément son partenaire avant de reprendre :
– Mais vous n'avez pas répondu à ma question, vous savez, celle que vous venez de si joliment reformuler.
– C'est vrai.
Pour le moins hésitant, Bruce chercha à rassembler ses idées, chassant tout ce que sa situation avait de déplaisant. Le simple fait qu'il ait un objectif précis, qu'il soit en quelque sorte en mission et que, par dessus le marché, il ait bu comme un trou, lui parut un peu léger comme explication. Il finit par se décider.
– Je vais vous répondre. Il y a bel et bien un cochon qui sommeille en chacun d'entre nous et qui plus est, ce sont des rêves très très cochons qu'il fait, l'animal. Et vous, David, ce genre de rêves, vous les avez aussi?
Un éclair passa dans les yeux de Stanner.
– Si on allait s'asseoir pour en reprendre un dernier avant de filer au royaume des songes?
– Bon sang, vous trouvez qu'on n'a pas assez bu?
Le prenant par la main, David l'entraîna hors de la piste de danse vers la petite table qu'ils avaient occupée précédemment. Un garçon au torse nu se matérialisa sans

tarder. David commanda deux nouveaux scotchs qu'ils avalèrent à peine servis.

– Vous êtes en état de conduire? s'enquit Bruce d'une voix pâteuse.

– Ah, parce que c'est moi qui conduis?

– Ben oui, moi je suis fantassin, ce soir.

– Il y a plus important à régler. Où vais-je nous conduire?

– Cherchez pas de mon côté, mon chou, rétorqua le colosse. Pour le moment, tout ce dont je dispose, c'est un sac de couchage que mon oncle me permet d'utiliser à même le sol de son living-room. Vous avouerez que ça n'a rien d'enchanteur; et je ne vous ai pas parlé des trois matous ni du clébard bavouillant avec qui je cohabite.

Secouant la tête d'un air peiné, Stanner murmura.

– Allons, Bruce, allons...

– Et vous, David?

– Une chambre de bonne.

– Une chambre de bonne? Et où elle est, la bonne?

– C'est moi.

– Non. C'est vrai?

– Oui.

– Et votre patronne, où elle est?

– Ce n'est pas une patronne mais un patron.

– Non, non; le patron ça sera moi.

– Il s'appelle Howard Bluestern.

– Et où il est en ce moment, Howard Blue truc?

– A la maison, au lit avec sa maîtresse.

– Ce qui vous fait deux patrons, dans le coup.

– Exactement.

– Et vous restez là, les bras croisés, au lieu d'en entraîner un au lit pendant que l'autre s'envoie sa maîtresse?

– Dois-je le prendre comme une invitation au voyage?

– Vers la chambre de bonne, mon chou.

– Mais supposez qu'il nous entende?

– Et si c'était le contraire? On pourrait peut-être s'en mettre plein les oreilles, nous?

Ce disant, malgré les brumes de l'alcool, Bruce songea

que ce serait une bonne manière de rentabiliser l'opération même si, pour le moment, son bas ventre ne se montrait pas très coopératif.

– Attendez plutôt de les entendre tous les deux, répliqua Stanner, soulignant ses propos d'un geste éloquent. Ces deux-là, c'est extraordinaire, surtout la fille, rien que d'y penser je frôle l'orgasme...

– Assez, David, je n'en peux plus. Passons aux choses sérieuses.

– C'est vrai, Brucie...?

– Tu ne me crois pas?

– Il saisit la main de Stanner pour le convaincre.

– Si, si, je te crois. Ça ne ment pas, ça, mon grand. Et cette vérité-là, j'en ai envie tout de suite.

– Avec la chambre de bonne comme puits d'où elle pourra sortir?

– Tu ne feras pas de bruit, hein?

– Pour qu'on puisse les écouter comme il faut?

– Oui, c'est ça.

Stanner en tremblait d'émotion.

– Et je veux aussi t'entendre les écouter.

Se levant pesamment, Bruce aida son partenaire à faire de même. Ils laissèrent quelques billets pour le serveur au torse dénudé, et se frayèrent un chemin parmi les corps enchevêtrés sur la piste de danse. Sur le trottoir, ils respirèrent enfin la fraîcheur de la nuit.

– Où tu l'as garée, ta Rolls? demanda Bruce.

Titubant légèrement vers le parc de stationnement, Stanner répondit.

– Ce n'est hélas qu'une Volkswagen, mon grand. Je ne vais peut-être pas pouvoir t'embarquer tout entier?

– Quelle partie préfères-tu prendre?

– Bon, voyons si c'est possible.

Après avoir réglé son ticket de parking, David déverrouilla la portière de sa petite voiture, s'installa au volant et ouvrit la porte côté passager.

Bruce se livra à maintes contorsions pour tenter d'y introduire sa formidable carcasse.

– Rien à faire, souffla-t-il comme un asthmatique.

– C'est ta virilité qui gêne, plaisanta Stanner. Débarrasse-t'en.

Sur ces belles paroles, il remit pied à terre et après moult efforts réussit à caser son partenaire sur le siège avant. Refermant à grand peine la portière, il contourna la voiture et se réinstalla au volant, dans le coin minuscule que lui laissait la masse imposante du colosse.

– Roule doucement, lui recommanda Bruce.

– Je n'ai même pas démarré.

– Les bons conseils font les bons conducteurs. Où allons-nous?

– Eh bien, chez Bluestern.

– Où habite-t-il?

– A Bel Air.

– Ah, je crois que je suis déjà allé dans ce coin-là.

Tu parles, il y avait à peine quelques heures de cela. Dieu de Dieu, Diane, tu vois dans quel coup tu me fourres?

Ils arrivèrent sains et saufs à destination. Après avoir garé la Volkwagen devant la maison, Stanner, ne cessant de recommander le plus grand silence à son partenaire, l'entraîna vers l'entrée de service. Sur la pointe des pieds, ils traversèrent la maison silencieuse jusqu'à la minuscule chambrette et le ridicule petit lit à une place sur lequel ils ne tardèrent pas à s'affaler, nus comme deux vers lubriques.

Sans raison, Teddy s'éveilla. Il faisait encore sombre. Il avait l'impression d'avoir entendu des claquements de portières ainsi que des murmures; peut-être étaient-ce les voisins? Jo Anne s'était retournée dans son sommeil et lui présentait son dos. Il ressentit l'impérieux besoin de déposer un chaste baiser sur sa nuque, mais la crainte de l'éveiller l'en empêcha. Attrapant la pendulette à quartz sur la table de nuit, il en consulta le cadran lumineux. Bien qu'il fût à peine trois heures vingt, il éprouva le besoin de se lever.

Après avoir pris une douche, il enfila une des robes de chambre pure soie de Howard ainsi qu'une paire de pantoufles. Lorsqu'il repassa dans la chambre à coucher,

Jo Anne, tout juste éveillée, s'étirait avec des petits grognements de satisfaction. Il lui annonça en souriant :

– Il est à peine trois heures et demie.

– Embrasse-moi.

Sitôt dit, sitôt fait.

– Je crois que j'ai abusé de toi, plaisanta-t-il.

– C'est bien mon avis.

– J'ai peut-être même pris beaucoup de libertés.

– Plus que cela.

– Alors, quelles sont tes intentions?

– En ce moment?

– Oui.

– Je crois que je ne vais pas bouger, juste rêvasser béatement pendant que tu seras dans la cuisine à me préparer plein de bonnes choses que tu me rapporteras au lit. Comme punition supplémentaire, je te condamne à partager mon festin.

– Tu n'es qu'une femelle sans foi ni loi!

Sur ces fortes paroles, il partit accomplir son châtiment. C'était la première fois qu'il mettait les pieds dans la cuisine de Howard, aussi eut-il quelques difficultés à trouver les couverts et la vaisselle. En revanche, le réfrigérateur offrait un assortiment de nourriture éblouissant; on ne pouvait rien reprocher à David de ce côté-là. Tout en furetant et goûtant de ci de là, Teddy crut entendre des bruits étranges dans la maison, puis il se dit que Jo Anne devait être à la salle de bains.

Ce fut seulement en revenant dans la chambre avec un énorme plateau qu'il aperçut la Volkswagen noire parquée dans l'allée du garage. Il réprima un mouvement d'humeur, le retour aussi malencontreux qu'inopiné de Stanner ne leur gâcherait pas la fin de la nuit. Après tout, il aurait dû lui interdire formellement de rentrer; or, il ne l'avait pas fait. Tu l'as cherché, mon vieux, se dit-il, et en même temps il ressentit une joie perverse à l'idée que ce petit salopard ait fait chou-blanc.

Il résolut de ne rien dire à Jo Anne.

Adossée aux oreillers, elle avait passé une chemise de nuit transparente et remis ses lunettes. Les lampes de chevet étaient allumées et le lit jonché des ouvrages et documents qu'elle était allée chercher dans le cabinet de travail. Le recueillement dans lequel elle était plongée fit place à la gourmandise dès qu'elle aperçut Teddy. A la hâte, elle débarrassa les papiers pour lui permettre de poser le plateau.

– Vichyssoise, poulet froid, marmelade de pommes et d'airelles, salade de pommes de terre, chou rouge, et enfin, pour le dessert, un somptueux Tartuffo en direct des *Tre Scalini* à Rome via Hollywood, annonça-t-il cérémonieusement.

– Merveilleux.

– Madame prendra du vin?

– Il vaudrait mieux pas, chéri.

Avec une grimace, Teddy commenta :

– Sobriété excessive détruit la santé.

Il s'assit à ses côtés. Après avoir protégé le lit sous un stock de serviettes en papier, ils se jetèrent avec voracité sur la nourriture, cherchant à éviter tout sujet de conversation susceptible de leur couper l'appétit.

Entre autres choses – c'était surtout Jo Anne qui parlait, Teddy se contentant d'écouter – ils évoquèrent la possibilité qu'un enquêteur tâtillon du bureau du Coroner fouine du côté des petites différences que pouvaient présenter une blessure résultant du choc d'une tête contre l'élément d'une voiture chutant d'une falaise, et la même blessure provoquée par un coup porté avec un instrument contondant, quand la dite tête reposait sur un oreiller.

Lorsqu'il fallut se rendre à l'évidence – conclusion à laquelle Jo Anne était arrivée bien avant que son amant n'ait accepté de l'envisager – qu'il y aurait autopsie du cadavre de Howard avant qu'on autorise la famille à l'incinérer, Teddy insista pour qu'ils finissent d'abord de manger sans préciser qu'il avait aussi l'intention de s'offrir un sérieux remontant pour être capable d'aborder le sujet. Sans rien dire, il fila au bar ingurgiter une bonne dose de Tequila, puis s'en retourna auprès de Jo Anne afin de partager avec elle les délices chocolatées du Tartuffo romain.

Le repas terminé, il rapporta le plateau à la cuisine, vida son fond de verre de Tequila et revint se mettre au travail. Il savait que sans l'alcool il aurait toutes les peines du monde à élaborer le scénario de l'accident qu'ils devaient mettre au point. Il s'arrangea pour que Jo Anne ne prononce jamais le nom de Howard. Pour cela, il fit comme si leur travail était axé sur une étude de cas théorique, ce qui ne trompa personne. Le suivant sur son terrain, la jeune femme s'efforça de s'exprimer de façon très neutre, transformant leur séance en une sorte de jeu, de répétition, de révision en vue d'un examen.

– On y va? commença-t-elle.

– On y va.

– Il faut d'abord dégeler le corps.

– Évidemment.

– Comment?

– En le chauffant.

– Mais encore.

– Un bain chaud.

– D'accord. Excuse-moi de te demander cela, mais qu'a-t-il sur le dos, pour le moment?

– Rien.

Cette simple question l'avait déprimé.

– Il faudra l'habiller.

– Il y a tout ce qu'il faut ici.

– Qui s'en occupera? demanda la jeune femme.

– Toi?

– Non.

– Nous deux?

– Tu en seras capable?

– Je n'en sais rien

– Bon, tous les deux. Ensuite, pour les bulles de gaz qu'est-ce qu'on fait?

– Quelles bulles de gaz?

– Eh bien, celles qui se forment dans les cellules lorsqu'on congèle un corps.

– Ah, bon Dieu, je n'en sais rien. Pourquoi veux-tu qu'un médecin légiste s'occupe d'un truc pareil?

– Il se peut qu'il n'ait rien de mieux à faire ce jour-là, ou encore que le Coroner le lui ait expressément demandé.

– Tu as raison, finit-il par reconnaître. Il faut donc qu'il ne reste presque rien du cadavre, un peu comme dans un accident d'avion. Pourquoi ne pas mettre le feu à la Bentley?

– Tu veux que cela ait l'air d'être la cause de la mort?

– Oui.

– Pas possible. Lorsque quelqu'un meurt carbonisé, on trouve toujours de l'oxyde de carbone dans son sang. Or dans le cas qui nous intéresse, la mort aura précédé l'incendie, ce qui fait qu'on ne trouvera rien de tel.

– Et en supposant qu'il ne reste plus une goutte de sang?

– Aujourd'hui, l'état de la technique permet de procéder à des analyses à partir d'une simple esquille d'os et cela se pratique lorsqu'il ne subsiste ni chair ni sang.

– Comment le sais-tu?

– Tu veux que je te lise le paragraphe?

– Non, non, je te crois sur parole.

– Il faudra donc qu'il soit mort sur le coup lorsque l'accident s'est produit. Le feu n'aura pris qu'après, ce qui expliquera l'absence de toute trace d'oxyde de carbone.

– C'est faisable, mais encore faut-il que le coup qu'il sera censé avoir reçu l'ait foudroyé, sinon l'autopsie du cerveau peut très bien démontrer le contraire.

– Pas si la chaleur est vraiment intense et que le feu brûle assez longtemps.

Elle hésita quelques instants avant de poursuivre.

– Je préfèrerais ne pas préciser.

– Si, si, il le faut.

– Il se pourrait qu'il soit pratiquement en cendres.

– Le cerveau, tu veux dire?

– Oui.

– Le réservoir de la Bentley contient près de cent litres. On peut également arroser l'intérieur de la voiture ainsi que le corps.

– Imagine que l'incendie ne se déclenche pas.

– Tu sais, le moteur sera chaud et le pot d'échappement encore plus.

– Supposons tout de même que la voiture ne prenne pas...

– Eh bien, je mettrai moi-même le feu aux poudres, d'accord?

– Imagine aussi que le corps soit éjecté.

– Avec le genre de ceintures dont sont équipées les Bentleys, impossible.

– Qui conduira la voiture et en sautera avant le précipice?

– Faut bien que je serve à quelque chose...

– Où est-ce que ça se passera?

– J'ai repéré un coin à Oxnard. Je te montrerai.

– Quand?

– Cet après-midi. Tu verras, c'est tout près de l'autoroute, mais assez en retrait pour que les voitures qui passent ne puissent pas nous voir.

– Qu'est-ce qui fait qu'un conducteur quitte la route?

– Mauvais éclairage, visibilité nulle.

– Ou pour éviter un animal.

– Ou parce qu'il s'est endormi.

– Ou encore à cause d'une autre voiture qui ne s'arrêterait pas, bien sûr. Délit de fuite, si tu veux.

– Oui. Il pourrait avoir été ébloui par quelqu'un qui roulait pleins phares.

– Et vers où elle ira, la Bentley?

– Vers le Sud.

– Venant d'où?

– De Santa Barbara, tard dans la nuit.

– Quelle nuit?

– Samedi.

– Samedi?

– Samedi, confirma-t-il.

– Et s'il avait trop bu, cette fameuse nuit où... Enfin, tu vois ce que je veux dire?

Il secoua la tête.

– Ça m'étonnerait.

– Il serait quand même possible qu'il ait un peu bu, insista-t-elle.
– Je n'en sais trop rien.
– Pourtant si c'était le cas, il serait imprudent de chercher à faire jouer la clause de mort accidentelle. A mon avis, au lieu de la double indemnité prévue, c'est une double enquête que tu récolterais.
– Il faut que je me débrouille pour en savoir plus.
– Et comment?
– Pas d'autre solution que d'avoir une conversation avec la seule personne qui puisse être au courant, si tant est qu'elle s'en souvienne encore... La fille avec qui il a couché cette nuit-là.
– Ah oui, bien sûr... Tu ne crois pas que c'est trop risqué?
– Suffit que j'aie des courses à faire chez *Holman-Meyer*, où elle travaille, et là, mine de rien, dans la conversation...
– Alors qu'est-ce qui te tracasse à ce point?
– Je pense à Marvin Gerber.
– Pour le moment, ça ne sert pas à grand chose. Lui, il ne bougera pas tant que personne ne lui demandera de payer. Et bien entendu, tu ne demanderas rien, tout au moins tant que le délai légal de contestabilité ne sera pas achevé. Dans le cas qui nous occupe, ce délai est d'un an, n'est-ce pas?
– D'accord. Oublions donc Gerber pour l'instant.
La jeune femme tourna brusquement la tête.
– Tu as entendu?
– Quoi?
– Le bruit, là.
– Quel bruit?
– Derrière la porte de la chambre. J'aurais juré qu'il y avait quelqu'un.
– Je n'ai rien entendu. Attends une seconde.
David peut-être? Il quitta vivement le lit et fonça à la porte qu'il ouvrit d'un coup, juste à temps pour apercevoir une silhouette imposante qui disparaissait dans l'obscurité du hall d'entrée.

Se précipitant à sa poursuite, Teddy appela à voix basse.

– David?

Mais il savait que ce ne pouvait être le domestique. Le type dont il avait entrevu la silhouette était bien plus grand.

Traversant rapidement la cuisine, il se dirigea vers la chambre de Stanner. Porte close. Discrètement il l'ouvrit. La pièce était plongée dans l'obscurité. Il en émanait un remugle de transpiration et de vapeurs d'alcool. Quelqu'un ronflait bruyamment, aussi alluma-t-il le plafonnier sans plus attendre. Étalé sur le lit, nu comme un ver, David, manifestement ivre-mort, dormait d'un profond sommeil.

Un bruit de porte aussi vite ouverte que fermée, là-bas, à l'autre bout de la maison, fit sursauter Teddy. Il courut à toutes jambes jusqu'au living-room qu'il inspecta, puis il s'approcha de la fenêtre, jeta un coup d'œil à l'extérieur. Une ombre galopait sur la pelouse qui bordait l'allée d'accès à la résidence. En un rien de temps, elle s'évanouit dans l'obscurité. Teddy resta figé de stupeur tandis que persistait sur sa rétine l'image fugitive d'un colosse aux longs cheveux blonds. Presque simultanément une bouffée de rage l'envahit, fureur dirigée contre lui-même cette fois, contre les fantasmes que la Tequila le poussait à imaginer. Quel qu'ait pu être ce type, quelles qu'aient pu être les raisons de sa fuite aussi discrète que précipitée, il n'y avait pas de quoi paniquer, enfin pas encore!

Mais il lui faudrait avoir à nouveau une désagréable conversation avec Stanner dans le courant de la matinée.

Il regagna la chambre à coucher, espérant que son visage ne le trahissait pas.

L'air inquiet, Jo Anne l'interrogea du regard.

– Qu'est-ce que c'était?

– Rien du tout. David Stanner de retour au bercail. Il a dû faire du bruit dans la cuisine ou ailleurs.

– C'est tout? Tu en es bien sûr?

– Oui.

Elle ne le quittait pas des yeux.

Reprenant sa place au lit, il se plongea dans l'étude des papiers. La jeune femme finit par l'imiter et, encore une fois, ils passèrent tout en revue. Toutefois, sans s'être consultés, c'est à voix basse qu'ils poursuivirent leurs débats.

Trop tard.

A plus d'un kilomètre de là, Bruce Gottesman, suant sang et eau, continuait sa course effrénée vers les stations de taxis de Sunset Boulevard, affolé à l'idée que son cerveau imbibé d'alcool n'oublie ce qu'il venait d'entendre.

Samedi soir... C'était samedi soir que Bluestern et sa nana allaient faire le coup.

Enfin, c'est ce qu'ils croyaient.

D'autre part, fallait pas qu'il oublie... Merde, il y avait un autre truc qu'il devait se rappeler... Ah oui, les dernières paroles qu'avait bafouillées David Stanner avant de plonger dans le sommeil... « Libère-toi, mon grand, qu'on puisse se revoir. Bluestern doit aller à New York mercredi et jeudi prochains. Toute la baraque sera à nous; formidable non? »

Encore mieux, mon gars, encore mieux que tu ne crois.

Bluestern là-bas, plus rien à craindre pour visiter la maison de Malibu. Il disposerait de tout le temps nécessaire, rien ne l'empêcherait de leur préparer l'émotion de leur vie, à lui et à sa jeune fille... Restait plus qu'à espérer que Diane dormirait lorsqu'il rentrerait. Ça lui éviterait des bavardages jusqu'à midi, heure à laquelle les livreurs arriveraient avec le congélateur... Il ne rêvait plus que de dormir, ce qu'il avait appris au cours de la soirée bien en sécurité dans sa mémoire. Par contre, il avait plutôt hâte d'oublier ce qu'il avait subi pour être aux premières loges côté renseignements confidentiels...

21.

Jo Anne s'éveilla quelques heures plus tard, heureuse mais assoiffée. Se glissant discrètement hors du lit pour ne pas éveiller Teddy, elle passa à la cuisine boire un jus d'orange. En regagnant la chambre, elle remarqua la Volkswagen noire, se souvint alors que David Stanner était rentré pendant la nuit et décida de s'habiller et de filer aussi vite que possible. La présence du domestique la mettait mal à l'aise; d'autre part, elle devait repasser chez elle se changer avant de gagner les studios et, plus tard, Oxnard pour la reconnaissance qu'ils avaient préparée cette nuit. D'un commun accord, ils avaient décidé de se mettre en route tout de suite après déjeuner.

Teddy ouvrit un œil, juste le temps de lui demander si elle pouvait rembarquer toute la paperasse au bureau. A peine était-elle sortie qu'il se rendormit jusqu'à neuf heures.

Il attendit la fin de son petit déjeuner pour attaquer Stanner sur son emploi du temps nocturne.

– J'ai bien peur d'avoir légèrement sombré dans la débauche, lui confia ce dernier en lui versant une autre tasse de café.

– Vous avez fait si peu de bruit que je ne m'étais même pas rendu compte de votre retour.

– J'ai essayé, monsieur.

– Vous étiez seul?

– Pardon, monsieur?

– Je vous demande si vous êtes rentré seul, articula distinctement Teddy.

– Bien entendu.

S'essuyant les lèvres, l'acteur enchaîna :

– Pourquoi mentez-vous, David?

Sans la moinde émotion, le domestique riposta :

– Parce que, avec le mal de tête que j'ai ce matin, je ne me sens pas en état d'affronter les foudres de votre réprobation, monsieur.

– Vous saviez pourtant que je passais la nuit à la maison...

– Oui.

– Vous saviez également que je n'étais pas seul...

– Oui.

– Alors pourquoi êtes-vous rentré?

– Je n'ai pas pu faire autrement, monsieur. C'était cela ou rien, avec mon partenaire d'hier soir.

– Quel partenaire? Don Juan? Casanova?

– Bruce.

– Bruce comment?

– Je n'ai pas la moindre idée de son nom de famille. Je sais seulement qu'il m'a en quelque sorte dragué à *L'Association des Plombiers*, l'une des boîtes les plus branchées d'Hollywood, soit dit en passant.

– Ah, parce que c'est lui qui vous a dragué?

– J'aurais mauvaise grâce à prétendre que je me suis débattu.

– Alors comme ça, c'est vous qu'il a repéré, personne d'autre?

Sans broncher, le domestique lui rendit son regard.

– Monsieur s'imagine sans doute que personne ne me trouve séduisant...

– De quoi avait-il l'air?

En posant cette question, Teddy aurait presque préféré ne pas recevoir de réponse.

– Grand, énorme, avec de longs cheveux blonds. Si monsieur le désire, je peux aussi lui fournir des détails plus intimes.

L'œil rivé à sa tasse vide, l'acteur s'efforça de ne pas élever le ton.

– Je veux que vous me disiez tout ce que vous savez de lui. Qui il est, ce qu'il est, d'où il vient, où il habite, s'il est possible qu'il s'agisse d'un détective privé. Absolument tout.

Déconcerté par la nervosité qu'il devinait sous le calme apparent de son patron, Stanner s'humecta les lèvres.

– Cette fois, je ne vous mens pas, monsieur. Je ne peux rien vous dire de plus à son sujet. C'est la première fois que je le voyais. Un coup de drague, rien d'autre. Mais franchement, j'ai eu l'impression qu'il n'était pas vraiment de mon bord, ou en d'autres termes, qu'il se forçait un peu.

– Il vous a posé des questions?

– De quel genre, monsieur?

– Eh bien, à mon sujet, à propos de mon frère?

– Ah non, ça jamais. Je vous en donne ma parole, qui vaut ce qu'elle vaut, je sais. Mais justement, cette fois, vous pouvez me croire.

– Et vous, vous ne lui avez pas confié certaines choses que vous auriez mieux fait de garder pour vous? Je vous demande de bien réfléchir avant de répondre.

Après quelques instants d'intense méditation, le domestique reprit :

– C'est fort possible, monsieur.

– Quoi?

– Par inadvertance, je lui ai laissé entendre que vous entreteniez des relations plus qu'amicales avec miss Kallen.

– C'est tout?

– C'est déjà beaucoup trop. J'aimerais pouvoir vous présenter mes excuses, monsieur, mais je sens bien que c'est sans espoir.

Les lèvres blanches, Teddy se leva.

– Vous pouvez le recontacter?

Stanner lui adressa un regard fébrile.

– Vous y tenez vraiment?

– C'est possible?

– Je le pense.

– Quand?

– Demain soir.
– Je serai déjà à New York.
– Je sais.
– Vous aviez l'intention de le ramener ici?
– Je dois repasser à *L'Association des Plombiers*. Il y a de fortes chances qu'on se revoie là-bas. Mais s'il ne vient pas, je n'y peux plus grand-chose.
– Ramenez-le ici. Débrouillez-vous pour savoir qui il est, ce qu'il fait, où il habite, où on peut le joindre, numéro de téléphone et tout. Mais allez-y doucement, hein?
– Vous pouvez me faire confiance, monsieur.
– Je vous appellerai de New York. Si ce n'est pas possible ma secrétaire s'en chargera.
– Miss Kallen?
– Oui.
– Bien, monsieur.
– Vous n'ignorez sans doute pas que je tire toutes les ficelles possibles pour vous trouver un travail plus intéressant aux studios...
– Ce n'est pas une obligation, monsieur. Je suis parfaitement...
– Je sais que ce n'est pas une obligation, mais je le fais quand même, et j'ai bon espoir. Je tenais à ce que vous le sachiez.
– C'est très aimable à vous, monsieur.
Teddy prit la route des studios, furieux d'avoir dû passer la main dans le dos de cette fripouille. Il faudrait qu'il raconte tout à Jo Anne.

En attendant, il n'avait pas la moindre idée de ce que le dénommé Bruce avait entendu de leur conversation derrière la porte fermée. Avec un peu de chance, rien, mais il était plus probable qu'il n'en ait pas raté un mot. Quoi qu'il en soit, plus question de rien cacher à Jo Anne. Il aurait d'ailleurs dû le comprendre tout de suite.

Assise sur l'un des bancs de l'église, Diane se laissait bercer par le murmure du prêtre à cheveux blancs agenouillé devant l'autel. De sa place, elle n'y comprenait rien, mais quelle différence? Que savait-il de la vie, ce curé? A part Dieu et la mort, il devait être hors du coup.

Du coin de l'œil, elle aperçut un vieillard qui sortait du confessionnal. Il semblait bouleversé, il était livide. Sans doute se sentait-il encore plus mal que quand il était entré là-dedans. Parce que c'est comme ça qu'ils vous traitent, eux. Des promesses pour vous attirer et, une fois qu'ils vous ont coincé, ils s'arrangent pour vous échanger vos petites misères contre des trucs encore plus horribles. D'ailleurs le péché, qu'est-ce que ça avait de si épouvantable? Pourquoi prétendaient-ils qu'il fallait absolument s'étendre là-dessus? Superstition débile et rituel de simagrées, oui. Question péché, elle en savait un peu plus que les curés, elle. Alors pourquoi en discuter avec eux? Au contraire, c'est eux qui auraient dû venir la trouver. Elle était experte en la matière. Cela faisait des années qu'elle vivait comme une pècheresse.

Elle aurait dû rester à la maison à attendre le réveil de Bruce. Ses ronflements et les relents d'alcool qu'il exhalait, ce n'était pas pire que d'être ici à regarder tous ces gens morts de trouille qui s'agenouillaient et allumaient des cierges en écoutant ce prêchi-prêcha en latin. Fréquenter l'église, cela ne lui avait jamais rien apporté. Normalement, elle y faisait un petit saut une fois l'an, histoire de ne pas perdre la main, garder le contact, pour le cas improbable où ils mettraient au point un truc magique lui permettant de passer, disons, une journée entière sans s'angoisser, ou peut-être deux jours d'affilée sans se coller dans un quelconque guêpier.

En rentrant de l'aéroport la nuit dernière, elle avait trouvé Bruce endormi, nauséabond à souhait. Du coup, impossible de lui parler, si tant est qu'elle ait eu quelque chose à en attendre. Lorsqu'elle s'était éveillée de bonne heure, ce matin, il ronflait encore, aussi avait-elle pris le parti de sortir. C'était ainsi qu'elle avait atterri dans cette église de Westwood, ce qui était une idée imbécile! Quand on est prise dans la tempête, tous les ports se valent, Diane. De même, une oreille en vaut bien une autre, ou alors c'est parler qui ne sert à rien.

Une fois de plus elle risqua un œil sur sa droite. Personne. Le confessionnal était donc disponible. Pile ou face? De toute façon, toute sa vie elle avait perdu, alors? Elle se leva, se dirigea vers la petite cabine, y pénétra et s'assit, attendant qu'une présence se manifeste derrière la sainte grille.

– Bonjour, mon père.

– Bonjour, mon enfant.

Il avait la voix la plus lugubre qu'elle ait jamais entendue. Elle avait bien besoin de cela! Un instant, elle fut tentée de chercher à le réconforter, de sorte que lui ne la déprime pas trop. Et si elle partait tout de suite, en serait-il scandalisé? De toute façon, on n'y voyait rien, là-dedans. Un peu d'éclairage et quelques efforts de décoration n'auraient pas fait de mal.

– Que puis-je pour vous, mon enfant?

– J'ai péché.

– Je vous écoute.

– J'ai mortellement humilié ma mère, hier soir...

– De quelle manière?

– En lui déclarant que je la considérais comme une putain... qu'elle avait trompé mon père de son vivant, Dieu ait son âme... que tout ce qui lui restait, c'était l'illusion que j'ignorais toujours quelle sorte de femme elle était. A présent c'est fini. Je l'ai achevée...

– De quel péché vous accusez-vous, mon enfant?

– J'ai pris plaisir à le faire.

Le silence s'établit derrière la grille.

– Vous avez entendu ce que je viens de dire?

– J'ai entendu.

– Et alors?

– Votre confession est terminée?

– Eh bien, je suis hypocrite. C'est un péché, ça?

– Qu'en pensez-vous?

– Je crois bien que oui.

Encore le silence. Pour cela, il était très fort, le curé. Si on élisait le pape sur ses facultés de la boucler, il aurait dû être au Vatican, celui-là!

– En définitive, je ne suis pas mieux qu'elle, reprit

Diane. Peut-être pire, à la limite. Après tout, elle n'est pas alcoolique, elle, et puis elle n'a jamais assassiné un homme pendant son sommeil. Voilà pourquoi je pense que je me suis conduite comme une sale hypocrite à son égard et c'est là qu'est le péché, mon père.

– Vous n'avez rien de plus à me dire, mon enfant?

– Parce que vous trouvez que ça ne suffit pas?

– Je ne pense pas que vous soyez prête à la confession.

– Comment cela, pas prête? Jamais je ne le serai plus. Je déborde d'hypocrisie, je vous demande de m'aider, et tout ce que vous trouvez à me répondre, c'est que je ne suis pas prête. Vraiment, je ne vous comprends pas. Pas étonnant que je ne vienne pas plus souvent.

– Revenez me voir lorsque vous serez prête, mon enfant.

– Mais je viens de vous confesser mes péchés, mon père. Tout ce que je vous demande, c'est l'absolution.

– Revenez lorsque vous serez prête.

– Si je comprends bien, vous me fichez dehors.

– Je vous attendrai.

– N'y comptez pas trop, répliqua Diane en quittant les lieux.

Sur le chemin du retour, elle fit une halte au *Club Soixante-Dix-Sept* histoire de s'en jeter un ou deux. De toute façon, il y avait peu de chances pour que Bruce soit déjà levé.

Heureusement pour lui, Jo Anne ne pouvait le voir ni l'entendre du secrétariat. Pour rien au monde il n'aurait osé la regarder dans les yeux. A force d'être dans la peau de Howard, Teddy Stern y perdait son identité. Il finissait par mieux incarner Howard que son frère ne l'avait fait lui-même. Quant à Teddy, qui donc avait le temps de s'occuper de lui, à présent? Priorité aux studios et, partant de là, priorité à ces deux jeunes crétins qui refusaient de se laisser rembarrer...

– N'en parlons plus, tonna-t-il.

– Écoutez, Howard, on est tous dans la même galère. On est de votre côté, nous.

Larry Hough s'obstinait.

– Alors ne cherchez pas à me faire avaler des couleuvres.

– Personne n'y songe!

– Si on est d'accord, ça suffit. Quand je dis non, c'est non, comme lorsque je dis oui, ce qui est quand même le cas pour cinq des projets. Je vous le répète, les gars, vous avez accompli des miracles et je vous en serai éternellement reconnaissant. Mais ne me fabriquez pas une montagne parce que vous avez l'impression d'avoir raté la combinaison gagnante.

– Enfin, Howard...

– J'ai dit non!

Coincé entre l'obstination bornée de Larry Hough et le silence offensé de Jeff Barnett, Teddy se sentait devenir fou. Peu à peu la frontière entre la futilité et les choses importantes s'estompait. Après tout, pourquoi s'accrocher ainsi à ce projet raté? Un sur six! Fallait-il à tout prix que Howard n'ait aucun droit à l'erreur lorsqu'il serait devant le conseil d'administration à New York? C'était débile de consacrer une telle énergie et de perdre un temps pareil à se bagarrer avec ses deux assistants alors qu'il devait s'occuper de la disparition officielle de son frère avec, en arrière-plan, un mystérieux individu qui paraissait en savoir un peu trop.

– Trouvez-m'en un autre, reprit-il posément. Allez-y et ne m'obligez pas à vous supplier.

– En d'autres termes, il ne faut plus espérer que ces studios s'intéresseront un jour à un cinéma de qualité?

– Sûrement pas dans le cas où le désastre commercial et financier est garanti sur facture.

– Avec une distribution comme celle-là? s'exclama Hough.

– Même avec cette distribution, confirma Teddy.

– Et la réputation du réalisateur, qu'en faites-vous?

– Même s'il est couvert d'Oscars, je m'en fous.

Hough se tourna vers son complice, toujours installé sur le canapé à l'abri de ses verres teintés.

– Dis quelque chose, Jeff!

– Ne vous donnez pas cette peine, coupa Teddy. Il est hors de question que je me fasse, devant un conseil prêt à me descendre en flammes, l'avocat d'un projet defilm d'un montant de douze millions de dollars dont l'action se déroule dans un asile de vieillards.

– C'est vous le patron, murmura Barnett. Cela vous donne probablement le droit de vous tromper.

– Si j'en avais le temps, je vous dirais ce que je pense de cette remarque. Pour le moment, est-ce que oui ou non vous vous décidez à me trouver autre chose?

Larry Hough tourna carrément les talons.

Teddy s'adressa à son alter ego.

– Jeff?

Tripotant ses lunettes, ce dernier répliqua :

– Je peux poser une question?

– Allez-y.

– A quelle heure prenez-vous l'avion demain?

L'acteur brancha l'interphone.

– Jo Anne, à quelle heure décolle mon avion?

– Midi pile, répondit-elle.

Avec une sorte de lassitude, Barnett secoua la tête.

– Pas possible.

– Cela vous laisse presque toute la journée.

– Vraiment pas possible.

Fronçant les sourcils, Teddy poursuivit :

– Voilà ce que je vous propose. Vous arrêtez la grève, et moi, je me prends une place sur le vol de nuit, disons vers les vingt heures. Comme ça, vous disposez également de toute la journée de demain.

Se frottant le menton d'un air sceptique, Barnett se leva.

– Ce n'est pas à nous de chercher le pourquoi des choses, commenta-t-il. Notre lot, c'est plutôt « cent fois sur le métier, remettez votre ouvrage ».

S'adressant alors à Hough qui leur tournait le dos, il appela :

– Larry?

Ce dernier refit face à Teddy.

– On avait passé un contrat, Howard. Moi je me suis

conformé à vos instructions. Comment faire maintenant, avec toute l'équipe du film? Je vais retourner les voir et leur dire : « Bon, les gars, laissez tomber, c'est foutu! » Si au moins vous présentiez le projet et que le conseil vous le refuse, là j'aurais des arguments.

– Vous avez parfaitement raison, Larry, répliqua Teddy. Je suis désolé de vous mettre dans une situation pareille. Seulement voilà, si je peux éviter d'être contré par le conseil, j'aime autant.

D'une voix peu assurée, Hough répliqua.

– Eh bien moi, je n'admets pas d'être doublé et d'y laisser ma réputation. Vous avez ma démission.

Lui passant le bras autour des épaules, Teddy poursuivit.

– Je ne l'accepte pas, Larry. Vous êtes une trop bonne recrue. Je ne peux pas me passer de vous.

Cherchant à réprimer ses larmes, son interlocuteur tourna la tête.

– Alors qu'est-ce que je dois leur dire, à ces gens-là?

– Dites-leur que Howard Bluestern est l'exemple même de ces nouveaux patrons de l'industrie cinématographique. Un type sans foi ni loi, sans scrupules, sans honneur. Ou encore, un menteur, un escroc, le genre d'individu à qui il ne faut jamais faire confiance.

– Merci, répondit doucement Hough, hochant la tête avant de quitter le bureau derrière Jeff Barnett.

Dites-leur aussi, songea Teddy, que Howard Bluestern s'apprête à jouer son dernier numéro à New York, à quitter la scène sur un super-triomphe que Hollywood n'oubliera jamais. On parie?

Bruce était levé. En mettant la clef dans la serrure, elle distingua sa voix. Par contre, il n'était manifestement pas seul. Il y avait d'autres personnes dans l'appartement, mais qui? Elle entra et se figea, abasourdie. L'alcool aidant, il lui fallut un petit moment pour comprendre ce qui se passait sous ses yeux.

Suant sang et eau, son complice aidait deux costauds en T-shirt à remettre sur pattes un énorme engin blanc émaillé qu'ils semblaient vouloir trimballer jusqu'à l'autre bout de la pièce. Elle pensa d'abord qu'il s'agissait d'une sorte de meuble moderne, mais l'engin brillait d'un tel éclat qu'une autre pensée lui traversa l'esprit; c'était tellement invraisemblable, tellement insensé qu'elle dut la laisser mûrir un peu avant d'avancer de quelques pas. Elle savait qu'elle ne tarderait pas à se laisser emporter par une gigantesque vague de fureur.

– Qu'est-ce que c'est, ce truc?

Elle avait adopté un ton impérieux.

Sans même lever les yeux, Bruce répliqua.

– A ton avis?

– Nom de Dieu, tu vas me répondre?

L'un des costauds, mal rasé comme pas possible, prit la parole.

– C'est un congélateur, Miss.

Dieu tout puissant, elle ne s'était donc pas trompée!

– Dans mon living? Sur mon tapis?

Elle écumait de rage. C'était presque du viol.

– Sortez-moi ça d'ici immédiatement!

Elle s'était exprimée d'un ton cassant.

– Écoutez, c'est là qu'il nous a dit de le mettre, rétorqua le deuxième costaud en désignant Bruce.

– Foutez-moi ce bon dieu de machin dehors, tout de suite!

– Du calme, Diane!

– Comment du calme...?

– Il n'y a pas d'autre pièce où on puisse le poser.

– Hors de cet appartement! Et tout de suite, encore. Je suis quand même chez moi, non?...

Elle se tourna vers les deux costauds qui s'étaient interrompus, sidérés.

– D'où vous sortez, vous deux?

– On est les déménageurs, répondit le plus vieux. Tout ce qu'on fait, c'est de livrer.

– Vous allez me rembarquer ce truc là où vous l'avez pris.

– On n'a pas d'instructions pour ça.

– Que voulez-vous que ça me fasse!

– Vous occupez pas d'elle, intervint Bruce.
– Quoi... Comment oses-tu...?
A la volée, elle lui enfonça le poing dans le gras de la bedaine.
Avec un grognement de douleur, il la saisit par le poignet, puis fit de même avec son autre bras pour l'empêcher de lui balancer son sac à main à travers la figure.
– Tu as encore bu. Ah là là, tu empestes, c'est pas vrai...
– Espèce d'ordure...
Il lui broya les poignets pour la dissuader de lui expédier des coups de pied dans les tibias.
– Non... Arrête...
– Alors arrête aussi, répliqua-t-il d'une voix rauque.
Discrètement les deux costauds se mirent en devoir de décamper.
– Faut qu'on y aille. De toute façon, vous avez le mode d'emploi.
– OK, les gars, OK.
Il en haletait, le Bruce, dans ses efforts pour amener Diane à composition. La traînant jusqu'au canapé, il l'y balança sans ménagement.
– Ça va comme ça, ou t'en veux encore?
– Tu es un faux cul. Pourquoi ne m'as-tu rien dit?
– Mais je te l'ai dit que j'étais allé faire des courses, hier.
– Ah, parce que c'est ça, tes courses? Et avec mon fric, en plus?
– C'est un investissement. Ça nous rapportera gros, tu sais.
– Je ne veux pas en entendre parler.
Elle avait l'air mauvaise comme une teigne.
Pas besoin de lui demander d'explication. Ce qu'il voulait, ça crevait les yeux. Il allait enlever le cadavre et faire chanter Howard. La pauvre dépouille de Teddy, il la ramènerait chez elle, dans son propre living-room...
Ça, pas question! D'un bond, elle fut sur pieds.
– Bon, écoute maintenant. Tu vas foutre le camp...!

Bruce écarquilla les yeux.
– Qu'est-ce que c'est, cette histoire?
– Je ne veux plus te voir, je ne veux plus entendre parler de toi, alors tire-toi. Je ne plaisante pas. J'en ai assez.
Sans se démonter, le colosse répondit :
– Allez, mon petit, tu dis ça parce que t'es en colère...
– C'est la meilleure!
– Mais tu ne m'as même pas laissé le temps de te raconter ce que j'ai appris hier soir, sinon tu comprendrais...
– Pas besoin de tes explications, je sais déjà ce que tu vas faire...
– Assieds-toi, petit. Allez, assieds-toi. Je vais te raconter.
Il parlait sur un ton apaisant tout en la poussant vers le canapé.
– Écoute-moi d'abord, et puis si tu veux toujours que je disparaisse, je m'en irai. C'est promis. D'accord? Tu m'écoutes?
Elle regardait sans mot dire, épuisée par sa simple présence. N'importe quoi pourvu qu'il fiche le camp.
– Je t'écoute...
Elle s'était exprimée d'une voix lasse, écœurée par sa propre lâcheté.
– Allez, vas-y.
Tournant comme un ours en cage, il entreprit de lui conter par le menu ce qui s'était passé lorsqu'il avait accompagné David chez Howard. Il lui parla des histoires de police d'assurances, d'un voyage que Bluestern devait effectuer à New York, de ses combines pour chercher à escroquer la compagnie d'assurances de dix millions de dollars en utilisant le corps de Teddy, et de la façon dont ils allaient *eux* le coincer sans risque, dès qu'ils se seraient emparés du cadavre... A sa façon de raconter les choses, elle acquit la certitude qu'il passait sous silence certains détails de son aventure avec David. Visiblement, il se moquait qu'elle ait forcément compris qu'une partie de ses informations étaient antérieures à

cette nuit-là, sinon il n'aurait pas acheté le congélateur la veille.

Comme menteur il n'était pas fort. Peut-être la croyait-il ivre mort? Dans ces conditions, inutile de faire des efforts. En vérité, mensonge ou non, elle n'en avait rien à faire. La seule chose qui l'intéressait, c'est qu'il avait l'intention de restituer le corps de Teddy dès qu'il aurait obtenu l'argent.

Avec quelqu'un d'autre, elle aurait peut-être avoué que c'était elle la meurtrière et que ce qu'il envisageait la mettrait dans une situation encore plus dangereuse. Mais se confier à un monstre comme Bruce Gottesman aurait été de la folie. Rien ne l'intéressait, que le fric... Alors inutile de lui expliquer que Howard laisserait tomber ses projets et foncerait trouver les flics dès qu'il aurait vent du chantage. De toute façon, cet argent, il ne fallait pas compter dessus.

Mais, elle, c'était sa propre survie qui était dans la balance.

Réfléchir à la façon de s'en sortir, elle, voilà la première urgence. Tandis que Bruce s'évertuait à lui raconter toutes les salades possibles, elle ne pensait à rien d'autre. Peu à peu elle aboutit à la conclusion que la seule menace qui pesait sur elle, la seule vraie menace, c'était la preuve même du meurtre. Si cette preuve venait à disparaître, on ne pourrait plus la poursuivre que sur de misérables ragots. Et de ce côté-là, la parole de menteurs et de combinards dans le genre Howard Bluestern et Bruce Gottesman...

En vérité, le seul gros danger pour Diane MacVorter n'était autre que le cadavre même de Teddy Stern.

Bien avant que son complice ait fini ses histoires tortueuses, elle avait déjà son plan.

Avec impatience, elle se leva.

– Ça suffit! aboya-t-elle.

Il la dévisagea, tendu.

– C'est-à-dire? Tu es d'accord avec moi?

– Finissons-en, dit-elle sèchement.

Un instant soulagé, Bruce fronça à nouveau les sourcils.

– On ne bouge pas jusqu'au départ de Bluestern, demain.

– A quelle heure?

– Midi. J'ai téléphoné à l'aéroport. Mais on attendra qu'il fasse nuit, même s'il est à cinq mille kilomètres de là. Je ne prends plus de risques.

C'est ce que tu crois, mon petit Bruce...

Sur cette mauvaise pensée, elle jeta un coup d'œil au congélateur abandonné au milieu du living-room. On ne l'avait pas branché, il ne ronronnait pas encore.

Diane le trouva silencieux comme une tombe.

22.

Pas un nuage dans le bleu du ciel en ce début d'après-midi. De part et d'autre de la voie rapide de Ventura, de chaudes couleurs dorées se mêlaient au vert tendre des collines de Calabasas. Pourtant, dans la grosse voiture, Teddy se sentait glacé jusqu'à la moelle. Tendu comme une corde de violon, les mains soudées au volant, il ne détachait pas son regard de la route qui défilait sous la Bentley. Le silence commençait à lui taper sur les nerfs. Non seulement le mutisme de Jo Anne, mais le sien aussi. Il y avait assez peu de circulation vers le Nord en direction de Oxnard. Aucun danger de collision, ni même de queue de poisson, rien pour le distraire du malaise qui régnait dans le véhicule.

Il aurait mieux fait de ne pas parler à la jeune femme du dénommé Bruce. Hormis lui faire partager son angoisse, ce genre de révélation n'apportait rien. Qu'aurait-elle fait de plus que lui contre cette insaisissable menace? Il aurait dû y réfléchir à deux fois avant de lui avouer qu'il lui avait partiellement dissimulé la vérité, la nuit dernière, chez Howard. Il n'y avait rien gagné sinon que les doutes que sa bien-aimée cherchait à oublier depuis ses mensonges des tous premiers jours de leur liaison avaient resurgi. Elle avait pris la chose avec un incroyable sang-froid, sans la moindre réaction apparente. Et depuis leur départ, plus un mot; il y avait de quoi se ronger les sangs, non? Prêt à craquer, il se lança dans la mêlée.

– Tu m'en veux à mort, hein?
– Absolument pas.
Elle n'avait même pas tourné la tête.
– Ah bon?
– Je suis déçue.
– Tu ne me croiras sans doute pas. En fait, je voulais surtout que tu ne t'inquiètes pas trop.
Cette fois elle le dévisagea et, dans son regard, il lut la colère qui, consciemment ou non, bouillonnait en elle.
– Que je ne m'inquiète pas! Mais il faut que je m'inquiète. Quel que soit le danger qui nous menace, aujourd'hui ou n'importe quand, il faut que moi aussi, je sois au courant. C'est du plein temps pour moi, pas un interim.
– Que sous-entends-tu par là?
– Réfléchis.
– Tu veux dire que, moi, je joue les dilettantes dans cette affaire, que je n'y suis en quelque sorte qu'à mi-temps?
– Tu brûles.
Il secoua la tête, accablé.
– Franchement, je suis terrifiée, reprit-elle. Et je souhaiterais que tu le sois aussi. Seulement voilà, les deux personnages que tu incarnes ont tant de problèmes à résoudre que tu es trop absorbé pour penser à avoir peur.
– Une seconde! Je suis Teddy, c'est tout.
– Tu es si sûr de savoir qui tu es, par moment? Pas seulement quand on est ensemble...
– Quand c'est important, oui.
– Et ce matin, par exemple?
– J'étais Howard, c'est vrai, avec Larry et Jeff...
– Tu l'es toujours en ce moment. Tu es Howard.
– Oh, écoute, on n'aura jamais assez de la journée pour régler notre affaire.
– C'est Oxnard dont tu parles?
– Bien sûr que non... Je veux dire... Je t'aime, ma chérie, mais tu m'agaces.
Elle ne put s'empêcher de sourire.

– D'accord, monsieur Bluestern. Si nous ne rentrons pas assez tôt, je vous promets de vous rappeler que vous devez contacter vos deux boy-scouts à six heures. Ça va comme ça?

– Je vous serai reconnaissant de ne pas l'oublier, Miss Kallen.

– En attendant, étant donné que tu ne peux rien faire de plus, sois gentil, change de frère.

Passant son bras autour des épaules de la jeune femme, il l'attira près de lui.

– C'est mieux?

– Nettement.

A quelque distance de là venait d'apparaître le panneau indicateur pour Malibu Canyon Road. Il suffisait de tourner et, quelques kilomètres plus tard, ils se retrouveraient à la maison de la plage. Seulement voilà, pour le moment, leur direction c'était plein Nord.

Teddy s'adressa à la jeune femme.

– Tu sais, on est bien dans les temps. Si ça ne t'ennuie pas, je voudrais passer à Malibu, histoire de jeter un coup d'œil sur la baraque. Puis on rejoindra Oxnard par l'autoroute littorale.

– Tu peux me dire pourquoi?

– Je veux juste me rassurer. Contrairement à ce que prétend l'opinion publique, je me méfie comme un fou d'un individu qui, à ce qu'on dit, se serait trouvé chez moi ce matin, puis chez Howard le soir-même, et tout ça, sans que personne ne sache ni qui il est, ni d'où il vient. En tout cas, vivement samedi que tout soit fini!

A la façon dont Jo Anne le regardait, il comprit qu'elle acceptait de passer par Malibu. Il prit donc la bifurcation et la jeune femme alluma la radio; le jazz éthéré de George Shearing vint à point relayer leur conversation. A cette heure de la journée, il n'y avait presque pas de circulation sur la route étroite et sinueuse qu'ils empruntaient. A mi-chemin, la configuration du terrain changea. Les longs virages qui serpentaient autour des collines aux pentes douces se muèrent en épingles à cheveux se ruant à l'assaut des montagnes d'argile rougeâtre bordées de précipices mal protégés. Le fond du canyon, quelques centaines de mètres plus bas, apparaissait au gré des méandres de la route. A intervalles réguliers, on avait aménagé des aires de stationnement, afin que les véhicules lents cèdent la place aux conducteurs trop impatients.

Mais la mort n'avertit pas toujours. Il arrive aussi que ses victimes potentielles ne soient pas sur la même longueur d'onde. Teddy se demandait comment réagirait Jo Anne s'il lui demandait d'acheter quelques bidons d'essence pendant qu'il serait à New York. De son côté la jeune femme songeait à ce que diraient ses parents si elle leur racontait la vérité sur sa vie sentimentale; elle en avait presque le sourire aux lèvres.

La Bentley négociait les virages avec une facilité rassurante tandis que la route tournait et tournait encore. Plongé dans ses pensées, bercé par la radio, Teddy fut ramené sur terre par un hurlement strident. Il dut se débattre contre Jo Anne qui venait d'empoigner le volant. D'un coup d'œil, il enregistra l'énorme rocher qui obstruait la chaussée et braqua instinctivement sur la gauche pour tenter d'éviter la collision tout en freinant comme un fou. La grosse Bentley dérapa vers le bas-côté gauche de la chaussée, bolide lancé vers la mort qui leur tendait les bras au fond du gouffre, sans la moindre barrière, à cet endroit. Il l'entendit hurler son nom, beugla lui-même à pleins poumons, contrebraquant furieusement vers la droite. Dans un crissement de pneus, une odeur de caoutchouc brûlé, la voiture flotta et tangua jusqu'à ce que son arrière vienne heurter les rocs qui bordaient le précipice. D'un coup, la camarde reprit son vol, laissant le champ libre à la vie, tandis que, dans un nuage de poussière, le lourd véhicule s'immobilisait. Incapable de prononcer un mot, Teddy s'affala sur le volant. A ses côtés, Jo Anne laissa échapper un faible « mon Dieu » à travers les mains dont elle s'était protégée le visage.

– Ça va? articula-t-il, reprenant son souffle.

– Non, répondit-elle d'une voix assourdie. Si...

– Je... Je suis navré... Je...

D'un signe de tête, elle le fit taire.

Ils restèrent pétrifiés de longs instants, cherchant à retrouver le calme, à oublier la terreur. Puis Teddy remit le contact, fit demi-tour avec précaution et alla se ranger sur l'aire de stationnement la plus proche.

– Allons, mon petit.

Elle laissa retomber ses bras. Des larmes perlaient à ses paupières. Il l'embrassa tendrement.

– Viens, sortons.

Ils ouvrirent leurs portières. Main dans la main, ils se tinrent sur le bord de la route, contemplant le canyon à quelque trois cents mètres en contrebas. Comme dans un cauchemar, la vision de leurs deux corps calcinés les hantait. Chassant cet infernal fantasme, Teddy prit la parole d'une voix posée.

– Plus la peine d'aller à Oxnard. C'est ici que ça aura lieu...

Frappée de stupeur, Jo Anne le regardait.

– Ici même, poursuivit-il. Alors qu'il était en route pour venir chez moi.

Sans répondre, elle se pelotonna contre lui.

Au bout d'un long moment, ils reprirent la voiture et continuèrent leur chemin. Ni l'un ni l'autre n'avait envie de parler.

Ce fut seulement en garant la Bentley devant la maison que Teddy pensa à Mme Mahoney; c'était un jour où elle venait.

– Et si par hasard elle arrivait de bonne heure, qu'est-ce que Howard est censé fabriquer dans le coin?

– Très simple, répondit Jo Anne en descendant de voiture. Il est venu récupérer quelque chose qu'il a oublié le week-end dernier.

– Bravo, astucieuse jeune personne!

Il s'efforçait de prendre un ton léger.

Ils entrèrent. Avant toute chose, Teddy s'assura que la maison était déserte. Sur la petite véranda, la jeune femme l'observa, s'attendant à le voir déboucler le cadenas, mais il se contenta de vérifier qu'il était bien fermé puis, sans un mot, la précéda à l'intérieur. Tout compte fait, elle n'en fut pas surprise.

Elle le rattrapa à la cuisine. Il ajoutait un post-scriptum au message qu'il avait laissé à l'intention de la femme de ménage : « Je vous demande de laisser toutes les lumières allumées ainsi que la radio, sans toucher au poste sur lequel je l'ai branchée ».

Après avoir lu par-dessus son épaule, Jo Anne commenta :

– Astucieux aussi, hein?

– Si ça effraie les mouches, ce sera déja bien.

– Il ne faut rien négliger.

Elle pensait lui suggérer de passer carrément la nuit sur place. Mais après la petite scène du congélateur, elle préféra s'abstenir. De toute façon, une seule nuit alors que l'endroit serait sans surveillance pendant plusieurs jours, à quoi bon?

De retour dans le living, il brancha la radio sur un programme Modulation de Fréquence « musique ininterrompue », réglant l'engin à mi-volume. Puis ils illuminèrent les lieux. Au moment de partir, elle se retrouva soudain entre ses bras.

– Salut, toi, dit-il en l'embrassant tendrement.

– Salut, murmura-t-elle en lui rendant son baiser.

Ils ne mirent pas longtemps à s'apercevoir qu'ils se sentaient beaucoup mieux lorsqu'ils étaient dans les bras l'un de l'autre.

Tandis qu'ils regagnaient la Bentley, Teddy vit une voiture approcher. Son cœur s'affola puis il se rendit compte qu'il ne s'agissait pas de la vieille Chevrolet de Mme Mahoney.

Il démarra le plus vite possible. Le regard insistant de la jeune femme lui fit tout de même tourner la tête.

– On rentre aux studios?

– C'est nécessaire? demanda-t-elle doucement.

Il la dévisagea et trouva dans son regard la confirmation de ce qu'il avait cru déceler.

– On a le temps.

Elle vint se coller à lui, aussi près que possible.

– J'ai envie de faire l'amour, tout de suite, très fort, jusqu'à en mourir.

– Moi aussi, murmura-t-il.

Il posa la main sur la sienne, l'étreignit follement et ne la lâcha plus jusqu'à ce qu'ils arrêtent la voiture dans le parc de stationnement de *Highcliff Manor*, en surplomb de la mer, à une quinzaine de kilomètres de Malibu. Toujours main dans la main, ils entrèrent à la réception du motel et, étroitement enlacés, gagnèrent leur chambre, une pièce dont la terrasse dominait l'océan.

Du grand lit où, nus tous les deux, ils s'étaient allongés pour s'aimer, la brume légère qui s'élevait le long de la lointaine bande côtière leur apparut comme une sorte de témoin vaporeux et complice.

Lorsque, une délicieuse éternité plus tard, Jo Anne, vêtue du drap qui recouvrait le lit, regarda par la fenêtre, elle s'aperçut que leur amie la brume avait gagné la terrasse. Il lui vint à l'esprit qu'elle n'avait jamais rien entendu d'aussi merveilleux qu'un homme en train de siffler sous la douche après une excursion au septième ciel. D'une main languide, elle attira le téléphone, composa le numéro des studios et demanda à Grace Fahnsworth, son alter-ego là-bas, si M. Bluestern était arrivé. Ayant appris que non, elle la questionna sur d'éventuels appels, visites ou messages en provenance de M. Hough ou de M. Barnett.

Calme plat sur toute la ligne.

S'étant fait préciser les numéros des deux assistants de direction, elle informa sa collègue qu'elle arriverait dès que le dentiste la libèrerait et lui demanda de le communiquer à M. Bluestern si d'aventure il la précédait.

Sur ce, elle appela Larry Hough. On lui répondit qu'il était en conférence dans le bureau de Jeff Barnett. Elle téléphona donc à ce dernier et s'entendit dire qu'on ne pouvait pas le déranger pour cause de réunion. Amusée par le caractère solennel du barrage qui lui était opposé, elle pria la jeune secrétaire de transmettre à MM. Hough et Barnett le simple énoncé d'une question qu'elle désirait leur poser de la part de M. Bluestern. En l'occurrence : « Dois-je retarder mon départ à demain soir? »

La réponse lui parvint dans les plus brefs délais.

C'était hélas oui.

Elle composa alors le numéro de Robin Jacoby au service des transports pour lui dire d'annuler le vol de M. Bluestern sur T.W.A. à midi et de le remplacer par une réservation sur le huit heures des *Eastern Airways*, tâche dont celui-ci s'acquitta sans qu'elle ait à raccrocher.

Elle venait à peine d'en finir lorsqu'un homme d'assez belle allure, sentant légèrement le savon et vêtu pour le moins sommairement, émergea de la salle de bains. Sa secrétaire lui annonça que le patron n'était pas encore passé au bureau, que ses assistants de direction étaient en plein boulot, et que, grâce à eux, il pouvait s'attendre à prendre l'avion avec huit heures de retard sur ce qui avait été initialement prévu.

Le beau jeune homme écouta tout cela avec une sérénité peu coutumière de sa part et en conclut que sa dernière volonté était d'aller avaler un bon bol de soupe aux praires, comme on ne savait les pêcher qu'en Nouvelle Angleterre.

Ravie, Jo Anne s'enquit de savoir si elle pouvait y aller dans sa tenue du moment, ce à quoi son employeur lui demanda de préciser, exigence à laquelle elle se plia en s'exécutant sur-le-champ, ce qui eut pour effet de provoquer encore une multitude de retards. Enfin, chose promise chose due, ils finirent par se retrouver devant la soupe annoncée, dans une taverne au bord de l'océan à l'enseigne du *Lion de Mer*. C'est là que, sans grand enthousiasme, ils entreprirent le périple qui devait les ramener aux tristes réalités de ce monde.

23.

Ce mercredi-là, un ciel nuageux, grisâtre et morne, couvrit dès le matin la cuvette de Los Angeles. Pourtant, peu nombreux furent ceux qui s'en inquiétèrent. Les autochtones dans leur ensemble vaquèrent à leurs occupations en tenue légère, persuadés que le beau temps reviendrait dans le courant de la journée.

Marvin Gerber, lui, portait une chemise à manches courtes et col ouvert sur laquelle il avait enfilé une veste ultra légère dans les tons chocolat. Ainsi vêtu, il passa quelques bonnes heures dans les locaux de la société *E.F. Hutton & Company*, l'un des principaux courtiers de la place, à vendre et acheter des actions par paquets de cent à cinq cents.

La sympathique augmentation dont ses revenus allaient être l'objet au cours des cinq années à venir, – bénis soient Bluestern et sa police d'assurances – lui permettait de disposer d'un excédent financier assez confortable. Il avait donc décidé, la nuit précédente, de s'essayer sur le marché boursier. Il en escomptait des petits tracas au jour le jour, une sorte de suspense quotidien sans trop de risques, bref de quoi nourrir et soigner ce qu'il appelait la « Maladie de Gerber », au même titre que d'autres souffraient du Syndrome d'Addison ou de sclérose en plaques. Ce jour-là, l'agent d'assurances négocia un total de cent quatre-vingt-deux mille dollars en achats et ventes auprès du *New York American Stock Exchange*, avec pour prix de ses efforts un misérable bénéfice net de trois cent dix dollars. Pas de quoi pavoiser, mais tout de même. En dépit de ces heureuses spéculations, le bonheur de Gerber restait un peu terni par le souvenir de l'obèse aux longs cheveux filasse qui s'était présenté sous le nom de Gehringer et dont il n'avait jamais plus entendu parler depuis cette première et dernière visite.

Ce que Marvin ignorait, et pour cause, car vingt-quatre heures devaient encore s'écouler avant cela, c'est qu'il n'aurait plus jamais l'occasion d'apprendre ce que ce type avait voulu lui vendre, quelle que soit la teneur du secret qu'il prétendait détenir.

Le père Dineen Moran, curé à l'église Ste-Mary, paroisse de Westwood, prit son petit déjeuner en manches de chemise. En mangeant, il songeait sans grand enthousiasme qu'il devrait bientôt revêtir la lourde soutane, symbole de son ministère, soutane dans laquelle il transpirait toujours abondamment et qu'il devrait supporter dans la moiteur du confessionnal, comme la veille et les éternités qui l'avaient précédée.

En se beurrant un toast, il repensa à la jeune femme qui l'avait déjà obsédé une bonne partie de la nuit. Une fois encore, il souhaita de toutes ses forces qu'elle ne revienne pas aujourd'hui, tant il était fatigué d'avoir mal dormi. En admettant même qu'elle ait atteint à l'état de grâce qu'il lui avait demandé d'attendre pour se confesser, il ne se sentait pas la force de prendre sur ses épaules le fardeau de cette pécheresse.

Dans la mesure où l'on peut tenir un souhait pour une certaine forme de prière, le père Moran allait être exaucé. Prête ou non, la jeune femme ne reviendrait jamais le voir.

En bermuda et sandales, David Stanner, fredonnant une mélodie de Cole Porter, remettait un semblant d'ordre dans la maison. Après avoir dîné et dormi seul la nuit précédente, son employeur était parti de bonne heure pour les studios. Il avait consacré toute la soirée de la veille à étudier une pile de manuscrits, ce qui ressemblait fort à la préparation du voyage qu'il devait effectuer à New York aujourd'hui même. A part choisir ce qu'il supposait devoir mettre dans les bagages de son patron, Stanner n'était pas vraiment accablé de travail. C'est pourquoi il ne tarda pas à s'installer au bord de la piscine, short et sandales soigneusement ôtés de sorte à exposer aux rayons du soleil les recoins de son anatomie qu'il avait la faiblesse de considérer comme l'objet de bien des concupiscences.

Il s'efforça de chasser de son esprit l'éventuel rendez-vous qu'il avait avec Bruce le soir-même, pour ne pas penser à l'enquête dont son employeur l'avait chargé. Incapable de refouler le souvenir de son amant d'une nuit, il chercha à n'en évoquer que les moments les plus agréables, ceux qu'il espérait bien vivre à nouveau dans une maison qui leur appartiendrait cette fois, sans que les heures leur soient comptées.

Peu à peu David Stanner se sentit submergé par une vague de désir qui le poussa à quitter la piscine pour regagner la résidence, envahi par une image de Bruce qu'il n'évoquerait plus jamais de semblable manière.

Jerry Danziger, membre à part entière de l'agence *William Morris*, se foutait de la température. Quoi qu'il arrive, il s'habillait toujours avec goût d'un de ses nombreux costumes de chez *Dick Carroll*. *Yves Saint-Laurent* signait ses chemises qu'il ornait de cravates tricotées, et il se chaussait à la maison *Bally*. Hormis la satisfaction personnelle qu'il tirait de ses tenues conservatrices au sein de la communauté de l'industrie cinématographique, la vanité entrait fort peu dans ses motivations. Les vêtements qu'il portait avaient surtout pour objet d'accroître sa crédibilité, de fournir le décor adapté à la façon posée dont il s'exprimait lors de négociations au cours desquelles ses talents de vendeur s'exerçaient à placer une marchandise pour le moins douteuse.

Il préférait aussi discuter affaires à son propre bureau, situé dans les bâtiments rénovés de El Camino Drive à Beverly Hills, plutôt que dans les studios de ses clients, qu'ils soient producteurs ou cadres de direction. Fervent défenseur des avantages à négocier sur son propre terrain, il cherchait toujours à ce que la montagne vienne à Mahomet, et disposait de tout un arsenal de prétextes destinés à attirer le prospect chez lui.

Il est toutefois de peu d'importance que Jeff Barnett et Larry Hough aient cherché à le faire venir aux studios tandis que Danziger leur opposait le barrage d'appels intercontinentaux d'une portée capitale qui le clouaient à son bureau. Il importe tout aussi peu de savoir si les termes de l'accord auquel ils avaient abouti auraient été différents si Danziger avait porté des jeans et des baskets au lieu de ses costumes stricts. Ce jour-là, l'argument crucial quant à l'issue des débats qui se poursuivirent pendant deux heures, cet argument échappa à Jerry Danziger. Il se résumait au simple fait que Barnett et Hough étaient aux abois. Leur interlocuteur aurait pu les recevoir en sous-vêtements, le résultat aurait été le même.

Une fois les négociations terminées, Danziger avait obtenu la somme de deux millions de dollars et des broutilles pour les deux acteurs principaux, six cent mille pour le metteur en scène, trois cent et quelques mille pour le scénario original, la garantie que le budget du film s'élèverait à au moins onze millions et que l'on dépenserait quatre millions pour lui assurer une bonne publicité.

Après le départ de Hough et de Barnett, il se porta un toast à lui-même et adressa ses plus vives félicitations à *Yves Saint-Laurent*, *Bally* et la Suisse, votant enfin des remerciements éperdus à toute l'équipe de chez *Carroll & Company*. De leur côté, les assistants de direction de Howard se congratulèrent pour l'extraordinaire coup de chance qu'ils avaient eu. Tout en estimant que le projet qu'ils venaient d'acquérir n'était que du caca à l'état pur (Jeff avait même suggéré qu'on donne un titre dans ce goût-là au film), ils avaient vite compris que Howard Bluestern n'aurait aucun mal à le défendre devant le conseil d'administration, dont le principal actionnaire n'était autre que la compagnie agro-alimentaire *American Foods*. Non seulement c'était une histoire de jeunes, mais de plus, cela se présentait comme une comédie sentimentale construite autour de l'invention d'une nouvelle spécialité à base de céréales censée révolutionner les petits déjeuners.

Ce qu'ils ignoraient tous, c'est que ledit projet allait faire un malheur et valait, en réalité, trois fois le prix auquel il avait été conclu. Les voies du show-biz sont impénétrables, autant que les lubies du grand public. Quoi qu'il en soit, cette réalisation se révèlerait le plus grand succès jamais réalisé par les studios et contribuerait à transmettre la gloire du règne de Bluestern à la postérité.

Bien qu'il ait déménagé sa minable garde-robe dans l'appartement de Diane à Brentwood, Bruce Gottesman se refusa à changer de vêtements, gardant son pantalon blanc (crasseux maintenant) et son ras-du-cou noir, au mépris de la température et du sens olfactif de ses voisins. Vêtue d'une jupe en popeline grise, d'un corsage assorti et de sandales, sa complice se demanda, dans un accès de rage contenue, s'il envisageait qu'on l'enterre dans cette foutue tenue.

Pour l'heure, c'était le cadet de ses soucis.

Elle l'accompagna en voiture à la *Majestie Meat Company* sur South Robertson Boulevard à Los Angeles, où il fit l'acquisition d'un quartier de bœuf et d'un demi-veau pesant au total quatre-vingt-deux kilos. Après que le boucher eut découpé les pièces selon les indications de son client, indications destinées à leur donner un certain contour imitant une certaine silhouette, ce poids tomba à soixante-treize kilos.

Bruce régla ses achats avec l'argent de Diane puis se fit ramener par cette dernière à l'appartement. Il entassa la viande dans le nouveau congélateur, ce qui fut loin de le remplir. Il demanda alors à la jeune femme de l'accompagner dans le secteur ouest de Los Angeles, à la *Barrington Ice Company*, afin qu'il s'y procure de la glace artificielle. Devant le refus de sa complice, il s'y rendit seul.

Profitant de son absence, Diane passa un certain

nombre de coups de téléphone. Elle appela en premier lieu Harry Blitzer qui était de service au poste de garde du terrain d'aviation ce jour-là. Elle lui demanda qui serait de permanence entre six et dix heures ce soir et, ayant appris que ce serait Lou Poliano, fit du charme à Blitzer pour qu'il lui communique le numéro personnel de Lou.

A l'évidence Poliano fut impressionné par le coup de fil personnel de Diane Mac Vorter qu'il n'appelait jamais autrement que mon chou, en temps ordinaire. Il adorait en effet bavarder avec elle lorsqu'ils se rencontraient au poste de garde. S'il avait pu avoir une autre fille (ou plutôt une autre épouse), il aurait souhaité qu'elle ressemble à Diane. Et voilà qu'elle lui demandait un service. Bien sûr, mon chou. Pourrait-il lui donner un coup de main pour transporter quelque chose d'assez lourd lorsqu'elle arriverait au terrain dans la soirée? Avec grand plaisir, mon chou... Et Diane le remercia avec effusion.

Lou Poliano ne cessa de penser à cet appel tout l'après-midi. Il y pensa tellement qu'il lui tardait d'aller au boulot. Il n'avait pas la moindre idée des souvenirs que ce coup de téléphone lui laisserait au cours des années suivantes...

Toute la matinée, Teddy porta un pantalon de toile, une chemise ouverte jaune pâle et un blazer bleu marine. En rentrant à Bel Air, il se changerait pour revêtir un des costumes de Howard, en attendant que la limousine des studios vienne le chercher pour le conduire à l'aéroport. Jo Anne lui avait proposé de l'accompagner jusque-là afin qu'ils soient ensemble pendant le trajet, et aussi pour rouler avec lui, au moins une fois, main dans la main à l'arrière d'une voiture de fonction. D'un sourire il avait refusé, arguant qu'il ne résisterait pas à une situation aussi érotique.

Pour l'instant, dans le bureau de Howard, ils partageaient un déjeuner aussi léger que leur conversation, Teddy dans son fauteuil et la jeune femme sur le canapé, bloc sténo et crayon posés en évidence à ses côtés pour donner le change au serveur qui avait apporté les plateaux. Derrière la porte fermée à double tour, Grace Fahnsworth avait pour instruction de bloquer tous les appels. Jambes nues, Jo Anne portait une légère robe de coton vert pâle et de hauts talons. Chaque fois qu'il la regardait, c'est-à-dire tout le temps, Teddy sentait son pouls s'accélérer. La conversation languissait tant ils ne pouvaient s'empêcher de se dévorer des yeux avec ce plaisir doux-amer qui précède les séparations.

Ils discutèrent brièvement des dossiers que la jeune femme avait préparés sur chacun des membres du conseil, documents que Teddy consulterait mieux dans l'avion. Elle lui annonça ensuite son projet d'emmener ses parents au restaurant et lui promit de ne pas l'appeler à son hôtel de New York, le *Regency*, laissant implicitement entendre qu'elle ne lui parlerait plus jamais s'il oubliait de lui téléphoner dès la fin de sa réunion, que les choses se soient ou non bien passées. Elle lui dit également qu'elle viendrait l'accueillir à l'avion de vendredi. Ils n'évoquèrent rien de plus lointain. Vendredi, rien d'autre. Samedi arriverait assez vite. Pourquoi précipiter le mouvement?

Lorsque par l'interphone Mme Fahnsworth les avertit que les deux assistants de direction de M. Bluestern, leur mission enfin achevée, étaient en route pour les studios, les deux amants surent que le temps des adieux avait sonné. Ils s'étreignirent tendrement et s'embrassèrent au beau milieu de la pièce.

Étroitement enlacés, ils surent résister à la chaleur qui les envahissait; l'heure n'était hélas plus à la passion. Aucun des deux n'aurait su expliquer la raison des larmes qui brillaient dans leurs yeux, tant le bonheur leur ouvrait les bras. Peut-être ce sentiment de tristesse provenait-il d'événements qui n'avaient pas encore eu lieu et dont on pouvait prévoir qu'ils se dérouleraient dans la douleur, comme si la vie ne tolérait pas que deux amoureux s'aiment sans nuage.

Ainsi se déroulèrent leurs adieux, mais Teddy ne quitta le bureau qu'à quatre heures passées, après sa réunion avec Hough et Barnett. Il avait parcouru les grandes lignes du dernier scénario, le sixième de la liste enfin complète et, dès les premières pages, avait compris que c'était ce qu'il cherchait. Il le lirait en détail dans la limousine et le finirait dans l'avion. A présent son attaché-case était plein et son plan de bataille au point. Sans se retourner, il sortit du bureau de Howard. A son insu, son esprit commençait à prendre conscience de faits qui ne cesseraient de se préciser par la suite.

Bien qu'il fût près de cinq heures et demie et que l'ombre ait déjà envahi la plus grande partie du désert, la température extérieure avoisinait encore les quarante-cinq degrés, à Palm Springs. Dans sa maison de Palmetto Drive, Millie Mac Vorter avait réglé l'air conditionné de sorte à obtenir une température ambiante plus orthodoxe d'environ vingt-cinq degrés. Elle aimait se sentir à l'aise dans le costume d'Ève. Par ailleurs, Phil était un fervent défenseur des températures élevées. Selon lui, érotisme rimait avec chaleur tandis que le froid était synonyme de débandade. Ce qui expliquait pourquoi il avait fui Detroit pour Palm Springs. Réserve faite de l'anatomie voluptueuse de sa maîtresse, celle-ci exerçait sur lui deux attraits irrésistibles : la façon qu'elle avait de venir lui ouvrir la porte dans le plus simple appareil, et la douce tiédeur qu'elle entretenait en permanence dans la chambre à coucher où ils s'ébattaient.

Phil était en retard, mais ce n'était pas pour déplaire à Millie. En fait, elle aurait préféré qu'il l'appelle pour lui annoncer qu'il était coincé au bureau, que sa femme venait d'arriver de Los Angeles, ou n'importe quoi. Lorsqu'elle avait des problèmes, on aurait dit que son amant lisait en elle, ce qui n'améliorait pas ses performances amoureuses. Dans l'état où elle était ce soir, il risquait d'en avoir pour deux heures, en admettant qu'il parvienne à l'orgasme.

Elle s'assit sur le bord du lit, posa le téléphone sur ses cuisses nues, et une fois de plus composa le numéro de Diane. Personne. Sa fille n'était pas chez elle. Ou alors elle ne voulait pas répondre. De guerre lasse, Millie Mac Vorter repassa dans le living se verser un petit scotch.

Des années durant elle avait nourri le secret espoir, hélas toujours anéanti, que sa fille, son enfant unique, deviendrait son amie (même dans ses rêves les plus fous, elle n'avait jamais espéré qu'il puisse y avoir de l'amour entre elles deux). La toute dernière visite de Diane, les paroles abominables qu'elle lui avait adressées avaient été un coup dur, mais il fallait l'admettre, pas totalement inattendu. En revanche, après le coup de fil qu'elle lui avait passé aujourd'hui, il y avait de quoi se tracasser.

Peut-être était-ce à cause de ses larmes? Elle avait toujours détesté voir sa fille pleurer, même lorsqu'elle n'était qu'une gamine. Ou alors, c'était la façon dont Diane s'était presque excusée pour toutes les misères qu'elle avait fait subir à sa mère, ainsi que ses allusions à un voyage dangereux qu'elle devait effectuer ce soir-même. Millie n'en avait pas compris la moitié, mais probablement la pauvre gosse avait trop bu et s'était fourrée dans un sale guêpier.

Voilà déjà plus d'une heure qu'elle cherchait à la joindre au téléphone. Elle décida d'insister encore un peu et, en cas d'échec, de prendre la Cadillac. En moins de deux heures, elle serait à Los Angeles. Malgré son retard, Phil risquait d'arriver d'un moment à l'autre. Elle devrait s'arranger pour lui faire prendre rapidement son plaisir avant qu'il se soit rendu compte de l'état dans lequel elle était. Passant en revue les trucs préférés de son amant, elle se dit incidemment qu'il y aurait aussi des avantages à ce qu'il arrive maintenant. Après leurs ébats, il ferait moins chaud dans le désert et la circulation serait plus paisible sur l'autoroute. Bon. Dans deux minutes, nouveau coup de téléphone. En attendant, encore un petit scotch.

Elle en profita pour brancher la hi-fi. Un peu de jazz en sourdine, parfait pour la détente. Le soleil s'était retiré derrière les montagnes depuis un moment déjà, et l'obscurité envahissait peu à peu la maison. Le carillon de la porte d'entrée retentit. Assez excitée, elle alla ouvrir, et le coup d'œil que lui jeta Phil ne fit qu'accroître son désir. Deux ou trois verres plus tard tandis qu'ils passaient dans la chambre à coucher, elle aurait été incapable de préciser les raisons pour lesquelles elle avait souhaité que Phil ne vienne pas. Puis il la pénétra et, les cuisses largement ouvertes, elle l'attira profondément en elle, longtemps, encore, toujours, à jamais, tous ses calculs pour l'expédier au plus vite relégués aux oubliettes.

La limousine arriva en avance, ce qui ne surprit pas Teddy. L'équipe de chauffeurs des studios ne prenait pas de risques. Déjà, lors des rares occasions où, en tant qu'acteur, il avait eu droit à une voiture de fonction, le véhicule s'était pointé alors qu'il dormait encore. Maintenant qu'il était le patron des studios en personne, vous pensez bien!

David Stanner déposa le petit bagage de son employeur sur le siège arrière. Teddy, lui, portait son attaché-case. Les deux hommes se serrèrent la main sans faire aucune allusion au dénommé Bruce. Après la discussion de la veille, il n'y avait rien à ajouter. La grosse Lincoln noire avait à peine démarré que Stanner se préparait déjà pour sa soirée.

Le chauffeur des studios, qui répondait au nom de Schultz, emprunta Sunset Boulevard afin de rejoindre l'autoroute de San Diego et fila vers le Sud. Dans ce sens la circulation n'était pas trop mauvaise. Teddy se plongea dans le scénario que ses adjoints avaient acheté à bas prix à Jerry Danziger. Le temps d'arriver à l'aéroport international de Los Angeles, il en avait parcouru une bonne moitié et ri de bon cœur un certain nombre de fois, ce qui l'avait surpris lui-même.

Conséquence inattendue, l'humour à la fois désinvolte et volontairement débile du manuscrit l'avait libéré en partie de la tension nerveuse qui ne l'avait pas quitté ces derniers temps. En descendant de la limousine, il se sentait presque relax. Il distribua de généreux pourboires à Schultz et au porteur qui s'était précipité sur ses bagages. Sa bonne humeur fut à peine entamée lorsque, consultant le tableau des départs, il constata que son vol aurait une demi-heure de retard.

– Salut, Teddy.

Instinctivement, il réagit à l'appel de son nom avant de comprendre l'erreur et de ralentir le mouvement qui l'amena face à une jeune Mexicaine lourdement fardée, qu'il ne reconnut pas. En souriant, il lui répondit aimablement :

– Je ne suis pas Teddy, mais vous avez toutes les excuses pour vous être trompée.

Avec un petit rire embarrassé, la jeune femme murmura :

– Je suis navrée, monsieur Bluestern.

– Il n'y a pas de quoi.

Sur ces belles paroles, il s'en fut passer les formalités d'enregistrement.

Sans doute une actrice, une maquilleuse ou une habilleuse. Il avait une fâcheuse tendance à oublier les noms et les visages. En route vers le bar de l'aéroport, il tenta de la situer, passant en revue les quelques films dans lesquels il avait tourné. Ce faisant, il se remit dans sa peau de comédien et, d'un coup, se souvint qu'il avait oublié d'appeler Sam Kramer pour lui dire que tout était réglé avec Jud Fleming.

Un coup d'œil à sa montre lui confirma qu'il en avait le temps et Kramer serait sans doute encore au bureau. Ce n'était pas le genre à mettre la clef sous le paillasson tant qu'il lui restait une chance de rafler un dollar de plus. Il se glissa dans une cabine téléphonique, reprit sa casquette de Teddy Stern, et en avant la musique!

– Il est parti, monsieur Stern.

La voix de Ruth était mélancolique.

– Mais vous ne rentrez donc jamais chez vous?

– Pour quoi faire?

Là, il n'y avait pas à discuter.

– Soyez sympa, Ruth. Dites-lui que mon frère s'est excusé auprès de Jud Fleming. Maintenant ils sont copains comme cochons, d'ailleurs ils déjeunent ensemble la semaine prochaine.

– C'est fantastique, monsieur Stern. M. Kramer va sauter de joie quand il entendra cela.

– Eh ben, on sera contents tous les deux.
– Pendant que j'y suis, monsieur Stern, il y a un certain M. Marzula, Joey Marzula, qui vous a appelé à plusieurs reprises. Il cherche à vous joindre par tous les moyens...
– Merci, je suis au courant...
– ... Il m'a laissé son numéro...
– ... Pas la peine, je...
– ... 451 22 00.
– Merci, Ruth.
– Vous l'avez noté? 451 22 00.
– Oui oui, ça y est... Vous devriez rentrer chez vous, Ruth.
– Peut-être...
Il raccrocha et sortit de la cabine. Se ravisant alors, il pêcha quelques pièces dans sa poche pour appeler le restaurant de Marzula. Bien que la soirée soit à peine entamée, les bruits de fond de l'établissement couvraient presque la voix de la fille qui lui répondit. Celle-là, il ne la connaissait pas et il se contenta de lui demander de lui passer Joey.
– C'est pour réserver une table?
– Non. C'est personnel.
– Un instant.
Des instants à perdre, il n'en manquait pas. Évidemment il aurait pu s'offrir une petite vodka ou deux au bar mais il ne tenait pas trop à boire. Mieux valait garder les idées claires pour finir le scénario dans l'avion. D'ailleurs, sa consommation avait dramatiquement chuté ces derniers temps. Être Howard en permanence, ça donnait de sales habitudes.
Adossé à la paroi de la cabine, il se plongea dans la contemplation des fourmis humaines sillonnant le hall et les escalators vers une infinité de destinations. Il distingua alors dans le récepteur le bruit des pas de Joey Marzula qui arrivait. Quel plaisir d'entendre à nouveau sa voix! Cela faisait trop longtemps qu'ils ne s'étaient pas vus.
– Allô?
– J'ai réfléchi, ça ne m'intéresse pas d'être plongeur chez vous. Il y a quand même des limites!

– Pardon...? Oh, Teddy!... Tu sais combien de fois je t'ai appelé?

– On m'a transmis un seul message.

– Parce que j'en ai eu marre de laisser mon nom sur ta saloperie de répondeur. Je pensais que tu viendrais faire un saut ici dimanche soir.

– J'étais en voyage.

– Comment va Diane?

– Pourquoi tu me demandes ça?

– Pourquoi pas?

– Ça va.

– T'es sûr?

Teddy laissa passer un petit moment avant de reprendre.

– O.K. Joey. Qu'est-ce que tu as derrière la tête?

– J'ai appris que vous aviez rompu.

– Ça ne met pas longtemps à se savoir, les bonnes nouvelles, hein? Qui t'a dit ça?

– C'est elle.

– Tu veux te placer? Vas-y.

– Ça ne m'amuse pas, Teddy.

– Excuse-moi.

Sur ce, il dut fouiller sa poche en vitesse pour éviter que la communication ne soit coupée.

– D'où appelles-tu? reprit Joey.

– D'une cabine.

Il glissa vingt-cinq cents dans la fente.

– Écoute, je sais que ça ne me regarde pas, poursuivit Marzula. Je n'ai aucune idée de ce qui s'est passé entre vous, si c'est définitif ou juste comme ça...

– C'est fini pour de bon.

– Quoi qu'il en soit, il faut quand même que je te dise des trucs que tu sais d'ailleurs probablement déjà...

– Par exemple?

– Eh ben, le type qu'elle a rencontré au bar, ici, vendredi soir, et avec qui elle est sortie... Tu l'as revue depuis vendredi?

– Non. Quel type?

– Tu as eu l'occasion de parler avec elle?

– Non.

– Je l'ai avertie, Teddy. J'ai essayé de la dissuader, mais elle est quand même partie avec. Ceci dit, peut-être que tu n'en as plus rien à faire?

– C'est qui, ce type?

– C'est pas très gai. Manny Clinko, tu le connais, Manny?... Eh bien, Manny prétend que ce mec, c'est un ex-taulard qui essaye de se faire passer pour un acteur... Coups et blessures, vol de voitures, cambriolages, enfin tout un tas de merdes, quoi...

– Pas le genre de Diane...

Tout en prononçant ces paroles, Teddy sentit sa bouche se dessécher.

– Son genre? Tu parles! Tu sais comme elle est snob! Tandis que ce mec-là, c'est le plus monstrueux tas de graisse que tu aies jamais vu. Ce mec-là, je te dis pas...

Nerveusement, Teddy entrouvrit la porte de la cabine. Il avait besoin du bruit de la foule pour se calmer. Des rires, des cliquetis de talons, toute cette rumeur indistincte et rassurante pour ne plus entendre Joey Marzula, qui n'en finissait pas de parler.

– ... D'après lui, il serait quand même comédien, mais ce qu'il fait en réalité, mystère. Au syndicat des acteurs, personne n'a jamais entendu parler de Bruce Gottesman...

– Qui ça?

– Bruce Gottesman, c'est ainsi qu'il se fait appeler.

Oh, Seigneur!

– Écoute Joey, il faut absolument que je file...

– Je ne comprends rien à cette nana, moi...

– Il faut que je me tire tout de suite.

Teddy commençait à paniquer. Cela devait s'entendre à sa voix...

– Bon, quand se voit-on, Teddy?

– Écoute, Joey, il faut que je file tout de suite, répéta-t-il. Je te rappelle, d'accord?

– D'accord, mais...

Teddy avait raccroché, blême.

Depuis le début, c'était Diane qui était derrière tout cela...

Avec le nommé Bruce Gottesman.

Elle s'était mise en cheville avec un ancien taulard, un truand, un cambrioleur qui s'était introduit chez lui et chez Howard, et qui pouvait remettre ça, qui allait sûrement le faire d'ailleurs. Comment les en empêcher? Ils découvriraient tout. Tout. Rien n'échapperait à Diane. Qu'est-ce que ce type avait déjà trouvé?

Mais qu'est-ce qu'elle cherchait, bon Dieu?

Les questions arrivaient en rafales. Teddy sentit qu'il perdait pied.

Pourquoi son ex-maîtresse s'était-elle mise en cheville avec un type sur lequel elle aurait craché en temps ordinaire?

Que pouvaient-ils avoir dans la tête, ces deux-là?

Pourquoi avait-elle monté la garde devant le bureau de Howard toute une matinée pendant que son complice furetait dans la maison de Malibu?

Le nommé Bruce Gottesman avait-il délibérément dragué David Stanner pour s'introduire chez Howard? Qu'avait-il entendu derrière la porte?

Comment Marvin Gerber avait-il entendu parler de Diane?

Pourquoi s'était-elle brusquement évanouie dans la nature, sans un mot... comme en position d'attente...?

C'est ça, elle attendait.

Mais quoi?

Avec son cambrioleur, son piqueur de bagnoles, qu'attendaient-ils tous les deux?

Qu'il parte en voyage?

Qu'il n'y ait plus personne à Malibu?

Que Howard reste sans surveillance?

Non. Pas possible. Pour Howard, ils ne pouvaient rien savoir.

Et pourquoi pas?

Le type, il était bien derrière la porte la nuit où Jo Anne et lui avaient...?

Le cœur de Teddy cessa de battre.

D'un coup, la monstrueuse jalousie de Diane, ses instincts de vengeance lui revinrent à l'esprit.

Quel était le plus important secret que lui, Teddy Stern,

l'ancien amant de cette femme, aujourd'hui en ménage avec une autre, cherchait à dissimuler?

Excepté tuer encore, que pouvait-elle faire de pire, Diane Mac Vorter, pour démolir le type qui l'avait rejetée, ainsi que sa nouvelle maîtresse?

Un scandale.

Dévoiler la vérité.

L'incriminer, lui.

Le faire passer pour un assassin.

Ce serait la fin de tout.

Diane avait-elle tout découvert? Dans le cas contraire, cela ne tarderait pas. Son complice et elle faisaient tout ce qu'il fallait pour le démolir et, par voie de conséquence, Jo Anne aussi. Qu'est-ce que cela pouvait être d'autre?

Quel moment plus favorable que celui où il serait en voyage et où les deux maisons seraient à leur merci?

Oh, bon Dieu, en plus il avait demandé à David Stanner de ramener ce type chez Howard, et à présent, trop tard pour avertir le domestique. Comment elle s'appelait déjà, cette boîte où il avait rendez-vous? D'ailleurs à quoi bon? Il était bien trop tard.

Et à Malibu, il n'y aurait personne.

Si seulement il pouvait joindre Jo Anne... Mais elle l'avait averti qu'elle sortait avec ses parents.

Il n'était plus qu'un bloc d'épouvante. Pour le moment, son esprit était anéanti, mais dans sa chair il ressentait cet effroi; son corps était capable de prédire l'avenir et d'appréhender le danger mortel qui s'y tapissait.

Le cœur battant la chamade, il se rua hors de la cabine téléphonique, traversa le terminal de l'aéroport à toute vitesse, bousculant la foule sans un mot d'excuse, se fraya un chemin vers la sortie, vers la nuit tombante, appela d'une voix rauque un taxi, où qu'il soit, d'où qu'il vienne.

Il n'avait pas besoin de connaître en détail les projets de Diane et de son complice pour savoir que Jo Anne et lui en pâtiraient. Il fallait absolument qu'il découvre ce qu'ils avaient en tête.

Il fallait absolument qu'il les empêche d'agir.

24.

Si seulement elle avait pu se passer de Bruce pour ce qu'elle projetait ce soir! Hélas elle n'avait pas sa force physique, ce qui était bien la seule supériorité qu'elle concédait à cet affreux. Assise dans la Datsun garée face à la maison de Teddy à Malibu, elle attendait qu'il ait fini le transfert du cadavre. Elle ne faisait pas véritablement le guet. C'était inutile, car il y avait longtemps que Howard était parti pour New York. Mais elle préférait rester dehors plutôt que dans la maison. Ce que faisait Bruce, elle ne l'aurait pas supporté. Seul un monstre dans son genre était capable de manipuler la pauvre dépouille congelée de Teddy pour la transférer dans son nouveau linceul. Un monstre, oui c'était bien le mot. Et cela, il convenait qu'elle ne l'oublie jamais.

Elle sortit de la boîte à gants un flacon de *Wild Turkey* dont elle s'administra une formidable lampée avant de le remettre en place malgré son envie de le vider. Pas question d'émousser ses réflexes, surtout ce soir. Son calme l'inquiétait un peu. Était-ce la preuve qu'elle avait rassemblé assez de courage, ou s'agissait-il de cette sorte d'hypnose que provoque parfois la peur?

Quelques rares voitures passèrent sur la vieille route de Malibu, mais l'attention de Diane fut attirée par un rai de lumière qui ne provenait d'aucun véhicule. Bruce venait d'ouvrir précautionneusement la porte d'entrée et lui faisait signe de le rejoindre.

Il était prêt.
Oui, mais pas elle.
Elle ne le serait jamais.
Un instant elle crut qu'une formidable poigne lui broyait le cœur, puis la pression se relâcha. Quittant son siège, elle alla ouvrir le hayon arrière. Puis elle traversa la route, cherchant à contrôler sa respiration pour juguler les vagues de terreur qui menaçaient de la submerger. Pourquoi se mettre dans des états pareils? Elle n'en était pas encore au moment critique. Pour l'heure c'était seulement Teddy qu'elle allait affronter, et il était mort.
Sur la petite véranda, elle se força à le regarder ou plutôt à le deviner. Bruce l'avait déjà fourré dans la housse plastique de chez *Sears*, la housse marron avec ses rayures de couleur, étalée sur le carrelage. La glace artificielle dont il avait garni le sac le ballonnait. Elle se sentit nauséeuse mais, par un gros effort de volonté, se reprit. La radio diffusait une musique trop bruyante, qui eut le don de la mettre encore plus sur les nerfs.
– Bon, reste pas plantée comme ça, intervint son complice, une note d'impatience dans la voix.
Elle lui adressa un regard inexpressif.
– Va donc me chercher un pantalon, une liquette, des chaussettes et des godasses.
– Moi?
Son ton manquait de fermeté.
– Oui.
– Pourquoi?
– Pour le cas où on en aurait besoin. On ne sait jamais. Allez, dépêche-toi.
Elle fit aussi vite que possible pour lui rapporter un jean et le reste.
Désignant les récipients qui avaient contenu la glace artificielle, Bruce reprit.
– Embarque ça dans la voiture avec les fringues et reviens ici.
Pendant qu'elle sortait, il commença à restocker les paquets congelés qu'il avait sortis du frigo. Lorsque Diane revint, tout était bouclé, y compris le cadenas. Seule restait la housse en plastique marron.

– Bon, tu le prends par un bout, moi par l'autre. Et fais gaffe, hein!

Incapable du moindre geste, elle se contentait de fixer la housse.

– Allez vas-y, il ne te mordra pas! s'énerva Bruce.

Contrairement à ce qu'elle avait pensé, le corps était assez léger. Elle se demanda même si elle n'aurait pas pu s'en tirer seule. De toute façon, ça ne rimait plus à rien maintenant.

La dépouille sortie et déposée sur le trottoir, Bruce repartit faire le tour de la maison afin de vérifier s'il n'avait rien oublié. Le corps de Teddy à ses pieds était insupportable, mais Diane se dit que plus elle s'y habituerait, plus cela lui faciliterait la suite. Si elle avait eu la petite bouteille de *Wild Turkey* sous la main, elle lui aurait fait un sort.

Bruce reparut et ferma soigneusement la porte derrière lui. Il avait laissé les lumières allumées comme il les avait trouvées en entrant. Ils réempoignèrent la housse et la transportèrent jusqu'à l'arrière de la Datsun. A ce stade des opérations, force fut à Diane de constater que son calme de tout à l'heure s'était évaporé.

Après avoir allongé le fardeau dans le coffre, la jeune femme se dirigea vers la portière côté conducteur.

– Une seconde, tu veux! Viens me donner un coup de main.

Bloquée dans son élan, elle tourna la tête pour voir Bruce déplier une couverture.

– Allez, magne-toi.

Rebroussant chemin, elle l'aida à couvrir la housse de plastique avec la couverture. Puis le cœur au bord des lèvres, elle fila comme une fusée.

Elle eut l'impression de mettre une éternité pour atteindre sa portière. En se glissant au volant, elle entendit le hayon se refermer avec fracas. Aussitôt elle actionna le démarreur tandis que Bruce s'ébranlait pesamment. Le moteur refusa de partir. Au second coup aussi. Seigneur! Le troisième fut le bon. En avant! Elle plaça le sélecteur de boîte automatique en position « Drive ». La portière passager s'ouvrit à la volée tandis que la voiture faisait un bond en avant.

– Attends, merde!

Il mit un pied dans la Datsun.

Et hop, installé sur le siège!

La portière claqua sous l'effet des embardées de la voiture.

– Tu es cinglée? Qu'est-ce que tu fabriques?

– Je... j'ai cru voir quelqu'un arriver.

Elle s'exprimait d'une voix étranglée.

– T'es malade, non? Tu as failli me tuer.

Oh, ce coup d'œil!

Seulement failli, se dit-elle avec amertume.

Tandis que la voiture s'enfonçait dans les ténèbres, Diane eut du mal à retenir ses larmes.

Bon, suffit! Plus le moment de t'apitoyer sur toi-même. Il n'y a plus assez de temps.

Sous l'œil soupçonneux de son complice, elle se mit à réfléchir à son plan de rechange, celui que, contre tout espoir, elle aurait souhaité ne pas avoir à exécuter.

Oh, bon Dieu, quelle circulation!

– Mais où ils vont, tous ces gens? fulmina Teddy, exaspéré. C'est même pas encore l'heure de pointe.

– Des heures de pointe, y'a plus que ça, mon pauvre monsieur, commenta le chauffeur de taxi.

– Vous ne pouvez pas faire quelque chose?

– Quoi, à votre avis? Je suis pas aviateur, moi.

– Et si on quittait l'autoroute?

– Ça ne servirait à rien. On est presque arrivés à la côte, de toute façon.

– Merde!

– Ça, vous l'avez dit. Tout ce foutu patelin, c'est de la merde.

Teddy ôta sa veste, desserra sa cravate et se radossa à la banquette. Sa chemise lui collait à la peau. Jetant un coup d'œil à l'attaché-case, sur ses genoux, il se demanda s'il aurait l'occasion d'en utiliser le contenu. Le dernier vol pour New York décollait à minuit. Aurait-il le temps d'éliminer tout danger et d'arriver là-bas demain avant midi?

Au diable demain! Aujourd'hui seul comptait.

Ce bon Dieu de taxi allait-il enfin arriver au parc de stationnement en bord de mer?

Avait-il une chance de retrouver la petite Porsche jaune censée attendre sagement le retour de son légitime conducteur?

Parce que, à présent, il était redevenu Teddy Stern. Howard Bluestern devait attendre. En tant que Teddy, il trouverait Diane et cette espèce de gros salopard avec lequel elle s'était acoquinée. Il les mettrait hors d'état de lui nuire, à lui et à Jo Anne qui passait une bonne soirée avec ses parents, sans se douter que les démons s'acharnaient à sa perte. Même s'il en avait eu le temps, il n'aurait pas su où la joindre. Et en admettant qu'il ait pu le faire, que lui aurait-il raconté? Que les feux de leur passion les avaient aveuglés au point qu'ils n'avaient pas vu s'ouvrir sous leurs pieds le gouffre infernal dans lequel ils étaient en train de s'engloutir?

Tandis que le taxi filait vers le Nord, sur l'autoroute littorale, il pria silencieusement les dieux de lui accorder le temps nécessaire pour mener sa tâche à bien.

Sous le prétexte de s'adresser à son interlocutrice, c'était à lui-même qu'il parlait pour se persuader qu'il savait ce qu'il faisait, ce qui était loin d'être le cas. De son côté, elle ne quittait pas l'autoroute des yeux. Elle conduisait avec la plus grande prudence, se méfiant à la fois de l'obscurité et de sa semi-ébriété. Elle n'était pas franchement ivre, mais elle voulait éviter de griller un feu rouge ou de manger une ligne jaune. Ces petites fantaisies faisaient toujours surgir sournoisement des ténèbres une voiture de patrouille, trop heureuse de jouer aux sons et lumières avec ses gyrophares, et qui vous coinçait sur le bas-côté. Puis, un grand macho cheveux blonds, yeux bleus, sanglé dans son uniforme, badge à la casquette, s'en viendrait lui flanquer un infarctus en lui demandant : « Que transportez-vous dans votre coffre, madame? »

C'est donc l'œil aux aguets qu'elle écoutait à moitié Bruce raconter la façon dont il ferait joujou avec Howard, le retournerait doucement sur le gril avant de lui serrer la vis et de lui faire cracher jusqu'à son dernier sou. Après quoi il se retirerait quelque part dans le Middle West, parce que la Californie, ras le bol, et se mettrait dans les affaires afin de mener la grande vie, de se payer tous les trucs qu'il n'avait jamais pu avoir et ainsi de suite... Même en n'écoutant que d'une oreille, Diane se rendait compte que pas une seule fois il ne mentionnait son existence à elle. Comme si elle n'était plus là; parce que, à présent, il ne se donnait plus la peine de jouer la comédie pour la laisser croire qu'il agissait autrement qu'en solo. En fait, elle préférait presque ça. Le pire aurait été qu'il se comporte gentiment avec elle.

Elle quitta l'autoroute et s'engagea sur la longue boucle qui montait vers San Vicente Boulevard. A partir de là il lui restait à peine deux kilomètres pour arriver chez elle. Pas une fois elle n'avait interrompu Bruce dans son monologue, qui bien entendu, n'avait jamais fait la moindre allusion au pauvre Teddy, passager muet et solitaire dans son cercueil glacé à l'arrière de la voiture.

Elle arrêta la Datsun devant l'entrée du parking de son immeuble, donna un coup de coude à son voisin pour le faire taire, et du doigt lui indiqua la boîte à gants dans laquelle se trouvait la télécommande pour ouvrir la porte à glissière à présent verrouillée. Puis elle alla se garer sur son emplacement et coupa le contact. Dans le silence qui suivit, elle crut percevoir les battements de son propre cœur et, un instant affolée, elle se demanda si son complice n'allait pas s'en rendre compte. Heureusement, tout cela n'était que le produit de son imagination et le seul bruit qu'ils entendirent fut le fracas de la porte qui se refermait.

Un moment immobiles, ils contemplèrent les silhouettes fantomatiques des voitures vides alignées sous le maigre éclairage du parking. Pas âme qui vive... Puis Bruce jeta un coup d'œil sur la forme allongée sous la couverture avant de s'adresser à sa compagne.

– Bon. On y va?

Le sang reflua du visage de la jeune femme. Elle avait la gorge sèche. Elle craignait de répondre de peur que sa voix ne la trahisse, et se contenta d'un signe d'acquiescement.

– Tu montes, tu ouvres la porte et tu reviens me chercher, ordonna-t-il.

Attrapant son sac à main, Diane entreprit de fourrager dans le bric-à-brac qu'il contenait.

– Magne-toi, tu veux? grogna Bruce, nerveux.

– Oh, mince alors..., gémit-elle.

– Quoi encore?

– Là, tu vas m'engueuler, Bruce.

– Qu'est-ce qui se passe?

– J'ai fait l'idiote. J'ai laissé les clefs dans l'appartement.

Il se pencha vers elle, l'œil mauvais.

– Écoute, c'est pas le moment.

– Je t'assure, c'est vrai, Bruce.

Son complice se crispa de fureur.

– Passe-moi ce sac.

Elle le lui tendit. Il le fouilla rageusement avant de le lui jeter à la figure.

– Idiote!

Il se mit alors en devoir d'explorer ses propres poches.

– Dis donc, tu m'as pas donné une clef la nuit dernière?

– Si, mais je l'ai récupérée hier pendant que tu dormais.

– C'est pas vrai!

Il avait adopté un ton geignard.

– C'est pas vrai, ça! Et le gardien? Va le chercher, le gardien.

– Il n'habite pas là. Il quitte son travail à six heures.

– Merde, merde, merde!

– Mais dis donc, Bruce, tu peux l'ouvrir cette porte, non? S'il y a quelqu'un qui...

Un tic déforma le visage moite de transpiration du gros type.

– Tu as un objet en plastique? Une carte de crédit, par exemple?
– Oui, oui.
Elle plongea la main dans la boîte à gants pour en retirer un assortiment de cartes délivrées par des marques d'essence qu'elle énuméra.
– *Mobil, Chevron, Texaco...*
– Donne-m'en une, n'importe laquelle.
– Tu crois que ça ira?
– Faudra bien.
Il lui arracha la carte des mains.
– Bon, vas-y. Je t'attends ici, reprit-elle.
– Pas question, tu montes avec moi.
– Enfin, Bruce, il faut que quelqu'un reste ici pour...
– Discute pas. Tu viens avec moi. Allez, vite.
– Pourquoi?
– Suppose qu'un voisin me voie en train de bricoler ta porte. Il me prendra pour un cambrioleur.
– C'est ridicule.
– Rien à foutre. Allez!
– Je persiste à croire que...
– Obéis bon Dieu!
Ils prirent l'ascenseur. Tandis qu'il s'agenouillait devant la porte et farfouillait dans la serrure avec la carte de crédit, la jeune femme ne cessait de surveiller leurs arrières. Pas un chat. Derrière leurs portes, les voisins regardaient la télé. Une sorte de rumeur rassurante parvenait jusqu'au palier. Dialogues inintelligibles, brusques éclats de rire... cela eut pour effet de la détendre un peu. Heureusement, car elle était à deux doigts de l'évanouissement tant elle crevait de peur.
Bruce se mit à marmonner. Il avait la nuque et les épaules couvertes de sueur.
– Ça ne marche pas, ronchonna-t-il, je n'y arrive pas, il va falloir qu'on...
Tout à coup, Diane sortit la main de sa poche.
– Oh, dis donc... regarde, Bruce, la clef...
– Quoi?
Pesamment il se remit sur pied.

– Je l'avais dans ma poche!

Avant qu'il ait réagi elle glissa la clef dans la serrure, ouvrit la porte, entra, alluma les lumières et se dirigea vers la petite table basse où elle avait posé son autre sac à main qu'elle ouvrit.

– On redescend, dit-il.

Il n'était même pas entré.

– Viens voir ici, vite, lui dit-elle d'un ton pressant.

– On n'a pas le temps. Rapplique.

Mais il entra.

Se précipitant vers le congélateur, elle venait de le déboucler et de bloquer le panneau de fermeture en position ouverte. Une légère buée blanchâtre s'éleva du gros frigo vide.

– Qu'est-ce que tu fabriques? Referme-moi ça.

L'air furieux, il s'avança vers elle.

– Non, je tiens à ce qu'il reste ouvert, lui répondit-elle paisiblement.

Il la repoussa et se pencha pour refermer le panneau.

– Bruce... Regarde!

Elle avait hurlé.

Il tourna la tête, et l'effroi se peignit sur son visage tandis que ses yeux s'écarquillaient de terreur.

– Non, attends, pas ça!

– Tu parles!

Une note de triomphe féroce perçait dans son ton tandis qu'elle appuyait frénétiquement sur l'injecteur de l'horrible petit pulvérisateur brunâtre qu'elle serrait dans sa main, et que, presque simultanément, son complice poussait un effroyable hurlement qui se mua très vite en un râle d'agonie.

A plus de cent-vingt à l'heure la Porsche avalait le ruban de l'autoroute. Teddy, vêtu d'un jean et d'une chemise à col ouvert était redevenu lui-même, Howard remisé dans le coffre en compagnie de son attaché-case et de sa cravate. En changeant de tenue dans le parking sombre et désert, Teddy avait eu l'impression de se retrouver plus jeune d'une semaine, ce qui lui avait semblé invraisemblable.

Une semaine?

Pas plutôt un an?

Dans les ténèbres de la vieille route de Malibu sur laquelle il roulait à présent, il distingua bientôt sa maison. Les grandes illuminations, la musique un peu trop forte... Rien n'avait changé depuis son départ. Cela lui redonna un peu de cœur au ventre.

Une fois à l'intérieur, il prit soin de couper la radio avant d'inspecter les lieux pour y rechercher toute trace d'intrusion. Ce fut dans la cuisine qu'il conçut ses premiers soupçons. Fausse alarme provoquée par le passage de Mme Mahoney, qui avait ramassé son message ainsi que les pièces de bœuf stockées dans le réfrigérateur. Pas de quoi se glacer les sangs. Pourtant, il sentait que ce n'était que partie remise. Le pire restait à venir. Il se dirigea vers la petite véranda à l'arrière de la maison.

L'énorme, le monstrueux congélateur y vrombissait à plaisir comme pour se moquer de lui, de ses appréhensions, de ses frayeurs. Rien que de très normal somme toute. Mais il en fallait plus que cela pour le mystifier : il sentait bien que la grosse machine cherchait à le tromper. Débouclant le cadenas, il souleva le panneau d'ouverture et glissa un œil inquisiteur dans l'engin. Tout était là, chaque paquet de victuailles soigneusement en place pour donner l'illusion que rien n'avait bougé, mais lui, il savait ce qui l'attendait au fond du congélateur. D'avance il imaginait la surface blanche et brillante qu'il allait découvrir, maintenant qu'aucune housse de plastique ne la couvrait plus. Toujours fébrile, il accéléra le mouvement, jetant les paquets de-ci, de-là, prêt au pire que d'ailleurs il méritait pour la négligence dont il avait fait preuve. A sa grande stupéfaction, la housse à vêtements était toujours là, identique en sa forme, celle du corps de Howard, mais pas un instant il ne crut à ce mirage et, tel saint Thomas, il s'empressa de vérifier par le toucher ce que ses yeux refusaient d'admettre. Cette fois plus de doute, il ne pouvait pas mettre en question les signaux que ses sens tactiles transmettaient à son cerveau incrédule. Il ne put réprimer un formidable éclat de rire tandis qu'une vague de soulagement le submergeait. Puis l'incongruité de sa conduite lui apparut et, à la hâte, il se remit à dissimuler le cadavre de son frère sous des monceaux de petits pois, côtelettes d'agneau, morue séchée, bref tous ces aliments congelés dont il avait jonché le sol. Puis il referma le panneau et boucla le cadenas. Cela fait, il repassa au living se préparer un grand verre de Tequila.

C'était la confusion la plus totale. A n'y rien comprendre! Soulagé et ravi, certes, mais surtout sidéré. Tant d'affolement pour rien? Était-il en train de craquer? Peut-être les conséquences d'un dédoublement de personnalité de trop longue durée? Ou alors, il y avait autre chose?

Parce que Diane et son malabar étaient bien sur une piste, non?

Mais laquelle?

Il s'affala sur le canapé et s'efforça de reprendre ses esprits jusqu'à ce que, peu à peu, la situation lui apparaisse avec plus de netteté. A la première idée, il ébaucha un sourire. Ce n'était pas possible. C'était plus ridicule que vraiment drôle; si débile même que c'en était invraisemblable. Et pourquoi pas après tout?

Diane serait-elle toujours à la recherche de cette foutue bande magnétique qu'il avait inventée pour lui flanquer la trouille? Et toute cette histoire ne reposerait que sur du vent? Elle n'avait aucune intention de les descendre en flammes, Jo Anne et lui? Tout ça pour un truc qui n'existait pas? Et lui qui avait paniqué comme un fou!

Si seulement il avait su où joindre Jo Anne! Comme il aurait aimé lui faire partager son hilarité! Pas seulement à propos de Diane et de son gorille. Car qui venait de rater son avion, et allait se farcir le conseil d'administration sans une bonne nuit de sommeil, hein? Pendant que ses bagages volaient vers New York, lui il était ici, à jouer tout seul aux gendarmes et aux voleurs!

Pour Jo Anne d'accord, il ne savait pas où la trouver, mais pour les toilettes, pas de problème, il était quand même chez lui. Des sensations fortes plus un coup de

Tequila, il y avait de quoi vous chambouler la vessie d'un honnête homme. Sitôt dit sitôt fait. Mission accomplie, il dut se battre avec la fermeture Eclair de son jean un peu trop neuf. Bon, il n'était pas là pour se tracasser sur des histoires de fermetures à glissière.

Fermetures? A continuer ainsi, ça tournait à l'obsession.

Non attention, pas des fermetures. Une fermeture.

Laquelle? Voilà que le signal d'alarme carillonnait à nouveau.

Mais oui, la fermeture de la housse à vêtements.

Mais oui, bon sang, la fermeture Eclair de la housse à vêtements qui se trouvait dans le congélateur.

Celle qui protégeait Howard des agressions du monde extérieur.

Et alors, que venait-elle faire là, cette fermeture? Il n'allait quand même pas passer la nuit là-dessus?

Elle n'avait pas eu l'air un peu trop brillante, un peu trop neuve?

Et alors?

Les autres fois, elle lui avait paru plus terne. Forcément, avec la pellicule de givre qui la recouvrait...

Bon?

Mais tout à l'heure, quand il avait inspecté la housse, elle brillait comme un sou neuf. Elle n'était pas du tout givrée. Comme si quelqu'un s'en était servi... récemment.

Récemment.

Oui.

Mais enfin, Howard était bien là. Je l'ai vu.

Non tu n'as rien vu. Tu n'as pas regardé. Tu avais tellement la trouille!

– Mais si, il y est!

Il avait parlé à voix haute, secouant la tête. Évidemment. Ce qui ne l'empêcha pas de se lever et de foncer vers la cuisine. Ça allait durer longtemps ce mic-mac? Il est là, répéta-t-il en déverrouillant fébrilement le cadenas pour soulever le panneau, replonger dans le tas de victuailles et balancer les paquets sans le moindre ménagement afin de faire coulisser cette saleté de fermeture qui avait le toupet de ne pas fixer le givre.

– Tu es là, Howard, n'est-ce pas? Howard! hurla-t-il à nouveau en contemplant les deux morceaux de viande qui semblaient le narguer.

Alors ne pouvant plus en supporter la vue, il se redressa lentement, anéanti.

Envolé. Le cadavre s'était envolé.

Diane l'avait enlevé. Avec son complice, elle avait enlevé le corps de Howard.

D'une manière ou d'une autre, elle avait fini par comprendre qu'elle avait commis un meurtre, et elle cherchait par tous les moyens à s'en sortir.

Hébété, Teddy regagna le living-room, cherchant à reprendre ses esprits.

Savait-elle seulement qui avait été sa vraie victime?

Comment l'aurait-elle su?

Les seuls à être au courant, c'étaient Jo Anne et lui.

Donc, Diane ne savait rien du tout.

Pour elle, le survivant devait être Howard, Howard qui avait caché le corps, Howard qui avait projeté de se venger d'elle d'une façon ou d'une autre. Ce qu'elle pouvait imaginer ne reposait que sur la certitude qu'elle l'avait assassiné lui, Teddy Stern, l'homme qu'elle avait aimé à sa manière. Elle venait donc d'escamoter la preuve de son crime. C'est pour sa propre peau qu'elle se battait, pour supprimer tout ce qui pouvait l'accuser, alors que personne ne songeait à le faire. Mais cela, comment l'aurait-elle su?

Il se précipita sur le téléphone, et composa le numéro de la jeune femme. On lui aurait dit qu'il la rappellerait un jour, il n'y aurait pas cru. Ce qu'il allait lui raconter? Aucune idée, mais il fallait qu'il se débrouille pour reprendre les choses en main.

Il fallait qu'il récupère Howard.

Il fallait qu'il retrouve Diane avant... avant quoi?

Consterné, il constata que le numéro de la jeune femme sonnait occupé.

La Porsche était garée dehors. Puissante comme elle

était, en moins de deux il serait à Brentwood. Ainsi, il la prendrait par surprise. En jouant sur sa culpabilité, il avait des chances de récupérer le cadavre de son frère et de tout remettre en ordre, son ordre à lui et non celui de Diane.

Toujours occupé. Il raccrocha et, sans plus attendre, se précipita vers la porte...

A deux cents kilomètres de là, Millie Mac Vorter, qui avait composé le numéro de sa fille depuis deux bonnes minutes, laissa l'engin sonner encore un peu avant de raccrocher à son tour. Ce n'était d'ailleurs que partie remise, car elle avait la ferme intention de rappeler jusqu'à ce que Diane réponde.

Teddy gara la voiture de sport à distance respectable de l'entrée de l'immeuble. Voilà un bail qu'il n'était pas venu dans le coin. La dernière fois remontait à l'époque où ils s'étaient rencontrés, quand il la raccompagnait après avoir dîné chez *Jœy,* être allé au cinéma ou avoir pris un bol de Chili tardif à la gargotte de *Joe Allen.* Elle n'avait pas tardé à lui proposer de monter boire un dernier verre, ce qui avait bien entendu préludé à des ébats d'une nature plus passionnante. Cette période resterait parmi les plus glorieuses de celles qu'il avait vécues, érotiquement s'entend. Puis elle s'était installée chez lui et, peu à peu, il avait compris que les intentions de sa maîtresse dépassaient le côté éphémère qu'il avait coutume d'attacher à ses relations amoureuses, ce qui avait amorcé le processus de détérioration de leurs rapports. La jeune femme n'avait pas tardé à noter ses réticences tandis que grandissait en lui ce qui allait devenir la véritable obsession de se débarrasser d'elle. Cela avait été le début de la fin.

Devant la porte de l'appartement de Diane, il tendit l'oreille. Des voix inconnues lui parvinrent, le faisant douter un instant d'être sur le bon palier. Puis il comprit qu'il s'agissait de la télévision et se prépara à sonner, mais remarqua alors que la clef était restée sur la serrure. Curieux, curieux!

Il ouvrit précautionneusement la porte et glissa un coup

d'œil à l'intérieur. Tout était allumé, y compris la télé, mais apparemment personne ne la regardait. Il se risqua donc à entrer en appelant la jeune femme. Pas de réponse. Une inspection rapide des lieux lui apprit qu'il était seul.

Après avoir éteint le poste, il regarda autour de lui. A l'autre bout de la pièce, il remarqua aussitôt un meuble qu'il ne se souvenait pas avoir vu à l'époque où la maîtresse de maison le conviait à partager son lit. A première vue on aurait dit une espèce de coffre, sans doute un truc exotique, puisqu'il se trouvait dans le living-room. En y regardant de plus près, Teddy n'eut plus le moindre doute sur la nature de l'engin ni sur l'usage qui lui était dévolu. Ne comprenant toujours pas le rôle diabolique que ces deux-là entendaient faire jouer au cadavre de son frère, Teddy réalisa rapidement qu'il était seul dans l'appartement et que c'était une occasion inespérée de déjouer leurs sinistres projets.

S'approchant du gros congélateur, il en étudia quelques instants les caractéristiques puis en saisit la poignée pour l'ouvrir en grand. Il attendit que l'épaisse buée dégagée par l'engin se dissipe et se pencha, avec l'idée d'y découvrir le corps de Howard. A sa surprise horrifiée, ce fut le monstrueux cadavre d'un obèse qui lui sauta au visage. Les yeux exorbités sous leur pellicule de givre, les traits déformés par une ultime et abominable grimace qui découvrait une dentition de cauchemar, la bouche ouverte comme en une dernière et vaine tentative d'aspirer une bouffée d'oxygène, la tête massive auréolée d'une longue chevelure blondasse saupoudrée de givre, l'effroyable dépouille gisait tel un pantin grotesque. Inutile de chercher la coupable. Teddy comprit alors intuitivement que s'il ne rattrapait pas la jeune femme et par la même occasion Howard, car il était évident qu'il ne trouverait pas l'un sans l'autre, tous ses espoirs étaient irrémédiablement perdus. Encore fallait-il qu'il en soit toujours temps.

Il fallait la retrouver. Mais où?

Il sortit son mouchoir pour essuyer les empreintes qu'il

avait pu laisser sur le congélateur ou le poste de télévision. Il était sur le point de sortir lorsque le téléphone sonna.

Il regarda fixement l'appareil. Et si c'était elle?

Impossible.

Immobile, il attendit que la sonnerie cesse. Ce ne pouvait être Diane mais on aurait dit que celui ou celle qui appelait cherchait à tout prix à joindre la jeune femme et n'allait pas raccrocher de si tôt. Comme hypnotisé par le téléphone, il finit par s'en approcher et, le mouchoir toujours à la main, décrocha le combiné qu'il appliqua contre son oreille sans prononcer un mot.

Après un temps de silence, une voix de femme s'éleva. Un instant il pensa que c'était quand même Diane mais, en dépit d'intonations identiques, la voix de son interlocutrice était celle d'une personne plus âgée.

– Allô, Diane?... Allô?... Diane, réponds-moi je t'en prie... Ma chérie?... Je t'en prie... Diane... Je sais que tu es là... Je t'en supplie, dis-moi quelque chose... Écoute-moi bien, ma chérie, je veux que tu me promettes de ne pas piloter ton avion ce soir... Tu m'entends, Diane? Je n'ai rien compris à cette histoire de voyage aérien dangereux dont tu m'as parlé, mais tu m'as fait peur. Tu m'entends, Diane, je suis morte de peur. Dans l'état où tu es, physiquement et moralement, je t'interdis de...

Il était déjà dans l'escalier, dévalant les marches quatre à quatre.

25.

– Ça pèse une tonne, ce fourbi-là, observa Lou Poliano avec un grand sourire.

– Je vous avais dit que c'était lourd, répondit-elle, réprimant un haut-le-cœur.

Comme promis, il avait sorti le macabre fardeau de la Datsun et, à présent, le tenant chacun par une extrémité, ils traversaient l'aire de stationnement du terrain d'aviation vers le Cessna bicolore qui les attendait. Le simple contact de la housse de plastique était en soi réfrigérant, mais en plus, à guetter les éventuels soupçons qui risquaient d'apparaître sur le visage de l'agent des services de sécurité, Diane se sentait encore plus déprimée. Pourtant, l'adoration qui se lisait dans le regard du vétéran aurait dû la réconforter.

– Il y a de quoi nourrir un régiment là-dedans, commenta-t-il.

– Ma mère a l'habitude de faire ses courses seulement une fois par mois.

– Là, elle en a pour un an! J'espère qu'elle aura au moins la reconnaissance du ventre!

– Ça vaudrait mieux.

Ils avaient atteint l'avion.

– O.K. mon chou. Lâchez tout, je m'en occupe. Je vous demande juste de vous écarter.

– Vous pensez vous débrouiller seul?

– On verra bien.

Nerveusement, elle inspecta les alentours. Pas un chat, Dieu merci! A cette heure-ci, décollages et atterrissages étaient plutôt rares. Sagement alignés comme à la parade, les avions sans pilotes semblaient sommeiller. De l'autre côté du terrain, au bout de la piste 21, les verrières de la tour de contrôle étaient plongées dans l'obscurité sous leur diadème de lumières rouges; on aurait pu croire que les contrôleurs l'avaient désertée. A la lisière sud de l'aérodrome, perchée sur un long mât d'acier, la balise permanente émettait ses signaux alternativement jaunes et verts comme pour inviter les oiseaux de nuit à regagner leur nid.

Tout semblait trop calme ici. Cela ne lui plaisait pas du tout. La vision cauchemardesque d'un énorme cadavre gémissant lugubrement en s'extrayant de son cercueil émaillé pour venir la hanter au sein des ténèbres traversa l'esprit de Diane. Quelle horreur! Il fallait qu'elle boive quelque chose, et tout de suite! Seulement, elle avait laissé le flacon de *Wild Turkey*, dans la voiture. Et pas question d'y retourner tant que Lou était dans le coin.

– Comment ça se présente, mon chou?

Il avait réussi à faire passer la housse à vêtements par la portière côté passager et à l'allonger sur le siège qu'elle avait rabattu en position inclinée.

– Magnifique!

– Vous pensez vous en sortir seule, maintenant?

Elle acquiesça de la tête.

– Je ne vous remercierai jamais assez, Lou.

– Ne dites pas de bêtises! Ça me fait toujours plaisir de vous donner un coup de main.

Impulsivement elle lui sauta au cou et lui planta un gros baiser retentissant sur la joue.

– Oh, mon chou, mon chou...

Il y avait un peu de désespoir dans sa voix et il tourna les talons car il n'y avait rien à ajouter. D'ailleurs, il devait rejoindre au plus vite le poste de garde. Si d'aventure quelqu'un pénétrait sur le terrain sans contrôle, il se ferait virer.

Bon Dieu de feu rouge! Il n'en finirait donc jamais...
En plus, il ne servait à rien. Le carrefour était désert.

Passant en seconde, il écrasa l'accélérateur de la Porsche, traversa Montana Boulevard comme une fusée dans un long mugissement de caoutchouc rapé. Il avait déjà presque atteint Wilshire Boulevard lorsque l'écho de son démarrage en trombe s'éteignit enfin.

Elle avala une dernière gorgée de courage artificiel, reboucha la bouteille et la déposa sur le siège de la voiture. Puis elle se saisit de la lourde ceinture de plongée, un bon poids de plomb enveloppé de nylon, et repartit vers l'avion d'un pas à son gré trop lent. Jusqu'ici tout allait bien, mais d'un moment à l'autre, elle risquait de voir rappliquer la Ford Pinto rouge des services de sécurité. Et s'il y avait une chose à laquelle elle ne tenait pas, c'était bien à les voir fourrer leur nez dans ses affaires.

– Excusez-moi, Miss, mais il faudra déplacer votre voiture. Si un avion rentre au parking, vous comprenez...

– Je sais, je sais. Seulement chaque élément de cette ceinture de plongée pèse plus de vingt kilos, alors je n'avais pas envie de trimbaler tout ce poids depuis le parc de stationnement.

– Vous n'avez pas l'intention d'aller faire de la plongée ce soir?

– Évidemment pas. C'est pour ficeler le cadavre de Teddy que je prends ça. De cette façon, lorsque je le balancerai hors de l'avion, il coulera à tout jamais dans l'océan.

– Ah, je vois! C'est un ami à vous?

– Ça l'a été.

– Écoutez voir, ça ne me regarde pas, Miss, mais comment allez-vous vous débrouiller pour le jeter de votre avion?

– Par la portière, tiens!

– Avec le défilement de l'air sur la carlingue. Vous n'arriverez même pas à l'entrebâiller, cette portière.

– Vous me prenez pour une folle, hein? C'est ce que

tout le monde pense. Bon, je vous explique. D'abord, je déverrouille la portière. Ensuite, je réduis les gaz et la vitesse jusqu'à la limite du point de décrochage. Là, je me mets en virage serré sur la droite, je le pousse un bon coup et, à votre avis, plus de cent kilos alliés aux lois de la gravité universelle, cela ne fera pas l'affaire?

Ça, pour lui fermer le clapet, ça le lui ferma pour de bon. Plus un mot! Et pour cause, il n'était pas là.

Lâchant la grosse ceinture sur le siège arrière du Cessna à côté de celle qui s'y trouvait déjà, elle s'adressa à son passager.

– Bouge pas d'ici, toi. Je reviens.

Elle regagna la Datsun, la ramena au parc de stationnement, récupéra la flasque de *Wild Turkey*, ferma la voiture et repartit à vive allure vers le Cessna.

Normalement, elle aurait dû effectuer la visite prévol de l'avion. Mais le temps lui manquait, et elle ne pouvait pas laisser Teddy décongeler. Elle détacha les chaînes qui maintenaient les ailes et la queue au sol, enleva les deux cales de bois placées sous les roues et les balança à bonne distance. Puis elle s'installa à la place du pilote saluant de nouveau son passager : « Me revoilà ». Elle se pencha par-dessus la housse pour verrouiller sa portière puis remit le siège en position haute avant de boucler la ceinture de sécurité autour du macabre ballot. Pas question de le laisser s'affaler sur le manche ou gêner ses manœuvres sur le palonnier. Elle n'avait rien contre le copilotage, mais pas dans ces conditions-là.

Déjà le pilote principal risquait de ne pas être fameux, se dit-elle en glissant un œil vers la bouteille à ses côtés. Elle attacha sa propre ceinture, ferma et verrouilla sa portière, respira un bon coup.

Bon. A toi de jouer...

Mieux valait se méfier en conduisant sur Bundy Drive. Lignes droites et virages serrés s'y succédaient, invitation à mettre la gomme au risque de se trouver nez à nez avec une voiture mal garée, et alors, bonjour les dégats! Jurant à haute voix, Teddy regarda la mort en face, braqua à droite en une superbe queue de poisson pour la voiture qu'il venait de doubler et, sans se soucier des coups de klaxon hargneux qui saluaient sa manœuvre, poursuivit sa course folle, slalomant le long de la file des limaces à moteur qui le précédaient.

A la hauteur de l'Olympic Boulevard, le feu venait de se mettre à l'orange. Pas la moindre chance de passer avant le rouge. Il écrasa l'accélérateur, plongeant sur les véhicules qui arrivaient transversalement, sourd à leurs protestations indignées, fonça en direction de Pico, parvint au carrefour juste avant que le feu ne passe au vert, manqua d'un poil l'arrière d'une voiture, avala Pearl et Ocean Park ainsi qu'un orange bien mûr à National et se retrouva enfin à rouler comme une brute le long des grilles qui clôturaient le terrain d'aviation.

A quelque distance, il aperçut le panneau indicateur *Aéroport de Santa Monica.* Il vira à droite dans Airport Avenue, accéléra vers l'entrée puis, d'un coup, bloqua les freins, rangea la Porsche sur le bas-côté et regarda fixement à travers le pare-brise.

Devant lui, la porte d'accès, fermée par une barrière. Au même endroit, un Pick-up Dodge rouge sur lequel se détachaient les mots Police de l'Air. Dans la guérite du poste de garde, la silhouette d'un membre des services de sécurité.

Réfléchis vite, mon grand, réfléchis vite!

Tu réalises bien où tu es en train de te fourrer?

Non.

Tu tiens à ce que ton nom, je veux dire le vrai ou alors celui de Howard, soit mêlé à la macabre découverte que tu as faite à Brentwood?

Non.

Et que, par conséquent, tu deviennes le complice de Diane?

Non.

Alors attention, danger!

Oui, c'est sûr.

Bon, eh bien, dépêche-toi.

Il jeta un coup d'œil sur sa gauche. La façade du

bâtiment admnistratif était éclairée, mais pas l'intérieur. Ouvert à tous, le vaste parking qui y était accolé était désert.

Il fit demi-tour pour aller se garer dans le coin qui lui parut le plus tranquille. De là, pas de danger que quiconque remarque ses plaques d'immatriculation. Refermant sa portière à la volée, il courut alors vers l'entrée du terrain.

Il lui sembla que le brouillard avait envahi l'habitacle et que les instruments de bord s'estompaient devant elle. A nouveau, elle respira un bon coup et les choses reprirent leur netteté. Allez, Diane, vas-y. Plus d'histoire. Vas-y c'est tout. Le bouton rouge de contrôle du mélange sur maximum, allez, pousse! C'est bon. Manette des gaz à mi-course. O.K. Ramène un peu, non pas trop, voilà. Le réchauffe-carbu maintenant, là sur la gauche. Bien. Contact, 1 + 2, le bouton rouge. Branche-le. Allez, vas-y. Ça y est. Et le coupe-batterie, tu t'en es occupée? Évidemment pas. Alors fais-le. Écoute Diane! Où as-tu mis la clef? Tu l'as dans la main... Mais une seconde. Où sont tes pieds? En tout cas, pas sur la partie supérieure du palonnier. Qu'est-ce qui te prend, tu veux mettre en route sans avoir les pieds sur les freins de roues? Voilà. Comme ça, c'est bon. A présent, la clef. Tourne. Parfait.

Péniblement l'hélice fit un tour, puis deux..., trois.

Et d'un coup, le moteur démarra.

Quelque peu éberlué, Lou Poliano quitta sa guérite et inspecta les alentours. Il sortait du néant, ou quoi, ce type? D'habitude, ils arrivent en voiture et se contentent de baisser la vitre...

– Vous cherchez quelque chose?

– Oui, répondit Teddy d'un ton bref. J'aimerais entrer si c'est possible.

– Vous êtes propriétaire? Vous avez un avion sur le terrain?

– Non, non. En fait je... euh... Vous savez peut-être si une certaine Miss Mac Vorter est venue ici ce soir. Elle possède un...

– Diane, vous voulez dire?

Le visage de Poliano s'était éclairé.

– Y a pas deux minutes, j'étais en train de lui donner un coup de main pour charger des provisions dans son avion.

– Des provisions...

– Hé, mais dites donc, il me semblait que je vous avais déjà vu. Vous êtes Teddy Stern, non...?

– Non, non, je...

– Je vous ai vu à la télé, monsieur Stern. Diane me le disait toujours quand vous y passiez. Moi je m'appelle Lou Poliano. Je peux vous serrer la main?

– Je suis un peu pressé, monsieur Poliano.

– Appelez-moi Lou, s'il vous plaît.

– Je peux y aller?

– Où est votre voiture?

– Là derrière, de l'autre côté de la rue...

– Vous auriez dû venir avec. Je vous aurais laissé vous garer là-bas.

– Écoutez, je voudrais lui dire au revoir avant qu'elle ne...

– Attendez un instant, je vais voir si elle n'a pas décollé. Il se peut que vous arriviez un peu tard.

Décrochant un petit talkie-walkie de sa ceinture, il le brancha.

– Tour de Santa Monica, ici Unité 12.

Un voix mâle répondit.

– Je vous écoute, Unité 12.

– Charlie, j'ai un copain avec moi ici.

D'un air gêné, Lou Poliano jeta un coup d'œil à Teddy.

– Enfin, un copain d'une de nos habituées, Diane Mac Vorter. Le Cessna bleu et blanc. Quatre deux sept quatre huit, il me semble. Elle a déjà décollé?

– Quitte pas.

En attendant, Lou observa l'acteur. Il semblait pâle et nerveux, à la lumière de la guérite. Qu'est-ce qui pouvait bien le tracasser?

– Unité 12, ici la Tour de Santa Monica.

– Alors?
– Non, elle n'a pas encore appelé.
– Merci, salut.
Reportant son attention sur Teddy, il annonça :
– Elle est toujours là, Vous avez de la chance, mais grouillez-vous!
Du doigt, il lui indiqua le chemin.
– Vous grimpez la rampe là, et après, c'est à droite.
– Je connais, répondit Teddy en s'éloignant.
– Eh! Il me faut votre signature, monsieur Stern!
– Oh bon sang, c'est obligé?
– Il y en a pour une seconde.
Passant la main par la fenêtre de la guérite, il attrapa un registre qu'il tendit à son interlocuteur.
– Nom, adresse et références de la personne que vous venez voir.
– Merde, commenta Teddy.

Le chant mâle et plein d'autorité du moteur de l'avion avait toujours représenté pour elle le moment de vérité. Il la galvanisait, la remettait immédiatement en état d'exécuter avec compétence l'ensemble des procédures précédant le décollage.
Elle commença par allumer le tableau de bord, puis les trois feux de position, deux en bout d'ailes et un sur la queue, et enfin le gyro qui produisait ses éclairs rouge au sommet du plan fixe vertical de la dérive. Rapidement elle contrôla l'anémomètre, la pression d'huile et la jauge à essence, et constata que le réservoir était aux trois quarts plein; largement assez pour les deux à trois cents kilomètres qu'elle comptait effectuer au-dessus de l'océan.
Puis elle brancha son émetteur-récepteur radio et afficha la fréquence correspondant à la tour de contrôle. Cela fait, elle pressa le bouton de son micro.
– Tour de contrôle de Santa Monica, ici Cessna quatre deux sept quatre huit. Demande autorisation de prendre le taxiway pour décollage.
Elle reconnut sans peine la voix de Charlie, à la tour.

– Cessna quatre deux sept quatre huit, de tour de contrôle. Empruntez le taxiway pour piste deux un. Calage altimètre deux neuf neuf cinq, vent du secteur nord-est à zéro sept zéro degrés, dix nœuds par rafales.

Elle eut la très nette impression qu'il ajoutait, à voix beaucoup plus basse.

– Diane, il y a quelqu'un qui vous cherche ici.

Elle avait dû rêver parce que Charlie ne transgresserait jamais le règlement. En outre, qui pouvait lui courir après quand tout ce qu'elle avait fait les jours précédents avait été de tuer son actuel passager et de se débarrasser de Bruce? Ce dernier toutefois, nul ne prétendrait qu'elle l'avait tué; elle avait seulement refermé le congélateur après que, aveuglé, il ait trébuché et culbuté dans l'engin. Donc elle avait mal compris la fin du message de Charlie si il avait vraiment dit quelque chose. En tout cas un petit remontant lui ferait du bien, fût-ce pour chasser les fantômes. Allez, salut les spectres, salut les Teddy et autres Bruce!

Après avoir rebouché la flasque, elle n'eut plus qu'une envie : décoller au plus vite. Mais il lui restait encore un truc à faire. Les pieds bien calés sur les freins, elle poussa lentement la manette de gaz, écoutant avec délice le grondement croissant du moteur. C'était cela qu'il lui fallait, ce fantastique rugissement qui lui éclaircissait les idées. Quelle musique, Seigneur! Une jouissance physique. Par-dessus le capot moteur, à travers le pare-brise, elle distinguait nettement la tour de contrôle. Ils devaient tous être là-dedans à se demander ce qu'elle fabriquait avec son moulin. Un instant, l'envie la prit de brancher le micro pour leur expliquer le bien que cela lui procurait, le plaisir qu'elle en retirait.

Puis d'un coup, patatras! Non seulement elle entendait des fantômes mais voilà qu'elle en voyait un maintenant, accourant vers elle dans les ténèbres, l'implorant de sa bouche muette, poussant des cris que couvrait son moteur. Qui que ce soit, ce ne pouvait être lui, car il reposait à ses côtés sur le siège voisin; il ne pouvait donc être en train de courir vers elle, et si elle attendait encore, un autre spectre, à la longue chevelure blonde, se manifesterait aussi.

Il fallait qu'elle file parce que le premier approchait. Il avait déjà agrippé la poignée de sa portière et la regardait fixement. Ce n'était même pas elle qu'il dévisageait, mais son propre corps à lui, oui son propre corps sur le siège d'à côté, et des clameurs s'échappaient de ses lèvres, qu'elle n'entendait pas car le vacarme était trop violent, parce que pour rien au monde elle ne voulait ni l'entendre ni le voir, plus jamais!

– Écarte-toi, disparais! hurla-t-elle...

L'avion se mit à rouler.

Elle n'avait sûrement pas entendu une seule de ses paroles, et voilà que l'avion s'ébranlait.

Elle l'avait dévisagé de ses grands yeux effrayés. Sur le siège voisin reposaient Howard et un flacon de *Wild Turkey*. A l'arrière, des ceintures de plongée. Inutile de lui faire un dessin. Il avait eu beau hurler, elle ne l'entendait pas. Et voilà que l'avion commençait à rouler, or il fallait à tout prix qu'il l'arrête, qu'il l'empêche de s'envoler avec Howard.

Il chercha à s'accrocher à l'aile, mais les tourbillons de l'hélice le déséquilibraient et l'aveuglaient, lui projetant au visage des nuages de sable et de graviers. Il tomba à genoux tandis que l'aile gauche passait au-dessus de sa tête. Il comprit qu'elle allait virer à droite, s'engager sur le taxiway pour rejoindre la piste. Alors, adieu Howard!

Il fallait qu'il l'arrête!

Se remettant sur pieds, il se précipita sur l'arrière de l'appareil après que celui-ci l'eût dépassé. Il l'atteignit avant qu'elle n'ait entamé son virage. D'une main, il se cramponna au bord d'attaque du plan fixe horizontal de stabilisation, de l'autre il accrocha le bord de fuite du gouvernail de profondeur, s'ancra aussi solidement qu'il le put dans le sol cherchant à y trouver appui, opposant sa force à celle du Cessna, luttant contre l'énergie déployée par le puissant moteur dont l'hélice le bombardait de graviers. Devant cette résistance inattendue, Diane augmenta le régime moteur, déchaînant un surcroît de vacarme et de force de traction auxquels il répondit par ses propres vociférations mais sans lâcher sa proie jusqu'à ce que, finalement, l'avion se plie momentanément à sa volonté, capitule à moitié en virant un instant sur la gauche, le temps que le souffle puissant de son hélice aspire l'une des cales de roues en bois que le pilote avait jetées sur le côté, la projetant dans les airs tel un fétu de paille avant de la déchiqueter en mille morceaux, comme une scie circulaire en folie, dans le monstrueux tourbillon de ses pales tranchantes. Atteint dans sa chair par les innombrables échardes de bois et, pire encore, par les fragments métalliques qui le bombardaient, Teddy hurla de douleur, et dut cette fois renoncer, tandis que, libre, l'avion poursuivait sa route. Précipité au sol, l'acteur comprit qu'il avait perdu la partie en voyant le Cessna qui s'éloignait avec Diane et Howard, d'un battement régulier de ses pales métalliques couturées de légères cicatrices qui se voyaient à peine et ne semblaient pas prêter à conséquence.

Allongé sur l'asphalte, Teddy remarqua les débris de métal éparpillés et sentit monter en lui de sombres pressentiments. Après avoir regardé une nouvelle fois l'avion qui s'éloignait, il sauta sur ses pieds et se lança à sa poursuite, en dépit de l'état d'épuisement dans lequel il se trouvait, conscient de la vanité de ses efforts et plus encore de son incapacité à convaincre Diane de faire demi-tour, dans l'inimaginable hypothèse où il parviendrait à la rejoindre.

C'est alors qu'elle le vit à nouveau.

Un instant, ô combien fatal, elle quitta des yeux le taxiway plongé dans l'obscurité pour jeter un bref regard dans le rétroviseur, et elle le vit.

Cette fois, il n'y avait plus d'erreur, elle savait qui était son présumé fantôme. L'énergie dont il avait fait preuve, la force de résistance qu'il avait cherché à opposer au départ du Cessna, tout attestait qu'il était bien réel. C'était Howard, il fallait que ce soit lui. Elle aurait dû s'en douter, mais jamais elle n'aurait imaginé qu'il puisse se trouver sur le terrain alors qu'il devait être à New York. De toute façon, il n'avait pas la moindre chance de la rattraper. Elle avait trop d'avance, et l'appareil roulait plus vite qu'il ne courait. Déjà elle arrivait en bout de piste. Bloquant les freins, elle saisit hâtivement son micro.

– Tour de Santa Monica Cessna sept quatre huit demande autorisation de décoller.

– Cessna sept quatre huit, autorisation de décoller. Indiquez direction prévue.

– Sept quatre huit, décollage direct vers l'océan.

– Virage prévu à hauteur de la côte?

Après une légère hésitation, Diane répondit.

– Bien sûr.

– Autorisation décollage direct, bon vol.

Assez musardé! la prévint le rétroviseur.

Howard approchait dangereusement, il était temps de filer.

Elle alluma les phares de piste, afficha deux un zéro sur le conservateur de cap puis, lâchant les freins, remit le Cessna en mouvement, lui fit effectuer un virage sur la gauche pour le présenter nez à la piste, mettant progressivement plein gaz tandis qu'elle laissait aller le manche à mesure que le puissant moteur montait en régime. Dans le grondement rassurant de la machine il lui sembla distinguer un cliquetis inhabituel, mais très vite elle n'y prêta plus attention et se concentra sur les manœuvres requises pour maintenir en ligne son appareil. D'ailleurs le léger frémissement qu'elle avait cru déceler avait cessé. Inertie vaincue, le Cessna bondit sur la piste dans un élan toujours plus vif à l'issue duquel le bel oiseau bleu et blanc prit son essor, abandonnant la terre pour les cieux obscurs qui surplombaient Santa Monica, cinglant plein Ouest vers l'océan Pacifique qu'il atteignit sans marquer la moindre intention de virer pour suivre la côte. Au-dessus des flots, il piqua vers le large.

Il ralentit sa course pour la regarder foncer vers les ténèbres. Lorsqu'elle ne fut qu'un minuscule point rouge scintillant dans les nues, il tourna les talons et se remit à sprinter vers la tour de contrôle, avant-poste abandonné sur le désert du terrain, son dernier et unique espoir.

Charlie Blakelee adorait faire la nuit. L'éclairage tamisé de la tour exerçait un effet apaisant sur la tension permanente qu'exigeait son travail. Les verrières ouvraient sur le fantastique panorama de Santa Monica et des faubourgs de Los Angeles, véritable voie lactée faite d'une myriade de lucioles. Quant à l'atmosphère de la tour, elle était loin de lui déplaire lorsque, de surcroît, il partageait son service avec Maxine Worth. Il ne se lassait pas de lorgner avec convoitise la superbe croupe que moulait admirablement son jean, s'extasiant à l'infini sur la souplesse de ses longs cheveux auburn, la douceur de sa voix et la sensualité du visage de la jeune femme.

Jumelles aux yeux, elle observait l'ascension du Cessna au dessus de l'océan.

– Pas très sérieux, ça, commenta-t-elle.

– Encore trente secondes, et elle change de faisceau, déclara Charlie en suivant la progression de l'appareil sur l'écran du radar branché sur la fréquence de l'aéroport de Los Angeles.

– Deux mille pieds, et elle grimpe toujours, ajouta Maxine.

Une voix éraillée s'éleva dans le haut-parleur de la tour.

– Santa Monica, ici contrôle de Los Angeles.

– Et voilà! conclut Charlie.

Il s'installa devant la console de liaison, décrocha le téléphone et enfonça le bouton de contact.

– Ici Santa Monica. On est au courant.

– Identification de l'appareil?

– Cessna quatre deux sept quatre huit.

– Où se croit-il celui-là?

– Celle-là. Je n'en sais rien. Elle aurait dû virer sur la côte.

– Vous pouvez vous en occuper?

– Je vais essayer.

Il saisit le micro contact radio.
– Sept quatre huit, ici la tour de Santa Monica.
Pas de réponse. Après un instant il refit un essai. Toujours rien.
– Allez, Mac Vorter, murmura-t-il.
Rien de rien.
– Sept quatre huit, ici la tour de Santa Monica. Répondez, s'il vous plaît.
Un long silence s'ensuivit que finit par rompre la voix de Diane.
– Sept quatre huit.
– Comment me recevez-vous?
– Cinq sur cinq.
– Vous vous rendez compte que vous êtes dans l'espace aérien de Los Angeles?
– Oui.
– Répétez?
– Je m'en étais aperçue.
– Instructions pour demi-tour immédiat.
Pas de réponse.
– Je répète, demi-tour immédiat.
Silence absolu.
Abaissant ses jumelles, Maxine Worth reporta son attention sur son collègue.
Sept quatre huit, ici tour de Santa Monica, vous m'avez bien reçu?
Toujours rien.
Charlie Blakelee se renfrogna.
Une sonnerie retentit dans la pièce, provenant de la porte d'accès aux locaux de la tour. Maxine s'enquit.
– Qu'est-ce que c'est?
– Occupe-t'en, tu veux?
Elle se dirigea vers l'interphone.
– Ici la tour.
Il y avait de l'énervement dans la voix de son interlocuteur.
– Écoutez, vous ne me connaissez pas. Je suis un ami du pilote du Cessna qui vient de décoller. Cet avion risque d'avoir de gros problèmes. Permettez-moi de monter, s'il vous plaît.

– Navrée, monsieur, il est interdit...
– Fais-le monter, coupa Charlie.
– Je vous ouvre, déclara Maxine dans l'interphone.
– Il pourra peut-être nous aider, reprit son collègue. Comment? Ça, je l'ignore.
Au premier bourdonnement de l'interphone, Teddy se précipita sur la porte et grimpa quatre à quatre la volée de marches menant à la tour. Hors d'haleine, il entra en trombe dans le pentagone d'observation.
Dans un coin, un type aux cheveux gris, l'air agité, s'activait sur le téléphone, tandis qu'une jeune et jolie rouquine, l'œil braqué sur l'océan, répétait, telle une litanie, dans son micro :
– Sept quatre huit, vous me recevez? Vous me recevez?
L'immatriculation de Diane.
– Bonsoir, dit Teddy.
Il aurait aussi bien pu ne pas être là.
– Sept quatre huit, ici la tour de Santa Monica...
– Vous vous foutez de moi? Vous rigolez, on est tous sur le même bateau! hurla Charlie dans l'appareil.
Interloquée, la rouquine lui fit face.
– Charlie...?
– Los Angeles vient de changer tous les plans de vol il n'y a pas un quart d'heure, aboya ce dernier. Ça leur aurait fait mal de nous prévenir. Tu as établi le contact?
– Rien à faire.
Les lèvres serrées, le type se tourna vers Teddy.
– Je m'appelle Charlie, elle c'est Maxine. Vous avez parlé de gros problèmes. De quoi s'agit-il?
– C'est au sujet de l'avion, le sept quatre huit.
– Diane Mac Vorter...
– Je crois qu'elle a endommagé son hélice et qu'elle ne l'a pas remarqué.
– Oh, misère! soupira Maxine Worth.
– C'est parfait! Manquait plus que ça! s'exclama Charlie. Le vent vient de tourner sur Los Angeles. Alors ils ont changé le sens des pistes. Approche secteur est,

maintenant. Autrement dit, des floppées de 747 et de DC 10 en train de tourner au dessus de l'océan dans un rayon de cinquante à soixante kilomètres, et votre petite copine, qui fonce droit dans le tas avec une hélice bousillée. C'est bien ça?

– Mon Dieu... gémit Teddy.

La rouquine avait repris ses infructueuses tentatives.

– Ma question va vous paraître idiote, reprit Teddy, mais elle est branchée, la radio de Diane?

– Difficile à dire, répondit Maxine. En tout cas, elle l'était tout à l'heure.

– Il faut absolument la faire revenir.

– Ben voyons, commenta Charlie Blakelee avec amertume.

Le haut-parleur se remit à crachoter.

– Santa Monica, ici Los Angeles.

Charlie se jeta sur l'appareil.

– Santa Monica.

– On a repéré votre avion. Il est à vingt-cinq kilomètres de son espace autorisé et il vole à cinquante mille pieds. On l'a signalé à tous les autres. Et vous, où en êtes-vous?

– On parle dans le désert.

– Il y a une bonne douzaine de gros porteurs dans le circuit. Ça fait pas loin de deux mille vies humaines en jeu.

– Que voulez-vous que j'y fasse?

Charlie Blakelee raccrocha brutalement le téléphone, le regard braqué dessus comme s'il allait mordre. Plantée devant la verrière ouest, Maxine appelait Diane sans relâche. Le vieux contrôleur dévisagea Teddy.

– Elle est encore bourrée, non?

Il s'était exprimé à voix basse.

– Pardon?

– Allez, on ne rigole plus. Est-ce qu'elle a beaucoup bu avant de décoller?

– C'est possible, répondit l'acteur.

– Possible...

Le contrôleur aérien semblait accablé. S'approchant de la rouquine, il lui prit le micro pour tenter d'établir lui-même le contact.

– Elle est sûrement hors de portée maintenant, soupira-t-il d'un ton sinistre.

– Je peux essayer? demanda Teddy.

– C'est interdit, répondit son interlocuteur.

– Pourquoi?

– Parce que c'est interdit.

Sentant peser sur lui le regard de Maxine, le vieux contrôleur s'énerva.

– Quoi? Qu'est-ce qu'il y a?

– Rien, déclara-t-elle en lui tournant le dos.

– Il est possible qu'elle me réponde à moi, insista Teddy.

– Possible mais pas sûr.

A nouveau Maxine regarda son collègue.

– Charlie...?

– Bon d'accord.

Il tendit son micro à Teddy.

– A vous de jouer.

Sous les regards convergents des deux contrôleurs, Teddy pressa le bouton de contact radio.

– Diane, ici Teddy. Teddy! Diane, tu m'entends?

Toujours le silence.

– Mettez-la au courant, à tout hasard. Les avions en circuit, le changement de sens des pistes et tout ça, intervint Charlie.

– Diane... sept quatre huit... Écoute, il y a une armada d'avions en train de tourner au dessus de l'océan à attendre que l'aéroport de Los Angeles les autorise à atterrir, et toi, tu fonces droit dans le tas. Je t'en supplie, Diane, fais demi-tour, reviens.

Alors qu'il ne s'y attendait plus, le haut-parleur reprit vie tandis que la voix de la jeune femme s'élevait, lointaine et floue.

– Vous n'abandonnez jamais, n'est-ce pas?

Charlie sursauta.

– Est-ce qu'il vous arrive de laisser tomber, des fois?

Une immense amertume perçait dans la voix de Diane.

– Diane! Diane! hurla Teddy. Ton hélice est endommagée. Tu le sais?

– Et quoi encore? riposta-t-elle d'un ton moqueur.
– Donnez-moi ça! s'écria Charlie Blakelee.
– Diane, il faut que tu m'écoutes et que tu comprennes ce que je vais te dire. Au cours de cette épouvantable nuit, la semaine dernière... Tu vois celle dont je parle?
– Oui, oui...
Cette fois elle ne se moquait plus. On la sentait au bord du désespoir.
– Vous allez me le donner ce micro, oui.?
– Diane, c'est Teddy qui te parle. Cette fameuse nuit je n'étais pas là, c'est lui qui y était. Je te le jure, Diane. Tu comprends...?
– Mais enfin bon Dieu, qu'est-ce que ça veut dire tout ça?
Charlie Blakelee chercha à s'emparer du micro.
Teddy s'écarta de lui.
– Diane, c'est moi qui suis dans la tour de contrôle et non pas à côté de toi. Tu comprends, c'est lui qui est avec toi, pas moi. Je suis au terrain et je te pardonne ce que tu as fait. On n'en parlera plus jamais. Si tu reviens, je te promets que je t'aiderai. Je ferai tout pour te sortir de là et te protéger. Reviens, Diane, je t'en supplie.
Le plus fort, c'est qu'il parlait sérieusement. Les nerfs à vif, il attendit sa réponse.
Après un très long silence la voix de la jeune femme s'éleva à nouveau. A travers ses sanglots il distingua ses paroles.
– Salaud! Tu es prêt à dire n'importe quoi, Salaud... Tous ces mensonges parce que tu tiens tellement à le récupérer...
Dans le haut-parleur, ils l'entendirent qui cherchait à refouler ses larmes puis, brutalement, le silence, comme si elle avait laissé choir le micro ou coupé le contact.
– Diane?... Diane?... Je t'en supplie... Diane?...
C'était inutile.
Il comprit qu'il n'y avait plus rien à faire.
Même si pour des raisons que lui-même ne percevait pas, chacun des mots qu'il avait prononcés était sincère, elle ne voudrait jamais le croire, jamais.

C'était inutile.
Le haut-parleur restait muet.
Il tendit le micro au vieux contrôleur aérien.
– Au moins, elle sait à quoi s'en tenir pour le circuit sur Los Angeles, remarqua ce dernier d'une voix brisée.
Le cœur gros, Teddy acquiesça.
– Par contre, je n'ai rien compris aux autres trucs que vous lui avez racontés.
– Moi non plus, ajouta Maxine Worth.
Tant mieux.
– Elle n'a pas de passager avec elle, là-haut, si? insista Charlie Blakelee.
– Non. Elle est seule. Toute seule.

26.

Immobile dans la lueur diffuse du poste de pilotage, le suaire dans lequel reposait sa victime à ses côtés, poursuivant son vol au-dessus de l'océan désert, cherchant à retrouver la paix de l'esprit et à sécher les larmes qui lui brouillaient la vue et lui donnaient l'illusion d'errer dans le champ des étoiles, elle luttait contre le désarroi qui l'avait envahie. Plus elle y pensait, plus c'était le chaos. Si au moins elle jugulait ses sanglots...

Pourquoi n'avait-elle pas coupé la radio?

Le vrombissement et les vibrations des pales tournoyantes de l'hélice auraient dû lui suffire comme conversation.

Alors pourquoi ne pas avoir débranché cette fichue radio tout de suite?

Ainsi, jamais elle n'aurait subi les accents de cette voix qui provenait de la terre. Jamais elle n'aurait entendu les mots qu'il avait prononcés.

Il avait provoqué en elle un mélange de terreur et d'espoir, car ce qu'il avait dit, elle l'attendait depuis si longtemps et elle désirait tant s'y accrocher, malgré l'extraordinaire méfiance dont elle ne pouvait se départir.

Il lui avait juré qu'il était Teddy, qu'elle avait cru le tuer, mais qu'en réalité, cette horrible nuit n'avait été qu'une tragique méprise, toutes choses qu'elle souhaitait désespérément.

Teddy vivant.

Oh, si seulement c'était vrai!

Il avait même accepté de lui pardonner pour le sort qu'elle avait infligé à la malheureuse et innocente victime qui occupait le siège voisin, et cela aussi elle aurait tant voulu que ce soit vrai.

L'absolution pour Diane.

Si elle acceptait de faire demi-tour et de regagner ce monde d'incertitudes qu'elle s'était créé, il l'aiderait et la protègerait. Il le lui avait promis, elle l'avait entendu, et c'était là ce qu'elle désirait le plus, ce qu'elle attendait depuis ce qui lui semblait être la nuit des temps.

Quelqu'un qui l'aide.

Quelqu'un qui la protège.

Personne ne lui avait jamais parlé ainsi, avec autant d'émotion. Il était sincère, elle l'aurait juré. Mais elle l'avait repoussé. Pourquoi?

Il faut que tu lui fasses confiance, Diane.

Rentre avant qu'il ne soit trop tard. Ce n'est pas ici que tu trouveras des solutions à tes problèmes. Ici, au contraire, tu es entourée de dangers. Fais-lui confiance.

Elle poursuivait sa route au-dessus de la sombre étendue des flots, déjà moins seule, sur le point de prendre sa décision, sourde aux trépidations toujours plus irrégulières de son moteur et au grondement plus proche de l'invisible orage vers lequel elle progressait.

Laisse aller, Diane.

Cesse de te battre.

Fais-lui confiance.

N'aie pas peur.

Fais-lui confiance, laisse-le faire.

Demi-tour, Diane, retourne là-bas.

D'un coup, elle se décida, brusquement submergée par une intense sensation de soulagement. Bien sûr, elle ne s'en tirerait pas blanche comme neige, pas d'illusions là-dessus. Il lui faudrait payer. Mais avec son aide, elle se sentait de taille à affronter ses responsabilités.

D'un geste, elle débrancha le pilote automatique, réempoigna le manche, reposa les pieds sur les pédales du palonnier, prête à virer serré vers la terre. A cet instant même, avant qu'elle ait compris, la voie lactée tout entière s'abattit sur elle dans un rugissement dément, à une vitesse inimaginable...

Vive comme l'éclair, elle précipita l'appareil dans un piqué désespéré vers les flots noirs, tandis que le monstrueux supersonique commercial la frôlait puis se perdait dans les nues. Pas un instant elle ne céda à la terreur, occupée qu'elle était à sortir le Cessna de la mortelle configuration dans laquelle elle venait de le placer.

D'un mouvement ample et progressif, elle mit manche au ventre.

Entraîné par son poids, l'avion continuait à chuter comme une pierre, la terrifiante vitesse du vent entraînant inéluctablement son hélice dans un tourbillon toujours plus dément. Peu à peu, le grondement du moteur vira au suraigu.

Cramponnée au manche, Diane implora les dieux d'accorder au groupe moto-propulseur la résistance et la force nécessaire à la tirer de son redoutable plongeon. Dans un sursaut de ses grandes pales mutilées, l'appareil parvint à se rétablir en palier, nez pointé vers l'océan. Sur sa droite, la jeune femme distingua le scintillement d'une nouvelle nuée d'étoiles se ruant sur elle et, sans plus attendre, manœuvra de la seule façon raisonnable. Virant sur l'aile, elle entama le demi-tour qui la ramènerait au bercail.

C'est alors que tout se déclencha.

Le lent processus d'érosion que n'avait cessé de subir le moyeu de fixation du groupe moto-propulseur arriva à son terme. Et les effets cumulés du déséquilibre, des vibrations et de l'effort exceptionnel que le pilote venait de solliciter menèrent le bloc métallique à son point de rupture. Les boulons de fixation qui, insensiblement, s'étaient desserrés finirent par lâcher tandis que, dans un dernier cliquetis, l'hélice prenait son propre envol et, sous les yeux incrédules de Diane, disparaissait dans les ténèbres.

Elle ne put retenir un cri.

Un instant, son cœur cessa de battre avant de reprendre son rythme normal.

Sans affolement, elle maintint l'oiseau bleu et blanc en ligne. Débarrassé des excroissances que formaient les pales métalliques, il se mit à planer dans l'obscurité des nues.

Elle coupa le contact. A quoi bon maintenant?... Le silence qui suivit lui procura une certaine euphorie. Ce n'était pas la première fois qu'elle agissait ainsi pour jouir de cette sérénité qui s'instaurait dans l'avion. Mais elle avait toujours pris soin de le faire à des altitudes convenables et non à deux mille pieds, comme maintenant, et qui plus est, jamais en pleine nuit ni au-dessus de l'océan.

Elle tenta de contacter la tour pour apprendre à Teddy qu'elle le croyait et faisait demi-tour. Mais elle comprit vite la vanité de ses efforts; elle se trouvait à présent hors de portée du faisceau de Santa Monica.

Tout était si tranquille, si paisible! Seulement le doux bruissement de l'air sur le fuselage...

Elle se sentit heureuse d'avoir décidé de rentrer et de ne plus fuir ses responsabilités. Elle aurait détesté que ce drame se produise alors qu'elle était en psychose de fuite.

A faible distance derrière elle, le grondement d'un avion de ligne en approche sur Los Angeles se fit entendre, croissant démesurément à mesure qu'il la dépassait.

Quelqu'un l'aurait-il aperçue?

De tout son cœur elle le souhaita.

Jetant un coup d'œil à son passager d'infortune, elle fut saisie de remords pour le mal qu'elle lui avait causé. Lui, il n'avait pas choisi ce dernier voyage, tandis qu'elle au moins, c'était de son propre chef qu'elle était là.

Elle coupa ses feux de signalisation et l'éclairage du tableau de bord, instaurant l'obscurité dans l'avion qui descendait vers son destin.

Elle pensa à sa mère et se félicita de l'avoir appelée avant son départ.

La conversation qu'elle venait d'avoir avec Teddy était aussi une chose heureuse. Il avait promis de l'aider et de la protéger; elle avait décidé qu'elle pouvait lui faire confiance, et ça lui était du plus grand réconfort, à présent.

Je te crois, Teddy, je peux compter sur toi, murmura-t-elle tandis que son Cessna, son ami, son grand oiseau bleu et blanc arrivait presque au terme de sa longue glissade.

Elle aurait dû ressentir un effroi sans borne et pourtant, ce n'était pas le cas.

Il allait se produire quelque chose, elle s'en sortirait.

On ne peut passer une vie entière sans qu'un heureux événement survienne au moins une fois.

Pour elle, ce serait aujourd'hui.

Pénétrée de cette certitude, elle se sentit envahie par une douce béatitude, un amour illimité pour l'humanité tout entière et pour elle-même en particulier.

Sa conviction ne faiblit pas même lorsque le train d'atterrissage heurta la surface de l'eau, ni quand le Cessna bicolore passa sur le nez et que, cédant à la surpression, le pare-brise vola en éclats ouvrant la voie aux flots en furie qui, comme pris de compassion, cherchèrent à l'engloutir au plus vite. Alors, toute trace de conscience s'effaça de son cerveau pendant que, disparaissant sous les eaux, l'avion entamait son long périple vers les bas-fonds de l'océan.

La jeune femme n'avait pas souffert de la collision. Pas la moindre égratignure sur son corps merveilleusement proportionné ni sur son adorable visage dans lequel ses grands yeux sombres restèrent ouverts pour toujours en une expression d'inaltérable vulnérabilité. Protégée par l'étreinte passionnée de sa ceinture de sécurité, elle aborda l'éternité tendrement enlacée à son oiseau favori.

Attaché au siège du passager, Howard Bluestern serait lui aussi toujours à ses côtés.

Plus jamais elle ne serait seule.

Il ne voulait pas en entendre davantage. A quoi bon d'ailleurs?

Bien avant que les radars de Los Angeles ne l'aient

perdue, il savait comment cela finirait. Le message du co-pilote du vol de Honolulu qui avait capté le dernier signal de détresse du Cessna, ce message même ne fit que confirmer l'évidence. Tout était fini et les hélicoptères des gardes-côtes qui, un quart d'heure plus tard, sillonneraient la zone sinistrée ne détecteraient pas la moindre trace de l'accident, en dépit de leur matériel ultra-sophistiqué.

Charlie se comporta avec une extrême gentillesse, tout comme sa jeune collègue qui parvenait difficilement à cacher ses larmes. Le contrôleur lui confia qu'il avait souvent communiqué avec Diane par radio mais qu'ils ne s'étaient jamais rencontrés. Il ajouta qu'il avait toujours éprouvé de l'admiration pour son sens de l'humour mordant ainsi que pour sa façon de contourner les règlements aériens. Il demanda à Teddy de la lui décrire. Ce dernier lui brossa le portrait d'une séduisante jeune femme, et Maxine Worth redoubla de sanglots.

Personne ne lui posa la moindre question sur Howard.

Personne ne le ferait jamais plus d'ailleurs.

La disparition de son frère resterait un secret dont seuls Jo Anne et lui-même seraient détenteurs.

Jamais ils n'en souffleraient mot à personne.

Il n'eut aucune conscience du moment où il prit cette décision. En fait il n'eut même pas la certitude de l'avoir prise.

Quoi qu'il en soit, Howard Bluestern n'était plus condamné à mort.

Teddy s'y opposerait de toutes ses forces.

Tant qu'il serait vivant, son frère le serait aussi. Il en serait de même pour le personnage de Teddy Stern.

Ils étaient tous les deux sur le même bateau.

Il n'y avait plus d'échappatoire pour Teddy, et d'ailleurs il n'en cherchait pas.

Il savait comment Howard aurait voulu vivre sa vie et lui, Teddy s'y emploierait activement, faisant de son frère le citoyen le plus honorable en même temps qu'un gagnant capable d'aller au bout de ses engagements.

Aucune ambiguïté sur ce point.

Ce rôle-là il savait comment l'interpréter. Voilà déjà une semaine qu'il en explorait les possibilités. Pour être la vedette d'une excellente distribution il devrait y mettre ses tripes, mais il avait appris à aimer la difficulté, récemment.

Après les avoir remerciés du fond de son cœur, Teddy fit ses adieux aux deux contrôleurs aériens. Puis il redescendit l'escalier en colimaçon et sortit dans la fraîcheur de la nuit étoilée, pour gagner le parking où il avait laissé sa voiture.

L'emplacement du Cessna bleu et blanc de Diane était à présent vide. Il eut de la peine à imaginer que, si peu de temps auparavant, elle s'était trouvée ici même à le dévisager du poste de pilotage. Il ne pouvait oublier le regard de ses yeux terrifiés, l'expression désarmée de cette jeune femme à jamais meurtrie par les horreurs de ses propres actes.

Quel destin! songea-t-il. Condamnée à partager l'éternité avec mon frère alors qu'ils n'avaient jamais pu se supporter, et ce, dès leur première rencontre, lors d'une grande réception au *Beverly Hilton* environ un an plus tôt.

Prends soin d'elle, Howard.

Prends soin de lui, Diane.

Par bonheur, l'agent des services de sécurité n'était plus à son poste lorsqu'il franchit la grille. Il l'aperçut plus loin, sur le terrain, à bord de son pick-up rouge. Pour rien au monde Teddy n'aurait voulu reprendre la conversation avec lui, pas plus qu'il n'aurait aimé que ce type remarque les larmes qui lui perlaient aux yeux.

Au volant de la Porsche jaune, il regagna l'aéroport international de Los Angeles et à nouveau changea de tenue dans les toilettes.

Puis il pénétra dans une cabine téléphonique pour appeler Jo Anne.

Elle rentrait à peine, et ce fut sans plaisir qu'il lui annonça la nouvelle.

Il fit tout son possible pour amortir le choc de ces événements auxquels elle avait eu la chance d'échapper jusque-là.

De toute façon, il ne pouvait pas entrer dans les détails. Il n'avait plus le temps.

Il devait prendre l'avion de minuit.

– Oh, mon chéri, sanglota-t-elle doucement.

– Je t'aime tant, tu sais, dit-il.

A regret, ils se quittèrent.

Attaché-case à la main, il se hâta vers la salle d'embarquement.

Howard Bluestern était en route pour New York. Ses affaires l'y attendaient. D'ici quelques jours, il serait de retour, prêt à continuer sur la voie du succès qu'il avait amorcée dès les premières semaines de son règne. Il en était capable. Il serait à la hauteur.

Il faudrait aussi qu'il s'occupe de Teddy. Son frère verrait enfin sa carrière démarrer. Il s'en était désintéressé trop longtemps. Dorénavant il ne laisserait plus passer une occasion de lui venir en aide. Parce qu'il l'aimait d'un amour fraternel. Et Teddy, il en était certain, l'aimait tout autant.

Installé à l'avant de l'avion qui décollait pour foncer vers l'Est, il songea à l'avenir.

En rentrant il commencerait par résilier sa police personnelle d'assurances sur la vie. Marvin Gerber pousserait des hurlements de goret qu'on égorge, bestiau auquel il faisait d'ailleurs immanquablement penser. Il y aurait de quoi devant la perte de quatre, voire cinq ans de commissions pour le moins juteuses!

Il faudrait aussi qu'il s'occupe de trouver aux studios un poste aussi honorifique qu'inoffensif pour David Stanner qu'il ferait muter, après un délai raisonnable, aux bureaux de Londres. Et après, il le ferait interdire de séjour aux États-Unis! Scotty Seligman avait assez d'amis au Département d'État. Ils sauraient se charger de cette basse besogne.

Mme Mahoney ferait une magnifique maîtresse de maison à plein temps à Bel Air. Les dimensions spacieuses et le luxe de l'endroit lui plairaient et cela la rapprocherait de chez elle. Il se débrouillerait pour faire venir quelqu'un d'autre à Malibu une ou deux fois par semaine. Il avait l'intention d'y habiter assez rarement sauf pendant les week-ends. En vertu de quoi, il se débarrasserait sans doute de ce vieux congélateur qui encombrait la petite véranda à l'arrière de la maison. Il n'en aurait plus besoin. D'ailleurs, il y avait déjà longtemps que ce monstre ne servait à rien.

Avant de quitter New York, il mettrait tout en jeu pour que le conseil d'admistration nomme Jeff Barnett et Larry Hough à la vice-présidence, car Dieu sait s'ils le méritaient! En cas de refus, il menacerait de démissionner, ce qu'il ne manquerait pas de faire non plus si le conseil s'avisait de s'opposer au passage à la trappe des six projets qu'il était censé avoir proposés quelques semaines auparavant pour les remplacer par les nouveaux scénarios qu'il transportait à présent dans son attaché-case. Le Hollywood d'aujourd'hui évoluait plus rapidement que jamais, et si Winthrop Van Slyke et sa clique n'étaient pas capables de s'en rendre compte, mieux valait que ce soient eux qui démissionnent. Quoi qu'il arrive, il leur rentrerait dans le chou. De retour en Californie, en coopération avec Hough et Barnett, il disposerait d'un trio pour diriger les studios. Compte tenu du rôle qu'il destinait à ses deux assistants, il n'aurait aucune difficulté à s'absenter chaque fois qu'il le jugerait bon.

Il projeta d'abandonner le court de tennis et de le laisser mourir de sa belle mort. Pourquoi ne pas acheter un bateau plutôt? Quelque chose de bien, pas tapageur mais sérieux, qui l'attendrait, ancré dans la marina pour les fois où il déciderait de s'isoler en mer quelques jours, un peu comme Jim Kelly du temps où il dirigeait la *Paramount*. Comme ça, pas de cirque à faire à chaque fois que Teddy se verrait confier un rôle de premier plan dans un film négocié pour lui par Sam Kramer. Parce que Kramer, il aurait du boulot dans les temps à venir, pour mettre Teddy en vedette dans de nombreuses productions.

Et puis surtout, il songea à Jo Anne.

Bien sûr, elle resterait sa secrétaire aussi longtemps qu'elle le désirerait, et Dieu sait s'il aurait besoin d'elle à longueur de journée et même de nuit. Mais jamais il n'empiéterait sur ses relations avec Teddy, si c'était là la vie qu'elle choisissait.

Il était sans doute trop tôt pour lui demander de se prononcer. Selon toute apparence, elle n'était pas encore prête à se marier. Toutefois le plus important, c'est qu'elle avait l'air aussi attirée par Howard que par Teddy. Alors pourquoi précipiter les choses? Il n'y avait qu'à attendre qu'elle décide d'avoir des enfants. Son choix, elle le ferait à ce moment-là. Dans l'intervalle, il avait tout le temps de voir venir.

Quoi qu'elle décide, il s'y conformerait.

Entre-temps, le trio qu'ils formaient se forgerait la réputation de s'entendre à merveille. Les deux frères ne cesseraient de démontrer à l'envi le bien qu'ils pensaient d'elle, la mêlant sans cesse à tous les événements de leur vie mondaine tandis que, de son côté, elle afficherait les preuves de l'affection qu'elle leur portait à tous les deux. La plupart des gens en déduirait qu'elle ne pouvait tout simplement pas se résoudre à quitter l'un pour l'autre. Ils prendraient l'habitude de la voir à une réception avec Teddy et à une projection avec Howard la semaine suivante. Bien entendu, chaque frère disparaîtrait de la scène dès lors que son jumeau sortirait avec elle. Raison pour laquelle jamais on ne les verrait tous les trois ensemble. Mais Hollywood étant ce qu'il est, il se trouverait toujours quelqu'un pour jurer ses grands dieux qu'il avait rencontré le trio.

Et c'est ce quelqu'un qui aurait raison.

Parce que, en fait, ils ne se quitteraient jamais.

L'apparition d'une hôtesse vint troubler sa méditation.

– Désirez-vous boire quelque chose, monsieur Bluestern?

– Non, merci, répondit-il, le sourire aux lèvres.

Il avait pratiquement cessé de boire.

Oh, parfois un petit martini-vodka, pour entretenir les bonnes relations. Mais rarement plus...

DANS LA MÊME COLLECTION

Une autre femme, Judith Michael
Les Slayter, Leona Blair
La vie déchirée, Joy Fielding
Les femmes du Président, Kate Coscarelli
Reflets de femmes, Judy Blume

Cet ouvrage a été réalisé sur
Système Cameron
par la SOCIÉTÉ NOUVELLE FIRMIN-DIDOT
Mesnil-sur-l'Estrée
pour le compte des Éditions Carrère/Paraître
le 30 avril 1987